#시험대비
#핵심정복

7일 끝
중간고사
기말고사

Chunjae
Makes
Chunjae

개발총괄	김덕유
편집개발	중등 사회팀
제작	황성진, 조규영

발행일	2021년 3월 15일 초판 2021년 3월 15일 1쇄
발행인	(주)천재교육
주소	서울시 금천구 가산로9길 54
신고번호	제2001-000018호
고객센터	1577-0902
교재 내용문의	(02)3282-1780

※ 정답 분실 시에는 천재교육 홈페이지에서 내려받으세요.

7일 끝으로 끝내자!

중학 **역사②**

BOOK 1

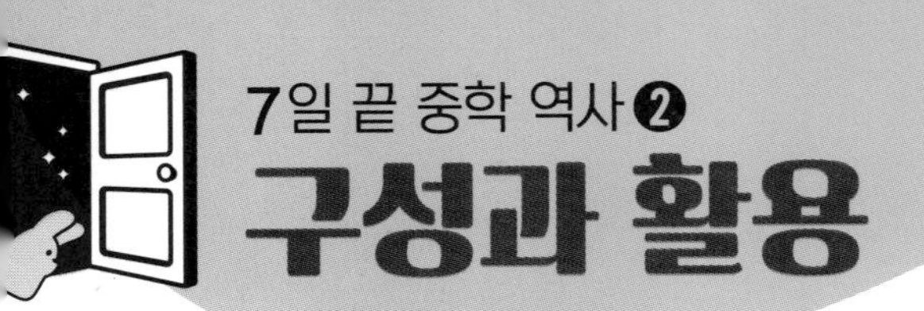

7일 끝 중학 역사 ❷ 구성과 활용

시험 공부 시작

생각 열기

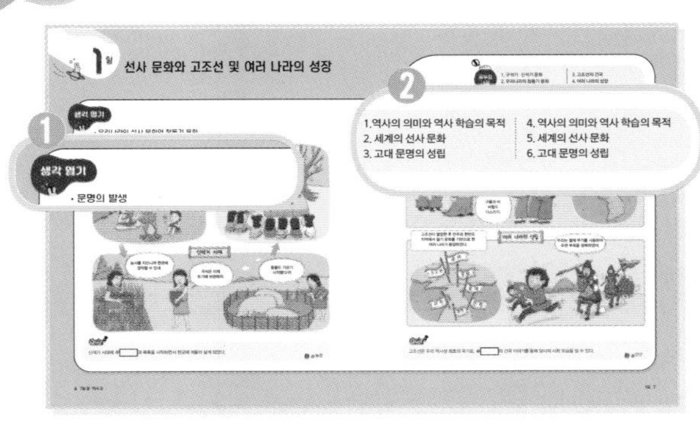

공부할 내용을 만화로 가볍게 살펴보며 학습을 준비해 보세요.

❶ 생각 열기 만화 내용을 가볍게 보고 퀴즈를 풀면서 학습 목표를 떠올려 보세요.

❷ 공부할 내용을 살피며 핵심 학습 요소를 확인해 보세요.

본격 공부 중

교과서 핵심 정리 + 기초 확인 문제

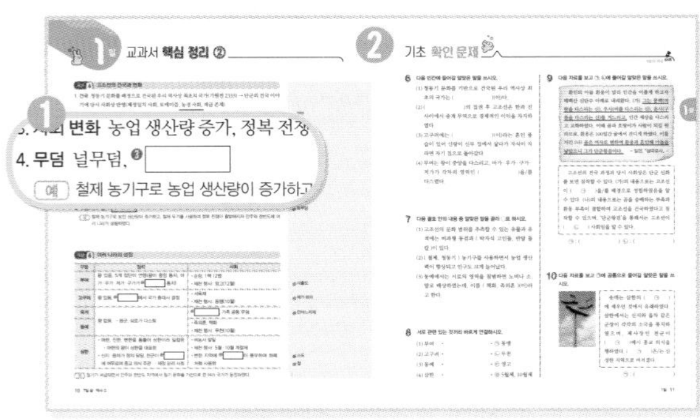

꼭 알아야 할 교과서 핵심 내용을 익히고 기초 확인 문제를 풀며 제대로 이해했는지 확인해 보세요.

❶ 빈칸 문제를 채우며 교과서 핵심 내용을 다시 한 번 체크해 보세요.

❷ 교과서 핵심과 관련된 기초 확인 문제를 풀며 공부한 내용을 확인해 보세요.

내신 기출 베스트

1일 내신 기출 베스트

대표 예제 1

구석기 시대의 도구를 <보기>에서 고른 것은?

개념 가이드

만주와 한반도 지역에서는 청동기 시대에 ❶ 가 본격적으로 보급되었고, 빈부 격차가 발생하여 ❷ 이 생겼다.

답 ❶ 벼농사 ❷ 계급

다양한 유형의 문제를 풀어 보며 공부한 내용을 점검해 보세요.

❶ 대표 예제 문제를 풀며 시험에 잘 나오는 문제를 확인해 보세요.

❷ 개념 가이드를 보며 시험에 잘 나오는 용어나 개념을 익히거나 문제 해결의 힌트를 얻어 보세요.

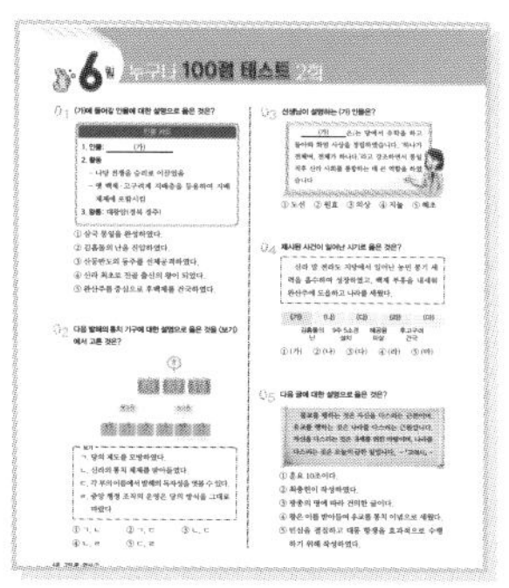

누구나 100점 테스트
앞에서 공부한 내용을 바탕으로 기초 이해력을 점검해 보세요.

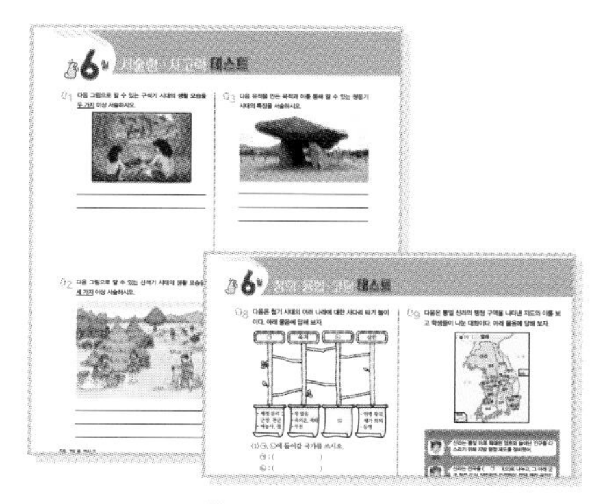

서술형·사고력 **테스트** / 창의·융합·코딩 **테스트**
참신하고 다양한 자료들을 활용한 문제를 풀면서 사고력을 길러 보세요.

학교 시험 기본 테스트
시험 문제에 가까운 예상 문제를 풀며 실전에 대비해 보세요.

틈틈이·짬짬이 공부하기

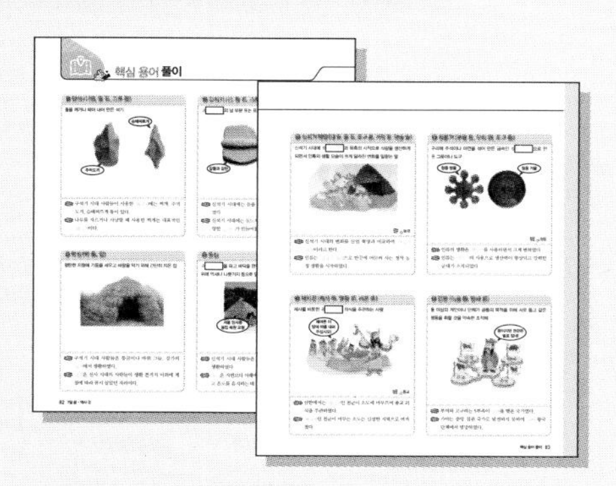

과목별 필수 용어를 담은 핵심 용어 풀이를 보며 중요 개념을 익혀 보세요.

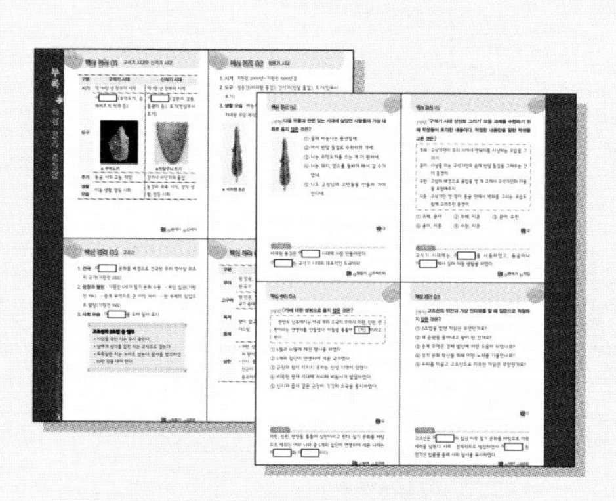

핵심 정리 총집합 카드를 휴대하며 이동하는 중이나 시험 직전에 활용해 보세요.

차례

1일 선사 문화와 고조선 및 여러 나라의 성장

생각 열기

• 우리나라의 선사 문화와 청동기 문화

Quiz

신석기 시대에 ❶ [ ] 과 목축을 시작하면서 한곳에 머물러 살게 되었다.

답 ❶ 농경

1. 구석기 · 신석기 문화
2. 우리나라의 청동기 문화
3. 고조선의 건국
4. 여러 나라의 성장

• 고조선 및 여러 나라의 성장

Quiz

고조선은 우리 역사상 최초의 국가로, ❶ (　　　　) 의 건국 이야기를 통해 당시의 사회 모습을 알 수 있다.

답 ❶ 단군

교과서 핵심 정리 ①

개념 1 만주와 한반도의 구석기 문화

1. 시기 약 70만 년 전 시작

2. 생활 모습

도구	돌을 깨뜨려 만든 ❶ [ ] 사용(주먹 도끼, 슴베찌르개 등)
주거	이동 생활 → 동굴, 바위 그늘, 강가의 막집에서 거주
경제 / 사회	사냥, 고기잡이, 채집 등 / 평등 사회

예) 구석기 시대에는 뗀석기를 사용하고 동굴이나 막집에 살며 이동 생활을 하였다.

개념 2 만주와 한반도의 신석기 문화

1. 시기 약 1만 년 전 시작

2. 생활 모습

도구	돌을 갈아서 만든 ❷ [ ] 사용(돌괭이, 갈판과 갈돌 등), 토기 사용(빗살무늬 토기 등), 가락바퀴, 뼈바늘을 이용하여 옷과 그물 제작
주거	❸ [ ] 생활 → 강가, 바닷가에 움집을 짓고 생활
경제 / 사회	농경과 목축 시작(❹ [ ]) / 평등 사회
예술	조개껍데기 가면, 치레 걸이, 흙으로 빚은 얼굴 등 예술품 남김

예) 신석기 시대에는 간석기와 토기를 사용하였고, 농경을 시작하면서 한곳에 머물러 살게 되었다.

개념 3 우리나라의 청동기 문화

1. 청동기의 보급 기원전 2000년~기원전 1500년경 전래 → 청동기는 지배 계급의 무기, 제사용 도구, 장신구 등으로 사용됨(비파형 동검, 청동 방울 등)

2. 생활 모습

도구	정교한 간석기(반달 돌칼 등)와 다양한 토기(민무늬 토기, 미송리식 토기 등)를 사용
주거	야산이나 구릉 지대에 움집을 짓고 생활 → 마을 규모 확대
경제	• 조, 기장, 수수, 콩, 보리 등 재배, 일부 지역에서 ❺ [ ] 시작 • 농사짓는 기술 발달, 작물 다양화 → 생산량 증가
사회	• 남는 식량이 생기자 빈부 격차 발생 → ❻ [ ] 성립 • ❼ [ ], 돌널무덤 등 지배 계급의 권위를 상징하는 거대한 무덤 제작 • 제정일치 사회: 군장이 제사장을 겸함
신앙, 예술	사냥과 고기잡이의 성공, 다산과 풍요 기원(울산 대곡리 반구대 바위그림)

예) 청동기 시대에는 계급이 생겨나 고인돌과 같은 거대한 무덤이 만들어지기도 하였다.

❶ 뗀석기
❷ 간석기
❸ 정착
❹ 신석기 혁명
❺ 벼농사
❻ 계급 사회
❼ 고인돌

기초 확인 문제

정답과 해설 64쪽

1 **다음 괄호 안의 내용 중 알맞은 말을 골라 ○표 하시오.**

(1) 만주와 한반도에서는 약 70만 년 전부터 (구석기, 신석기) 시대가 시작되었다.

(2) 신석기 시대에는 (뗀석기, 간석기)를 농경 등 일상생활에 사용하였다.

(3) 청동기 시대에 사용된 대표적인 간석기로 (주먹도끼, 반달 돌칼)이/가 있다.

2 **다음 설명이 구석기 시대의 생활 모습에 해당하면 '구', 신석기 시대의 생활 모습에 해당하면 '신'을 쓰시오.**

(1) 무리 지어 다니며 식량을 구하고 이동하며 생활하였다. (　　　　)

(2) 강가나 바닷가에 움집을 짓고 마을을 이루어 한 곳에 정착하여 살았다. (　　　　)

(3) 덧무늬 토기, 빗살무늬 토기 등을 만들어 음식을 조리하거나 식량을 저장하였다.

(　　　　)

3 **다음 물음에 답하시오.**

(1) 신석기 시대에 농경과 목축이 시작되면서 나타난 인류 생활의 변화를 나타낸 말은?

(　　　　)

(2) 농업 생산력이 향상되고 한반도 일부 지역에서 벼농사가 시작된 시기는? (　　　　)

(3) 청동기 시대에 정치적 지배자인 군장이 종교 의식까지 주관하는 것을 일컫는 말은?

(　　　　)

4 **다음 자료를 보고 ㉠, ㉡에 들어갈 알맞은 말을 쓰시오.**

> 우리나라 (　㉠　) 시대의 대표적인 토기로, 표면에 빗살무늬를 새겨 넣어서 (　㉡　)(으)로 불린다. 주로 음식을 조리하거나 식량을 저장하는 데 사용되었다.

㉠ : (　　　　　　) ㉡ : (　　　　　　)

5 **다음 자료를 보고 ㉠, ㉡에 들어갈 알맞은 말을 쓰시오.**

> 청동기 시대에는 남는 식량이 생기면서 빈부 격차가 발생하고 (　㉠　)이/가 생겨났다. 군장이 죽으면 그의 권위를 상징하는 거대한 무덤을 만들었는데, 탁자식 또는 바둑판식으로 만들어진 이 무덤을 (　㉡　)(이)라고 한다.

㉠ : (　　　　　　) ㉡ : (　　　　　　)

1일

교과서 **핵심 정리 ②**

개념 4 고조선의 건국과 변화

1. **건국** 청동기 문화를 배경으로 건국된 우리 역사상 최초의 국가(기원전 2333) → 단군의 건국 이야기에 당시 사회상 반영(제정일치 사회, 토테미즘, 농경 사회, 계급 존재)
2. **성장과 멸망** 기원전 5세기 철기 문화 수용 → ❶ [ ] 집권(기원전 194) → 중계 무역으로 큰 이익 차지 → 한 무제의 침입으로 멸망(기원전 108)
3. **사회 모습** ❷ [ ]을 두어 질서 유지

예 고조선은 우리 역사상 최초의 국가로, 단군의 건국 이야기와 8조법을 통해 당시의 사회 모습을 알 수 있다.

❶ 위만

❷ 8조법

개념 5 철기 문화의 발전

1. **시기** 기원전 5세기경부터 시작
2. **도구** 철제 무기와 철제 농기구
3. **사회 변화** 농업 생산량 증가, 정복 전쟁 활발 → 만주와 한반도에 여러 나라 성립
4. **무덤** 널무덤, ❸ [ ]

예 철제 농기구로 농업 생산량이 증가하고, 철제 무기를 사용하며 정복 전쟁이 활발해지자 만주와 한반도에 여러 나라가 성립하였다.

❸ 독무덤

개념 6 여러 나라의 성장

구분	정치	사회
부여	왕 있음. 5개 집단이 연맹(왕이 중앙 통치, 마가·우가·저가·구가가 ❹ [ ] 통치)	• 순장, 1책 12법 • 제천 행사: 영고(12월)
고구려	왕 있음. ❺ [ ]에서 국가 중대사 결정	• 서옥제 • 제천 행사: 동맹(10월)
옥저	왕 없음. → 읍군, 삼로가 다스림	❻ [ ], 가족 공동 무덤
동예		• 족외혼, 책화 • 제천 행사: 무천(10월)
삼한	• 마한, 진한, 변한을 통틀어 삼한이라 일컬음 → 마한의 왕이 삼한을 대표함 • 신지·읍차가 정치 담당, 천군이 ❼ [ ]에 머무르며 종교 의식 주관 → 제정 분리 사회	• 벼농사 발달 • 제천 행사: 5월·10월 계절제 • 변한 지역에 ❽ [ ]이 풍부하여 화폐처럼 사용함

예 철기가 보급되면서 만주와 한반도 지역에서 철기 문화를 기반으로 한 여러 국가가 등장하였다.

❹ 사출도

❺ 제가 회의

❻ 민며느리제

❼ 소도

❽ 철

기초 확인 문제

정답과 해설 64쪽

6 다음 빈칸에 들어갈 알맞은 말을 쓰시오.

(1) 청동기 문화를 기반으로 건국된 우리 역사상 최초의 국가는 (   )(이)다.

(2) (   )의 집권 후 고조선은 한과 진 사이에서 중계 무역으로 경제적인 이익을 차지하였다.

(3) 고구려에는 (   )(이)라는 혼인 풍습이 있어 신랑이 신부 집에서 살다가 자식이 자라면 자기 집으로 돌아갔다.

(4) 부여는 왕이 중앙을 다스리고, 마가·우가·구가·저가가 각자의 영역인 (   )을/를 다스렸다.

7 다음 괄호 안의 내용 중 알맞은 말을 골라 ○표 하시오.

(1) 고조선의 문화 범위를 추측할 수 있는 유물과 유적에는 비파형 동검과 (탁자식 고인돌, 반달 돌칼)이 있다.

(2) (철제, 청동기) 농기구를 사용하면서 농업 생산력이 향상되고 인구도 크게 늘어났다.

(3) 동예에서는 서로의 영역을 침범하면 노비나 소, 말로 배상하였는데, 이를 (책화, 족외혼)(이)라고 한다.

8 서로 관련 있는 것끼리 바르게 연결하시오.

(1) 부여 •	• ㉠ 동맹
(2) 고구려 •	• ㉡ 무천
(3) 동예 •	• ㉢ 영고
(4) 삼한 •	• ㉣ 5월제, 10월제

9 다음 자료를 보고 ㉠, ㉡에 들어갈 알맞은 말을 쓰시오.

> 환인의 아들 환웅이 널리 인간을 이롭게 하고자 태백산 신단수 아래로 내려왔다. (가) 그는 풍백(바람을 다스리는 신), 우사(비를 다스리는 신), 운사(구름을 다스리는 신)를 거느리고, 인간 세상을 다스리고 교화하였다. 이때 곰과 호랑이가 사람이 되길 원하므로, 환웅은 100일간 굴에서 견디게 하였다. 이를 지킨 (나) 곰은 여자로 변하여 환웅과 혼인해 아들을 낳았으니 그가 단군왕검이다. – 일연, 『삼국유사』 –

> 고조선의 건국 과정과 당시 사회상은 단군 신화를 보면 짐작할 수 있다. (가)의 내용으로는 고조선이 (㉠   )을/를 배경으로 성립하였음을 알 수 있다. (나)의 내용으로는 곰을 숭배하는 부족과 환웅 부족이 결합하여 고조선을 건국하였다고 짐작할 수 있으며, '단군왕검'을 통해서는 고조선이 (㉡   ) 사회임을 알 수 있다.

㉠ : (   ) ㉡ : (   )

10 다음 자료를 보고 ㉠에 공통으로 들어갈 알맞은 말을 쓰시오.

> 솟대는 삼한의 (㉠   )에 세우던 것에서 유래하였다. 삼한에서는 신지와 읍차 같은 군장이 각각의 소국을 통치하였으며, 제사장인 천군이 (㉠   )에서 종교 의식을 행하였다. (㉠   )은/는 신성한 지역으로 여겨졌다.

㉠ : (   )

1일 내신 기출 베스트

대표 예제 1

구석기 시대의 도구를 〈보기〉에서 고른 것은?

보기

① ㄱ, ㄴ ② ㄱ, ㄷ ③ ㄴ, ㄷ
④ ㄴ, ㄹ ⑤ ㄷ, ㄹ

개념 가이드

구석기 시대 사람들은 돌을 깨뜨려 만든 ❶ ☐ 를 사용하였다. ❷ ☐ , 슴베찌르개 등이 대표적이다.

답 ❶ 뗀석기 ❷ 주먹도끼

대표 예제 2

다음 도구가 제작된 시기 사람들의 생활 모습으로 옳은 것은?

▲ 돌괭이

▲ 빗살무늬 토기

① 주먹도끼 같은 뗀석기를 주로 사용하였다.
② 식량이 다 떨어지면 다른 곳으로 이동하였다.
③ 추위를 피해 동굴이나 바위 그늘에서 머물렀다.
④ 고인돌, 돌널무덤을 만들어 죽은 사람을 매장하였다.
⑤ 돌괭이, 돌낫 같은 간석기로 조, 피 등을 재배하였다.

개념 가이드

신석기 시대 사람들은 돌괭이, 돌낫 같은 간석기를 사용하고 ❸ ☐ 를 만들어 음식을 조리하고 저장하였다.

답 ❸ 토기

대표 예제 3

청동기 시대로 타임머신을 타고 갔을 때, 볼 수 있는 모습으로 옳은 것은?

① 주먹도끼를 사용하는 모습
② 강가에 막집을 짓고 있는 모습
③ 토기의 겉면에 빗살무늬를 새기는 모습
④ 반달 돌칼로 곡식의 이삭을 자르는 모습
⑤ 슴베찌르개를 나무 막대기에 꽂아서 동물을 사냥하는 모습

개념 가이드

청동기 시대에도 생활 도구는 ❹ ☐ 를 주로 사용하였다. 곡식의 이삭을 자를 때는 ❺ ☐ 을 사용하였다.

답 ❹ 간석기 ❺ 반달 돌칼

대표 예제 4

빈칸에 들어갈 내용으로 적절하지 않은 것은?

〈우리나라의 청동기 시대〉

이 시대 만주와 한반도 지역에서는 ☐

① 비파형 동검을 만들었습니다.
② 불을 사용하기 시작하였습니다.
③ 민무늬 토기를 사용하였습니다.
④ 벼농사가 본격적으로 보급되었습니다.
⑤ 빈부 격차가 발생하고 계급이 생겨났습니다.

개념 가이드

만주와 한반도 지역에서는 청동기 시대에 ❻ ☐ 가 본격적으로 보급되었고, 빈부 격차가 발생하여 ❼ ☐ 이 생겼다.

답 ❻ 벼농사 ❼ 계급

1일

대표 예제 5

(가)에 들어갈 내용으로 옳지 않은 것은?

① 신분의 차이가 있는 사회였다.
② 청동기 문화를 바탕으로 건국되었다.
③ 제사장과 정치적 지배자가 분리된 사회였다.
④ 사회 질서를 유지하기 위해 8조법을 시행하였다.
⑤ 만주와 한반도 북부 지방을 중심으로 발전하였다.

개념 가이드

❽ [　　] 의 지배자인 단군왕검은 제사장과 정치적 지배자의 의미를 함께 지니고 있어, 고조선이 ❾ [　　] 사회였음을 알 수 있다.

답 ❽ 고조선 ❾ 제정일치

대표 예제 6

고조선의 발전 과정을 순서대로 나열한 것은?

ㄱ. 위만이 고조선의 왕이 되었다.
ㄴ. 한의 침입으로 왕검성이 함락되었다.
ㄷ. 중국의 연과 맞설 만큼 강한 나라로 성장하였다.
ㄹ. 한과 한반도 중남부의 진 사이에서 중계 무역을 하였다.

① ㄱ－ㄷ－ㄹ－ㄴ　② ㄷ－ㄹ－ㄱ－ㄴ
③ ㄷ－ㄱ－ㄹ－ㄴ　④ ㄹ－ㄴ－ㄱ－ㄷ
⑤ ㄹ－ㄷ－ㄱ－ㄴ

개념 가이드

❿ [　　] 이 왕이 된 후 고조선은 한과 한반도 중남부의 진 사이에서 중계 무역으로 큰 이익을 챙겼다.

답 ❿ 위만

대표 예제 7

다음은 철기 문화를 기반으로 등장한 여러 나라를 표시한 지도이다. 지도의 (가)~(마)에 해당하는 나라가 잘못 연결된 것을 모두 고르면?

① (가) – 부여
② (나) – 고구려
③ (다) – 옥저
④ (라) – 삼한
⑤ (마) – 동예

개념 가이드

⓫ [　　] 가 보급되면서 만주와 한반도 지역에서 가장 먼저 부여가 등장하였고 이후 고구려, 옥저, 동예, 삼한이 등장하였다.

답 ⓫ 철기

대표 예제 8

다음 대화와 관련 없는 것은?

① 동맹　② 무천　③ 영고
④ 책화　⑤ 5월제

개념 가이드

동맹, 무천, 영고, 5월·10월 계절제는 각각 고구려, 동예, 부여, 삼한의 ⓬ [　　] 이다.

답 ⓬ 제천 행사

2일 삼국의 성립과 발전, 삼국의 문화와 대외 교류

생각 열기

• 삼국의 성립과 발전

Quiz

백제는 4세기 ❶ [　　　] 때, 고구려는 5세기 ❷ [　　　] 때, 신라는 6세기 진흥왕 때 최대 영토를 확보하였다.

답 ❶ 근초고왕 ❷ 장수왕

공부할 내용

1. 삼국의 성장과 체제 정비
2. 삼국과 가야의 경쟁과 발전
3. 삼국의 문화
4. 삼국과 가야의 대외 교류

• 삼국의 문화와 대외 교류

Quiz

삼국과 가야는 중국의 문화를 받아들여 이를 독자적으로 발전시킨 뒤, 이를 다시 ❶ [ ]에 전해 주었다.

답 ❶ 일본

교과서 **핵심 정리** ①

개념 1 삼국의 성장과 체제 정비

1. 삼국의 성립과 성장

고구려	• 건국: 부여의 이주민 세력을 이끈 주몽이 왕위 차지(기원전 37) • 태조왕: ❶ [　　] 정복, 중앙 집권 국가의 기틀 마련 • 3세기 이후: 관리의 등급 정해짐, 왕위 부자 계승 확립, 지방 제도 정비 • ❷ [　　]: 불교 수용, 태학 설립, 율령 반포 → 중앙 집권 체제 확립
백제	• 건국: 마한의 소국에서 출발(부여·고구려계 이주민 + 한강 유역의 토착 세력)(기원전 18) • 고이왕: 관리의 등급을 정함, 율령 마련 → 국가 체제 정비 • ❸ [　　]: 마한 전 지역 통합, 중국의 동진 및 왜와 교류(4세기, 전성기) • 침류왕: 불교 수용
신라	• 건국: 진한의 사로국에서 출발(경주 토착 세력 + 이주민 세력)(기원전 57) • ❹ [　　]: 김씨의 왕위 세습, 왕호 '마립간' 사용 → 중앙 집권 국가의 기틀 마련

❶ 옥저
❷ 소수림왕
❸ 근초고왕
❹ 내물왕

2. 중앙 집권 국가로의 성장

정복 전쟁을 통한 영토 확장, 율령 반포, 불교 수용, 왕위 부자 상속, 관등제 정비, 지방관 파견 → 중앙 집권 국가

예 1~3세기를 거치며 체제 정비가 이루어진 삼국은 중앙 집권 국가로 성장하였다.

개념 2 삼국의 경쟁과 발전

1. 고구려의 전성(4세기 말~5세기)

광개토 대왕	• 한강 이북까지 진출, 만주와 요동 대부분 차지(거란과 후연 격파, 동부여 병합) • 신라 내물왕의 요청으로 신라에 침입한 왜군 격퇴 → 금관가야까지 공격 • 광개토 대왕릉비: 장수왕이 세움. 고구려가 천하의 주인이라는 생각 나타남
장수왕	• ❺ [　　] 천도(427): 국내성의 귀족 세력 약화, 왕권 강화 • 남진 정책: 백제 수도인 한성 함락, 한반도 중부 지역까지 영역 확장(충주 고구려비 건립)

❺ 평양

2. 백제의 쇠퇴와 중흥

백제의 쇠퇴	고구려 장수왕의 남진 정책 → 신라와 백제가 ❻ [　　] 체결(433) → 고구려의 한성 점령 → 웅진(공주)으로 천도(475)
무령왕	중국 남조와 교류(무령왕릉), 지방 제도 재정비(22담로에 왕족을 파견)
성왕	• ❼ [　　](부여) 천도, 국호를 '남부여'로 고침 • 중앙에 22개 실무 관청 설치, 중국 남조와 교류 • 신라와 연합하여 한강 하류 회복 → 신라에 한강 하류를 빼앗김 → 관산성 전투에서 전사

❻ 나제 동맹
❼ 사비

예 고구려 장수왕의 한성 점령으로 백제는 웅진으로 천도하고 쇠퇴하였으나, 무령왕과 성왕 대에 이르러 다시 왕권을 강화하고 발전하였다.

기초 확인 문제

정답과 해설 65쪽

1 다음 괄호 안의 내용 중 알맞은 말을 골라 ○표 하시오.

(1) 고구려의 (태조왕, 미천왕)은 1세기 후반 옥저를 정복하고 요동으로 진출하려 하였다.

(2) 고구려의 소수림왕은 유학 교육을 위해 (태학, 충주 고구려비)을/를 설립하였다.

(3) 백제의 (고이왕, 침류왕)은 관리의 등급을 정하고 율령을 마련하였다.

(4) 신라는 진한의 소국 중 하나인 (목지국, 사로국)에서 출발하였다.

(5) 신라는 4세기 후반 내물왕 때부터 (박씨, 석씨, 김씨)가 왕위를 세습하였다.

2 다음 자료를 보고 ㉠, ㉡에 들어갈 알맞은 말을 쓰시오.

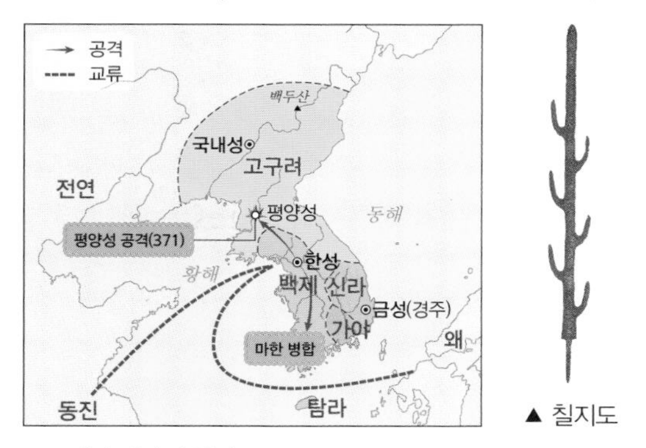

▲ 4세기 백제의 영역

▲ 칠지도

백제의 (㉠)은/는 서남해를 잇는 해상 교통로를 확보하여 중국 남조의 동진, 왜, 가야 등과 교류하였다. 특히 백제와 왜의 긴밀한 관계는 (㉡)을/를 통해 알 수 있다. 칠지도는 백제 근초고왕 때 만들어진 것으로 추정되며, 백제 왕세자가 왜왕에게 전한다는 내용이 새겨져 있다.

㉠ : (　　　　　　) ㉡ : (　　　　　　)

3 서로 관련 있는 것끼리 바르게 연결하시오.

(1) 고구려 •		• ㉠ 제가 회의
(2) 백제 •		• ㉡ 화백 회의
(3) 신라 •		• ㉢ 정사암 회의

4 다음 물음에 답하시오.

(1) 신라에 침입한 왜군을 격퇴한 고구려의 왕은?

(　　　　　　)

(2) 고구려 장수왕의 남진 정책에 위협을 느낀 백제와 신라가 이를 견제하고자 체결한 것은?

(　　　　　　)

(3) 신라와 연합하여 한강 하류를 회복하였다가 다시 신라에 한강 하류를 빼앗긴 백제의 왕은?

(　　　　　　)

5 다음 자료를 보고 ㉠, ㉡에 들어갈 알맞은 말을 쓰시오.

▲ 광개토 대왕릉비

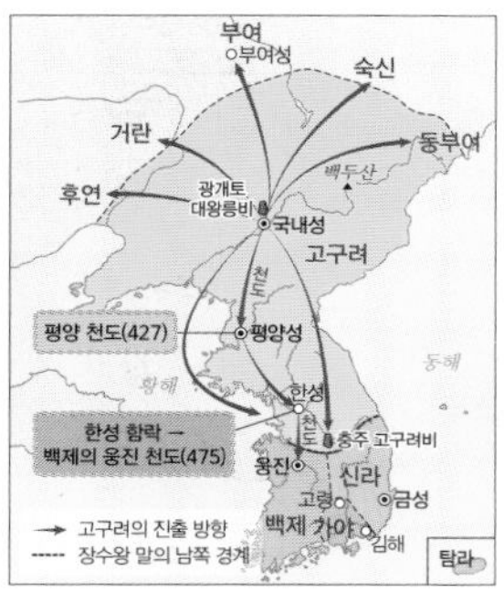

▲ 5세기 고구려의 영역

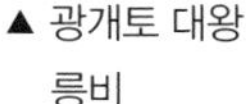

▲ 충주 고구려비

고구려의 전성기인 5세기의 삼국의 형세를 나타낸 지도이다. (㉠)은/는 요동 지역을 완전히 차지하였다. 뒤를 이은 장수왕은 백제의 수도 한성을 함락하고 한강 유역을 전부 차지하였다. 광개토 대왕릉비와 (㉡)에는 당시 고구려의 천하관이 드러나 있다.

㉠ : (　　　　　　) ㉡ : (　　　　　　)

2일 교과서 핵심 정리 ②

3. 신라의 발전(6세기)

지증왕	국호 '신라', 중국식 칭호인 '왕' 사용, 지방 제도 정비, ❶ [ ] 정복, 우경 실시, 순장 금지
법흥왕	율령 반포, 관리의 등급을 17등급으로 정함, 이차돈의 순교로 불교 공인, ❷ [ ] 정복 └ 신라는 골품제라는 신분 제도가 있어서 골품에 따라 올라갈 수 있는 관리의 등급에 상한선이 있었음
진흥왕 (전성기)	• 불교 장려: 황룡사 건립 • ❸ [ ] 개편: 국가 조직으로 정비하여 인재 양성 • 영토 확장: 한강 유역 모두 차지, 대가야 정복, 함경도 남부까지 진출

4. **가야의 성립과 변천** 낙동강 하류의 변한 지역을 중심으로 가야 성립 → 전기 가야 연맹(김해의 금관가야가 주도, 523년 멸망) → 후기 가야 연맹(고령의 ❹ [ ]가 주도, 562년 멸망)

예 신라는 6세기 진흥왕 때 전성기를 맞이하여 신라 최대 영역을 확보하였다.

❶ 우산국
❷ 금관가야
❸ 화랑도
❹ 대가야

개념 3 삼국의 문화와 대외 교류

1. 의식주 생활과 고분 문화

삼국의 생활 모습	신분별로 다르게 생활함 → 신분에 따라 옷감, 옷 색깔 등에 차이가 있음, 왕과 귀족은 기와집에 살고 평민은 귀틀집이나 초가집에서 생활함
고분 문화의 발달	• 고대 고분 문화 특징: 거대한 고분, 껴묻거리 묻기, 순장의 풍습 나타남 • 고분 양식: 삼국과 가야 모두 후기에는 ❺ [ ]을 만듦

2. 불교문화와 사상

불교문화의 발달	• 불교의 수용: 왕권 뒷받침, 백성의 사상 통합 목적 • ❻ [ ](금동 연가 7년명 여래 입상), 백제(서산 용현리 마애 여래 삼존상), ❼ [ ](경주 배동 석조 여래 삼존 입상)
도교의 수용	• 특징: 신선 사상, 노장사상 등이 결합된 신앙 • 귀족 사회 중심으로 전파(사신도, 산수무늬 벽돌, 백제 금동 대향로)
유학 교육	고구려(태학, 경당), 백제(오경박사), 신라(임신서기석)

3. 삼국과 가야의 대외 교류

중국 및 서역과의 교류	고구려(주로 중국 북조와 교류, 서역과 교류 – 아프라시아브 궁전 벽화), 백제(중국 남조와 활발하게 교류), 신라(한강 유역 확보 이후 중국과 직접 교류, 서역과 교류 – 유리그릇, 금제 장식 보검)
삼국, 가야 문화의 일본 전파	고구려(혜자, 담징), 백제(불교, 사찰 건축과 불상 제작 기술 전해 줌, 아직기, 왕인), 신라(배 제조 기술, 제방 쌓는 기술 전해 줌), 가야(토기 제작 기술 전해 줌 – 일본의 ❽ [ ] 토기에 영향) — 삼국 및 가야로부터 일본에 전해진 선진 문물은 일본의 아스카 문화 발달에 영향을 주었음

예 고대에는 불교, 도교, 유학 등의 사상과 학문이 삼국에 전파되었다.

❺ 굴식 돌방무덤
❻ 고구려
❼ 신라
❽ 스에키

6 다음 빈칸에 들어갈 알맞은 말을 쓰시오.

(1) 신라의 (   )은/는 국호를 '신라'로 정하고 마립간을 중국식 칭호인 '왕'으로 바꿨다.

(2) 율령을 반포하고 관리의 등급을 정하였으며, 불교를 공인한 신라의 왕은 (   )이다.

(3) 전기 가야 연맹을 이끈 (   )은/는 그 지역에서 많이 생산되는 철과 해상 교역을 바탕으로 성장하였다.

(4) 고령 지역의 (   )을/를 중심으로 후기 가야 연맹이 결성되었다.

7 다음 자료를 보고 ㉠, ㉡에 들어갈 알맞은 말을 쓰시오.

▲ 신라의 최대 영토(6세기)

▲ 서울 북한산 신라 진흥왕 순수비

> 신라는 6세기 진흥왕 때 전성기를 맞았다. 진흥왕은 백제를 공격하여 (㉠) 유역 전체를 차지하였고, 북쪽으로 함경도 남부 지역까지 점령하였다. 또한 낙동강 서쪽의 (㉡)을/를 정복하였다. 진흥왕은 영토 확장을 기념하여 자신이 정복한 지역에 순수비를 세웠다.

㉠ : (   ) ㉡ : (   )

8 다음 자료를 보고 ㉠에 들어갈 알맞은 말을 쓰시오.

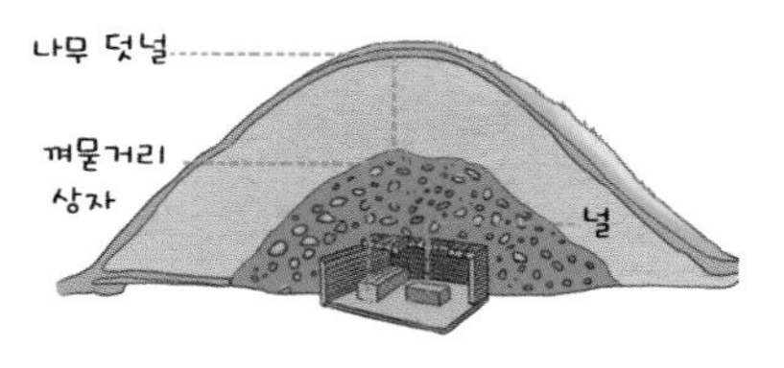

> 신라에서 주로 만들어진 (㉠)은/는 도굴이 어려운 구조여서 많은 껴묻거리가 보존되었다.

㉠ : (   )

9 다음 자료를 보고 ㉠에 공통으로 들어갈 알맞은 말을 쓰시오.

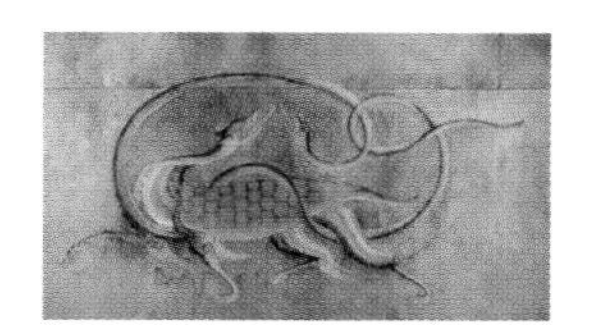

▲ 강서 고분 현무 그림

▲ 산수무늬 벽돌

> 삼국 시대에는 중국에서 (㉠)이/가 전래되었다. 고구려에서는 도교의 방위신인 사신을 고분 벽화에 그렸으며, 백제의 산수 무늬 벽돌에는 (㉠) 신앙의 요소들이 잘 표현되어 있다.

㉠ : (   )

10 다음 자료를 보고 ㉠에 들어갈 알맞은 말을 쓰시오.

▲ 고구려 수산리 고분 벽화(왼쪽)와 일본의 다카마쓰 고분 벽화(오른쪽)

> 삼국과 가야의 문화는 일본에 전해져 일본 (㉠) 문화의 성립과 발전에 영향을 주었다.

㉠ : (   )

2일

2일 내신 기출 베스트

대표 예제 1

고구려의 소수림왕에 대한 설명으로 옳은 것을 〈보기〉에서 고른 것은?

소수림왕비
• 생애 :
• 업적 : (가)

보기
ㄱ. 태학 설립
ㄴ. 율령 반포
ㄷ. 불교 수용
ㄹ. 왕위 부자 상속 확립

① ㄱ, ㄴ ② ㄱ, ㄷ ③ ㄱ, ㄹ
④ ㄱ, ㄴ, ㄷ ⑤ ㄴ, ㄷ, ㄹ

개념 가이드

고구려의 소수림왕은 ❶ ☐ 을 설립하였고, ❷ ☐ 을 반포하고 불교를 수용하였다.

답 ❶ 태학 ❷ 율령

대표 예제 2

다음 지도의 시기에 백제에서 있었던 일로 옳은 것은?

① 옥저 정복 ② 관리의 등급 제정
③ 마한 전 지역 통합 ④ 전진에서 불교 수용
⑤ 왕의 칭호를 마립간으로 정함

개념 가이드

4세기 백제의 ❸ ☐ 은 고구려를 공격하여 황해도 지역까지 영토를 넓히고 마한 전 지역을 통합하였다.

답 ❸ 근초고왕

대표 예제 3

다음 가상 일기의 밑줄 친 '나'에 해당하는 왕은?

<u>나</u>는 백제를 공격하여 한강 이북까지 우리 고구려의 영토로 만들었다. 또한 군대를 이끌고 거란과 후연을 격파하고, 동부여를 병합하였다. 신라에 왜가 쳐들어 왔을 때에는 직접 군사를 이끌고 가서 왜를 물리쳤다.

① 태조왕 ② 내물왕 ③ 소수림왕
④ 근초고왕 ⑤ 광개토 대왕

개념 가이드

고구려는 4세 말~5세기 광개토 대왕과 ❹ ☐ 을 거치며 만주와 한반도 일대에서 가장 강력한 국가로 성장하였다.

답 ❹ 장수왕

대표 예제 4

다음 질문에 바르게 대답한 사람을 고른 것은?

내물왕 때 신라에 어떤 일이 있었지?

가온: 김씨가 왕위를 독점하기 시작했어.
나은: 고구려의 도움을 받아 왜군을 격퇴하였어.
단우: 마한 지역의 대부분을 차지하였어.
라희: '왕'이라는 호칭을 사용하기 시작하였어.

① 가온, 나은 ② 가온, 단우 ③ 나은, 단우
④ 나은, 라희 ⑤ 단우, 라희

개념 가이드

신라는 내물왕 때 ❺ ☐ 가 왕위를 독점하고 ❻ ☐ 의 도움으로 왜군을 격퇴하였다.

답 ❺ 김씨 ❻ 고구려

대표 예제 5

(가)에 들어갈 내용으로 옳은 것은?

백제의 중흥 노력
- 동성왕: 신라 왕실과 혼인 동맹 체결
- 무령왕: 중국 남조의 양과 활발하게 교류
- 성왕: ______ (가) ______

① 웅진으로 천도 ② 관리의 등급 제정
③ 마한 전 지역 통합 ④ 전진에서 불교 수용
⑤ 한강 하류 일시적으로 회복

개념 가이드

성왕은 불교를 장려하고 ❼ [ ] 로 천도하였으며 신라와 힘을 합하여 한강 하류를 일시적으로 회복하기도 하였다.

답 ❼ 사비

대표 예제 6

선생님의 질문에 대한 대답으로 가장 적절한 것은?

- 율령 반포
- 불교 공인
- 17관등제 확립

① 내물왕 ② 눌지왕 ③ 지증왕
④ 법흥왕 ⑤ 진흥왕

개념 가이드

신라의 법흥왕은 ❽ [ ] 을 반포하고 관리들의 등급을 17등급으로 확정하였으며 불교를 공인하여 사상의 통합을 도모하였다.

답 ❽ 율령

대표 예제 7

다음 선생님의 설명에 해당하는 (가) 나라는?

① 부여 ② 고구려 ③ 백제
④ 신라 ⑤ 가야 연맹

개념 가이드

가야 연맹은 김해의 ❾ [ ] 가 전기 가야 연맹을 주도했고, 이어서 고령의 ❿ [ ] 가 후기 가야 연맹을 이끌었다.

답 ❾ 금관가야 ❿ 대가야

대표 예제 8

다음 무덤 양식에 대한 설명으로 옳은 것은?

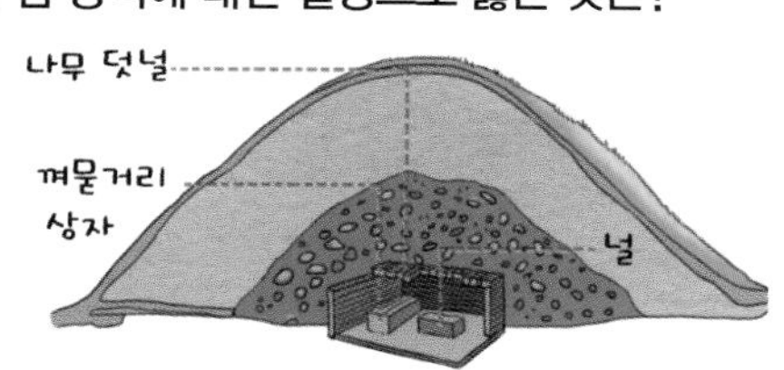

① 벽돌을 쌓아 방을 만들었다.
② 대표적인 무덤으로 장군총이 있다.
③ 벽과 천장에 벽화가 많이 그려져 있다.
④ 돌무지덧널무덤으로, 신라에서 주로 만들어졌다.
⑤ 도굴이 쉬운 구조여서 껴묻거리가 남아 있지 않다.

개념 가이드

⓫ [ ] 은 나무 덧널 위에 돌을 쌓아 만들었기 때문에 도굴이 어려워 많은 껴묻거리가 보존되어 있다.

답 ⓫ 돌무지덧널무덤

3일 남북국 시대의 전개

생각 열기

• 통일 신라의 성립과 변천

Quiz

신문왕은 관리들에게 관료전을 지급하고 ❶ [ ] 을 폐지하여 귀족의 특권을 제한하려 하였다.

답 ❶ 녹읍

공부할 내용

1. 고구려와 수·당의 전쟁
2. 남북국의 발전과 변화
3. 신라의 삼국 통일과 발해의 건국
4. 남북국의 문화와 대외 관계

• 발해의 성립과 발전, 후삼국의 성립

Quiz

신라 말에 ❶ ______ 이 후백제를 세우고, ❷ ______ 가 후고구려를 세우면서 후삼국 시대가 시작되었다.

답 ❶ 견훤 ❷ 궁예

교과서 핵심 정리 ①

개념 1 고구려와 수·당의 전쟁

수의 침입	수 양제의 침략 → 고구려의 저항 → 수가 30만 별동대 파견 → 고구려가 ❶ [ ] 승리
당의 침입	연개소문의 정변을 구실로 당 태종이 침략 → 고구려가 ❷ [ ]에서 승리

❶ 살수 대첩

❷ 안시성 전투

개념 2 신라의 삼국 통일과 발해의 건국

1. 신라의 삼국 통일

삼국 통일의 과정	• 나당 동맹: 신라의 김춘추가 당에 도움 요청 → ❸ [ ] 결성 • 백제 멸망: 나당 연합군의 공격 → 사비성 함락(당이 웅진 도독부 설치) → 백제 부흥 운동 전개됨(임존성에서 ❹ [ ], 주류성에서 복신과 도침) • 고구려 멸망: 연개소문 사후 권력 다툼 → 나당 연합군에 평양성 함락(당이 안동 도호부 설치) → 고구려 부흥 운동 전개됨(❺ [ ], 고연무) • 나당 전쟁: 당의 한반도 지배 야욕 → 매소성·기벌포 전투에서 신라가 당군 격파 → 신라의 삼국 통일 완수(676)
의의	우리 역사상 최초의 통일. 나당 전쟁을 거치며 삼국의 백성을 하나로 아우름
한계	통일 과정에서 외세(당)를 끌어들임. 고구려의 옛 땅을 모두 차지하지 못함

❸ 나당 동맹

❹ 흑치상지

❺ 검모잠

2. 발해의 건국

과정	요서의 영주 지역에서 거란족이 반란을 일으킴 → 이를 틈타 ❻ [ ]이 고구려 유민과 말갈인을 이끌고 동쪽으로 이동 → 지린성 동모산에 도읍, 발해 건국(698)
의의	고구려 계승 의식, 남북국의 형세를 이룸

❻ 대조영

개념 3 통일 신라

1. 왕권의 강화

태종 무열왕	최초의 진골 출신 왕. 이후 무열왕의 직계 자손이 왕위 독점
문무왕	나당 전쟁 승리 → 삼국 통일 완성
신문왕	김흠돌의 난 진압, 진골 귀족 세력 숙청, 국학 설치, 통치 제도 정비 → 강력한 왕권 확립

2. 통치 제도의 정비

중앙	집사부 중심 운영, 중시(시중) 권한 강화
지방	9주 5소경 → 전국을 9주로 나누고 지방의 주요 구역에 ❼ [ ]을 둠
토지	관료전 지급, ❽ [ ](귀족들의 경제 기반) 폐지 → 경덕왕 때 녹읍 부활

❼ 5소경

❽ 녹읍

예 삼국 통일을 달성한 신라는 강력한 중앙 집권 국가를 수립해 갔다.

기초 확인 문제

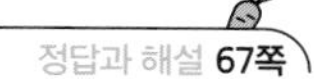

정답과 해설 67쪽

1 다음 빈칸에 들어갈 알맞은 말을 쓰시오.

(1) 을지문덕은 (   )(으)로 수 양제의 대군을 물리쳤다.

(2) 당 태종은 고구려를 침략해 요동의 여러 성을 함락하였으나, (   ) 싸움에서 패하여 물러났다.

(3) 옛 고구려 장수인 대조영은 동모산에 도읍을 정한 뒤 (   )을/를 건국하였다.

2 다음 괄호 안의 내용 중 알맞은 말을 골라 ◯표 하시오.

(1) 백제의 멸망 이후 당은 백제의 옛 땅에 (안동 도호부, 웅진 도독부)를 설치하였다.

(2) 검모잠과 고연무는 (고구려, 백제) 부흥 운동을 전개하였다.

(3) 통일 후 신라는 집사부와 그 장관인 시중의 권한을 (강화, 약화)하였다.

3 다음 물음에 답하시오.

(1) 나당 동맹을 성사시키고, 김유신의 도움을 받아 진골 출신 최초의 왕이 된 인물은?

(   )

(2) 장인인 김흠돌의 난을 진압하여 진골 귀족 세력을 대거 숙청한 왕은? (   )

(3) 신라 귀족의 경제적 기반으로, 신문왕 때 폐지된 토지 제도는? (   )

4 다음 자료를 보고 ㉠, ㉡에 들어갈 알맞은 말을 쓰시오.

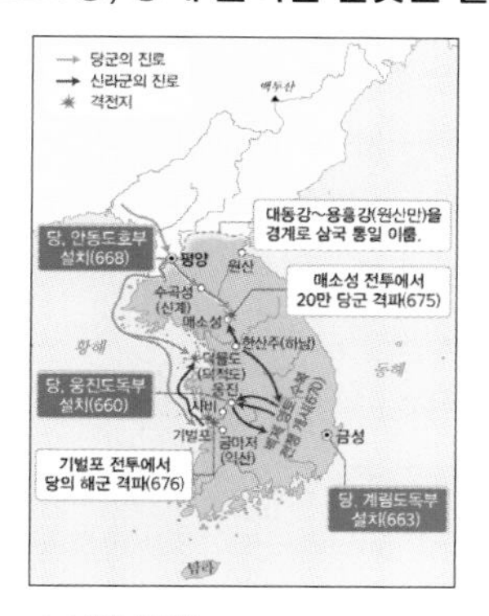

▲ 나당 전쟁

> 신라는 (㉠   )에서 당의 군대를 크게 물리쳤고 (㉡   )에서 당의 수군을 격파하였다. 결국 당이 한반도에서 물러나면서 신라는 삼국 통일을 이루었다.

㉠ : (   ) ㉡ : (   )

5 다음 자료를 보고 ㉠, ㉡에 들어갈 알맞은 말을 쓰시오.

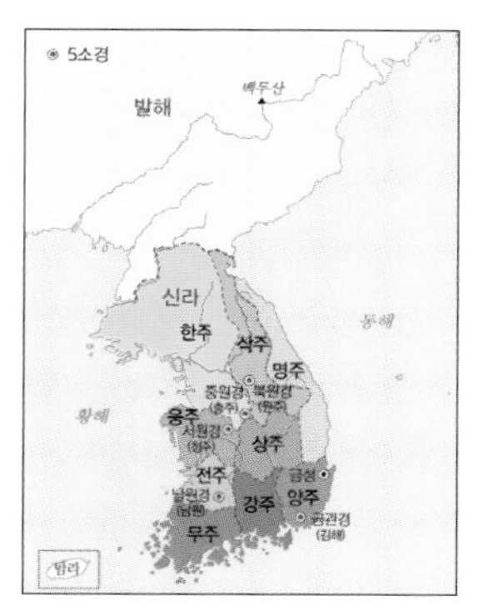

▲ 9주 5소경

> 통일 이후 신라는 전국을 (㉠   )(으)로 나누었다. 또한 지방의 주요 지역에 (㉡   )을/를 설치하여 옛 가야 및 고구려, 백제 출신 귀족을 옮겨 살게 하였으며, 지방 정치와 문화의 중심지로 삼았다.

㉠ : (   ) ㉡ : (   )

교과서 핵심 정리 ②

3. 신라 말 사회의 동요와 후삼국의 성립

신라 말 정치·사회의 동요	진골 귀족의 왕위 다툼(김헌창의 난 등), 농민 봉기 발생(원종과 애노의 난), 호족의 성장, 선종과 풍수지리설 유행
후삼국의 성립	• 후백제: ❶ (　　)이 완산주(전주)에서 건국(900) • 후고구려: ❷ (　　)가 송악(개성)에서 건국(901)

❶ 견훤
❷ 궁예

개념 4 발해

1. 발전과 멸망

무왕	독자 연호 사용, 당의 산둥반도 공격,
문왕	상경 용천부로 천도, 당과의 관계 개선
선왕	옛 고구려 영토 대부분 차지, 당에서 발해를 '❸ (　　)'이라 칭함
멸망	9세기 말 지배층의 권력 다툼으로 국력 약화 → 거란의 침략으로 멸망(926)

❸ 해동성국

2. **통치 제도** 중앙(3성 6부제 → 당 제도를 모방하였으나 독자적으로 운영), 지방(5경 15부 62주)

└ 지방관 파견

예 발해는 고구려를 계승하면서도 당의 제도를 받아들여 통치 제도를 마련하였다.

개념 5 남북국의 문화와 대외 관계

1. 통일 신라의 문화

사상	• 유학: 국학 설치, ❹ (　　) 실시, 유학자(강수, 설총, 최치원, 김대문) • 불교: ❺ (　　)(일심 사상을 바탕으로 한 화쟁 사상, 아미타 신앙으로 불교 대중화 이룸), ❻ (　　)(신라 화엄종 개창, 관음 신앙), 혜초(『왕오천축국전』 저술)
불교 문화	불국사, 석굴암, 3층 석탑 유행, 신라 말 승탑과 탑비 유행, 범종(성덕 대왕 신종, 상원사 동종), 『무구정광대다라니경』(세계에서 가장 오래된 목판 인쇄물)

└ 불국사 3층 석탑에서 발견됨. 통일 신라의 뛰어난 인쇄술과 제지술을 보여 줌

❹ 독서삼품과
❺ 원효
❻ 의상

2. 발해의 문화

유학	주자감 설치, 유학생들이 당의 빈공과에 합격
융합적인 발해 문화	❼ (　　) 문화 바탕(온돌, 이불병좌상, 석등) + 당 문화 수용(당의 장안성을 모방한 발해 수도 상경성, 발해 삼채) + 말갈 문화 흡수(말갈식 토기)

❼ 고구려

3. 남북국의 대외 교류

신라	당에 신라방, 신라소, 신라원, 신라관 형성, 무역항(당항성, 울산항), ❽ (　　)는 청해진을 중심으로 해상 무역 장악
발해	당의 산둥반도에 발해관 설치, 일본과 친선 관계, 신라와 초기에 대립

❽ 장보고

기초 확인 문제

정답과 해설 67쪽

6 다음 빈칸에 들어갈 알맞은 말을 쓰시오.

(1) 신라 말 지방에서는 (   )이/가 성장하였는데 이들은 스스로 '성주', '장군'이라 칭하였다.

(2) 서남 해안을 지키던 신라의 (   ) 은/는 후백제를 건국하였다.

(3) 발해의 (   )은/는 장문휴를 보내 당의 산둥반도를 공격하였다.

(4) 당과 친선 관계를 맺고 수도를 상경 용천부로 옮긴 발해의 왕은 (   )(이)다.

(5) (   ) 때에 발해는 옛 고구려의 영토 대부분을 차지하여 '해동성국'이라고 불렸다.

7 다음 자료를 보고 ㉠에 들어갈 알맞은 말을 쓰시오.

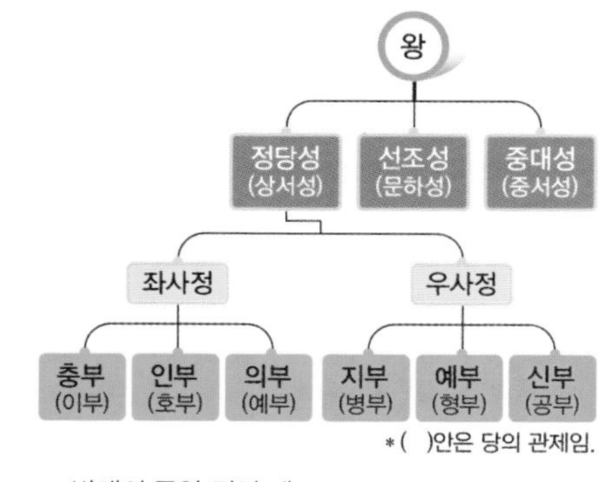

▲ 발해의 중앙 정치 제도

> 발해의 중앙 관제는 중국의 (㉠   )을/를 받아들였으나 중서성, 문하성, 상서성은 각각 중대성, 선조성, 정당성으로 이름을 바꾸었다. 또 이부, 호부, 예부, 병부, 형부, 공부, 즉 6부의 명칭을 유교적 표현으로 바꾸는 등 독자적으로 운영하였다.

㉠ : (   )

8 서로 관련 있는 것끼리 바르게 연결하시오.

(1) 원효 • • ㉠ 이두 정리

(2) 의상 • • ㉡ 아미타 신앙 전파

(3) 설총 • • ㉢ 신라 화엄종 개창

9 다음 자료를 보고 ㉠에 들어갈 알맞은 말을 쓰시오.

▲ 석굴암 본존불

▲ 불국사 3층 석탑

> 통일 신라에서는 (㉠   )이/가 융성하면서 사원과 탑, 불상, 범종 등 예술미가 뛰어난 불교문화가 발달하였다.

㉠ : (   )

10 다음 자료를 보고 ㉠에 들어갈 알맞은 말을 쓰시오.

▲ 온돌

▲ 이불병좌상

▲ 발해 석등

> 발해 문화 중 (㉠   ) 문화의 영향을 받은 것으로 온돌 시설, 불상(이불병좌상), 연꽃무늬 기와, 석등, 정혜공주 묘(모줄임 천장 구조를 갖춘 굴식 돌방무덤), 정효공주 묘(내부의 천장이 고구려 양식) 등이 있다.

㉠ : (   )

3일

3일 내신 기출 베스트

대표 예제 1

다음 자료와 관련된 사건으로 옳은 것은?

> 신묘한 책략은 하늘의 이치를 다했고
> 오묘한 계책은 땅의 이치를 꿰뚫었노라.
> 전쟁에 이겨 이미 공이 높으니
> 만족함을 알고 그만두기를 바라노라.
> – 을지문덕, 여수장우중문시* –
>
> *여수장우중문시: 수나라 장수 우중문에게 주는 시

① 살수 대첩 ② 관산성 전투
③ 안시성 싸움 ④ 매소성 전투
⑤ 기벌포 전투

개념 가이드

❶ [ ] 은 수의 침입을 ❷ [ ] (지금의 청천강)에서 크게 물리쳤다(612).

답 ❶ 을지문덕 ❷ 살수

대표 예제 2

다음 카드를 사건이 일어난 순서대로 바르게 배열한 것은?

1번 카드	2번 카드	3번 카드	4번 카드
백제 멸망	매소성 전투	고구려 멸망	신라의 삼국 통일

① 1번 – 2번 – 3번 – 4번
② 1번 – 3번 – 2번 – 4번
③ 2번 – 3번 – 4번 – 1번
④ 3번 – 2번 – 1번 – 4번
⑤ 3번 – 2번 – 4번 – 1번

개념 가이드

나당 연합군의 공격에 백제가 멸망하고(660) 뒤이어 고구려도 멸망하였다(668). 나당 전쟁을 시작한 신라는 ❸ [ ] 전투와 기벌포 전투에서 승리하며 당을 몰아냈다.

답 ❸ 매소성

대표 예제 3

(가), (나)에 들어갈 내용의 연결이 옳은 것은?

> **강의 노트**
> 백제, 고구려의 부흥 운동을 이끈 인물
> • 백제: (가)
> • 고구려: (나)

① (가) – 고연무 ② (가) – 검모잠
③ (나) – 검모잠 ④ (나) – 흑치상지
⑤ (나) – 복신·도침

개념 가이드

백제 부흥 운동은 ❹ [ ] 와 복신·도침이, 고구려 부흥 운동은 ❺ [ ], 고연무가 이끌었다.

답 ❹ 흑치상지 ❺ 검모잠

대표 예제 4

다음 가상 인터뷰에서 기자가 인터뷰 중인 왕은?

① 무열왕 ② 문무왕 ③ 신문왕
④ 진흥왕 ⑤ 선덕 여왕

개념 가이드

문무왕의 뒤를 이은 신문왕은 김흠돌의 난을 진압하고 귀족들의 경제적 기반인 ❻ [ ] 을 폐지하여 귀족의 특권을 제한함으로써 왕권을 한층 강화하였다.

답 ❻ 녹읍

대표 예제 5

선생님의 질문에 대한 답으로 옳은 것은?

신라 말의 지방 세력인 이들은 스스로를 '성주', '장군'이라 부르면서 독자적으로 백성을 다스렸다.

① 진골 ② 호족 ③ 성골
④ 귀족 ⑤ 6두품

개념 가이드

호족은 중앙 정치에 도전하는 지방 세력이다. 후백제를 세운 ❼ [ ], 후고구려를 세운 궁예가 신라 말의 대표적인 호족이다.

답 ❼ 견훤

대표 예제 6

다음 사건이 일어난 시기를 연표에서 고르면?

발해는 연해주에서 요동 지방까지 영토를 넓혀 옛 고구려 영토의 대부분을 차지하였다. 이때 발해는 '해동성국'이라고 불렸다.

발해 건국	(가)	무왕 즉위	(나)	문왕 즉위	(다)	선왕 즉위	(라)	발해 멸망	(마)	후삼국 통일

① (가) ② (나) ③ (다)
④ (라) ⑤ (마)

개념 가이드

발해는 9세기 전반 ❽ [ ] 때 최대 영토를 확보하였다. 당에서는 발해를 가리켜 '바다 동쪽의 융성한 나라'를 뜻하는 '해동성국'이라고 불렀다.

답 ❽ 선왕

대표 예제 7

다음 자료의 ㉠~㉤ 중 옳지 않은 것은?

통일 신라의 유학 발달
㉠ 유학을 정치 이념으로 삼음
㉡ 신문왕: 국학 설치
㉢ 문무왕: 독서삼품과 실시
㉣ 최치원, 강수 등 뛰어난 유학자 배출
㉤ 설총: 이두를 정리하여 유교 경전을 쉽게 풀이함

① ㉠ ② ㉡ ③ ㉢ ④ ㉣ ⑤ ㉤

개념 가이드

❾ [ ] 때에는 유교 경전의 이해 수준을 평가해 관리를 선발하는 독서삼품과가 마련되었다.

답 ❾ 원성왕

대표 예제 8

다음 자료들을 통해 공통적으로 유추할 수 있는 사실은?

① 발해에서는 불교문화가 융성하였다.
② 발해 문화는 당 문화의 영향을 받았다.
③ 발해 문화는 고구려 문화를 계승하였다.
④ 발해에서는 유학 중심의 문화가 발달하였다.
⑤ 발해 문화는 말갈 문화와 당 문화가 융합된 것이다.

개념 가이드

발해의 집터 유적에서는 고구려에서 사용한 것과 같은 모양의 ❿ [ ]이 많이 발견되고 있다. 또한 발해의 이불병좌상은 고구려 불상의 특징을 담고 있다.

답 ❿ 온돌

3일

4일 고려의 성립과 대외 관계

생각 열기

• 고려의 성립과 발전

Quiz

광종은 ❶ [　　　] 들이 불법적으로 노비로 삼은 사람들을 양인으로 해방하는 노비안검법을 시행하였다.

답 ❶ 호족

공부할 내용

1. 고려의 건국과 체제 정비
2. 문벌 사회의 동요
3. 무신 정권의 성립과 농민·천민의 봉기
4. 고려의 대외 관계

• 무신 정권의 성립

Quiz

무신 정변 이후 무신들의 회의 기구인 ❶ ☐이 최고의 권력 기관이 되었다.

답 ❶ 중방

교과서 핵심 정리 ①

개념 1 고려의 건국과 체제 정비

1. 고려 건국과 후삼국 통일 왕건의 고려 건국(918) → 신라 항복 → 후백제 멸망 → 후삼국 통일(936)

2. 태조, 광종, 성종의 정책

구분	내용
태조	• 호족 통합: 혼인 정책, 사심관 제도, 기인 제도 • 북진 정책: 서경 중시, 거란 적대 • ❶ ( )를 남겨 후대 왕들이 지켜야 할 정책 방향 제시
광종	• ❷ ( ) 시행: 호족들이 불법적으로 노비로 삼은 사람들을 양인으로 해방 • 과거제 실시: 유교적 지식을 갖추고 왕에게 충성할 인재 등용 • 황제 칭호와 독자 연호 사용
성종	• ❸ ( )의 시무 28조 채택 → 유교 정치 이념을 통치 이념으로 내세움 • 중앙 정치 제도 마련, 지방의 12목에 지방관 파견

3. 통치 체제의 정비

구분	내용
중앙	• 2성 6부: 당의 3성 6부제 수용 → 고려 실정에 맞게 운영(중서문하성 – 국가 정책 계획 및 결정 / 상서성 – 6부를 통해 정책 집행) • 도병마사와 식목도감: 중서문하성과 중추원의 고관들이 모여 국가의 중대사를 논의(❹ ( ) – 국방·군사 문제 논의 / 식목도감 – 제도와 시행 규칙 제정) • 중추원(군사 기밀, 왕명 전달), ❺ ( )(관리 감찰), 삼사(회계, 출납)
지방	• 전국을 5도, 양계, 경기로 나눔. 특수 행정 구역인 향·부곡·소 운영 • 수령이 파견된 주현보다 수령이 파견되지 않은 ❻ ( )이 더 많았음
군사	중앙(2군 6위), 지방(주현군, 주진군)
교육	개경에 국자감·지방에 향교 설치, 사학 12도
관리 등용	과거제(문과, 잡과, 승과), 음서제(귀족적 특성)

예 고려의 중앙 통치 체제인 2성 6부는 당의 3성 6부제를 가져와 고려의 실정에 맞춰 변형한 것이다.

개념 2 문벌 사회의 동요

구분	내용
이자겸의 난 (1126)	왕실과의 거듭된 혼인으로 경원 이씨 가문이 권력 독점 → 이자겸이 왕권 위협하자 인종이 이자겸 제거 시도(실패) → ❼ ( )의 난 → 척준경이 이자겸 제거 → 문벌 사회의 동요, 왕실의 권위 추락
묘청의 서경 천도 운동 (1135)	묘청, 정지상 등의 서경 세력이 풍수지리설을 기반으로 하여 ❽ ( ) 천도, 금 정벌, 황제 칭호와 독자 연호 사용 주장 → 김부식 등 개경 세력이 서경 천도 반대 → 묘청 등이 서경에서 반란을 일으킴 → 김부식이 이끄는 관군에 진압됨 → 문벌 사회의 동요 심화

예 왕권에 대항한 이자겸의 난과 묘청의 서경 천도 운동으로 고려의 문벌 사회가 동요하였다.

❶ 훈요 10조
❷ 노비안검법
❸ 최승로
❹ 도병마사
❺ 어사대
❻ 속현
❼ 이자겸
❽ 서경

기초 확인 문제

정답과 해설 68쪽

1 다음 빈칸에 들어갈 알맞은 말을 쓰시오.

(1) 태조는 고려가 고구려를 계승한 국가임을 내세워 (　　　　　　) 정책을 펼쳤다.

(2) 광종은 호족이 불법으로 차지한 노비를 양인으로 해방하는 (　　　　　　)을/를 시행하였다.

(3) 광종은 (　　　　　　)을/를 시행하여 유교적 지식과 능력을 갖춘 인재를 등용하였다.

2 다음 자료를 보고 ㉠, ㉡에 들어갈 알맞은 말을 쓰시오.

> **최승로의 시무 28조**
>
> 제7조 임금께서 백성의 집집마다 가서 날마다 돌볼 수는 없습니다. 수령을 파견하여 백성을 돌보게 하십시오.
>
> 제20조 불교를 행하는 것은 자신을 다스리는 근본이며, 유교를 행하는 것은 나라를 다스리는 근원입니다. 자신을 다스리는 것은 내세를 위한 바탕이며, 나라를 다스리는 것은 오늘의 급한 일입니다.
>
> -「고려사」-

(㉠)은/는 최승로의 시무 28조를 받아들여 유교를 국가의 통치 이념으로 삼았다. 제7조는 지방관 파견, 제20조는 불교는 개인 수양을 위한 종교이고, (㉡)을/를 국가를 통치하는 정치 이념으로 삼아야 한다는 내용을 담고 있다.

㉠ : (　　　　　　) ㉡ : (　　　　　　)

3 서로 관련 있는 것끼리 바르게 연결하시오.

(1) 삼사 • 　　　　• ㉠ 관리 비리 감찰

(2) 어사대 • 　　　　• ㉡ 군사 기밀, 왕명 전달

(3) 중추원 • 　　　　• ㉢ 국가 재정 회계와 출납

4 다음 자료를 보고 ㉠, ㉡에 들어갈 알맞은 말을 쓰시오.

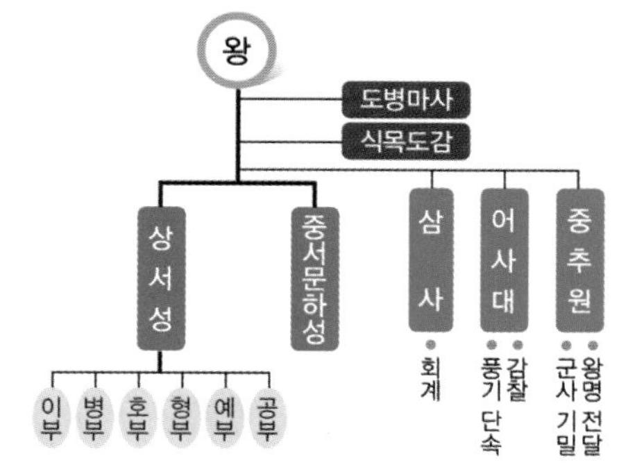

▲ 고려의 중앙 정치 기구

고려는 당의 3성 6부제를 받아들여 고려의 실정에 맞게 (㉠)(으)로 고쳐 운영하였다. 중서문하성과 중추원의 고위 관료들은 회의 기구인 (㉡)(국방, 군사 관련)와/과 식목도감(제도와 시행 규칙 제정)을 통해 국가의 주요 정책을 결정하였다.

㉠ : (　　　　　　) ㉡ : (　　　　　　)

5 다음 괄호 안의 내용 중 알맞은 말을 골라 ○표 하시오.

(1) 고려의 지방 행정 구역은 일반 행정 구역인 (5도, 양계)와 군사 행정 구역인 (5도, 양계)로 이루어졌다.

(2) (과거제, 음서제)는 왕족의 후손, 공신, 5품 이상 관리의 자손을 과거 합격 여부와 관계없이 관직에 임명하는 제도이다.

(3) 인종은 (묘청, 이자겸)에게 위협을 느끼고 그를 제거하려 하였으나 이를 먼저 눈치챈 그가 난을 일으켰다.

(4) (묘청, 김부식) 등은 서경 천도를 추진하며 금을 정벌할 것을 주장하였다.

4일 교과서 핵심 정리 ②

개념 3 무신 정권의 성립과 농민·천민의 봉기

1. 무신 정권

구분	내용
무신 정변의 발생 (1170)	• 배경: 문신 위주의 정치, 무신에 대한 차별 대우, 하급 군인의 불만, 의종의 실정 • 경과: 의종의 보현원 행차, 정중부·이의방 등이 정변을 일으킴 → 문신 제거, 의종 폐위 → 무신 정권 수립(❶ ☐ 이 최고 권력 기관이 됨) • 권력 투쟁: 정중부 → 경대승 → 이의민 → 최충헌
최씨 무신 정권	• ❷ ☐ 집권 이후 4대 60여 년간 지속 • 정치 기구: ❸ ☐ (최고 권력 기구), 정방(관리 인사 행정), 서방(문신들로 구성, 정책 조언과 자문) — 최우가 설치한 기구들 • 군사 기구: 도방(최고 집권자의 사병), 삼별초(최씨 무신 정권의 군사적 기반)

2. 농민·천민의 봉기 농민(망이·망소이 형제의 봉기 – 공주 명학소 / 김사미와 효심의 봉기 – 운문과 초전), 천민(전주 관노비의 봉기 / 만적의 봉기 – 사노비 만적이 개경에서 신분 해방 주도)

예 문신 위주의 정치에 불만을 품은 무신들이 정변을 일으켜 최씨 무신 정권이 성립하였다.

개념 4 고려의 대외 관계

1. 고려 전기의 대외 관계

구분	내용
송·거란·여진과의 관계	• 고려와 송: 친선 관계(송의 거란 견제 목적) • 고려와 거란(요): 1차 침입(❹ ☐ 의 외교 담판 → 강동 6주 획득), 2차 침입(양규의 활약), 3차 침입(강감찬의 귀주 대첩 → 천리장성, 나성 축조) • 고려와 여진: 윤관의 ❺ ☐ 조직 → 여진 정벌, 동북 9성 축조
대외 교류	• 예성강 하구 ❻ ☐ 가 국제 무역항으로 번성(아라비아 상인도 드나듦) • 송(송의 선진 문물 수용), 거란(거란의 대장경 들여옴)

2. 고려의 대몽 항쟁

구분	내용
몽골의 침입	• 1차 침입: 귀주성 전투(박서), 충주 관노비와 천민들의 항전, ❼ ☐ 천도(최우) • 2차 침입: 처인성 전투(승려 김윤후와 처인 부곡민이 몽골군 살리타 사살) • 3~6차 침입: 2차 충주성 전투(5차 침입 때 김윤후가 몽골군 격퇴) • 강화 체결: 최씨 정권 붕괴(최의 피살) → 몽골과의 강화 체결 • 개경 환도: 무신 정권의 반대 → 임유무 피살(무신 정권 붕괴) → 개경 환도 단행(1270, 원종)
몽골 침입의 영향	• 민심을 모으고 몽골을 물리치려는 염원을 담아 팔만대장경 제작 • 국토의 황폐화, 많은 사람이 포로로 잡혀감, 문화재가 불에 탐 — 초조대장경 판목, 경주 황룡사 9층 목탑 등
삼별초의 항쟁	몽골과의 강화 및 개경 환도에 반대하며 강화도, 진도, 제주도로 근거지를 옮기며 항쟁 → 고려와 몽골의 연합군에게 진압됨

예 고려는 거란, 여진의 침입을 물리쳤고, 몽골과는 강화를 체결하여 평화를 회복하였다.

❶ 중방
❷ 최충헌
❸ 교정도감
❹ 서희
❺ 별무반
❻ 벽란도
❼ 강화도

기초 확인 문제

정답과 해설 68쪽

6 서로 관련 있는 것끼리 바르게 연결하시오.

(1) 정방 •　　　　• ㉠ 국가 중요 정책 결정

(2) 도방 •　　　　• ㉡ 집권자의 사병 조직

(3) 교정도감 •　　　　• ㉢ 관리 인사 행정 담당

7 다음 빈칸에 들어갈 알맞은 말을 쓰시오.

(1) (　　　　　　)이/가 권력을 잡은 후 4대 60여 년 동안 최씨 가문이 최고 권력자의 자리를 지켰다.

(2) 특수 행정 구역이었던 공주 명학소에서는 (　　　　　　)의 난이 일어났다.

(3) 사노비였던 (　　　　　　)은/는 신분 해방을 위해 개경의 노비들과 함께 봉기를 계획하였다.

8 다음 자료를 보고 ㉠에 들어갈 알맞은 말을 쓰시오.

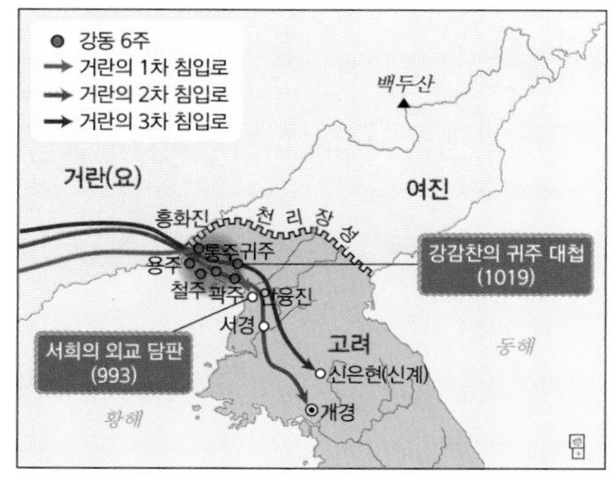

▲ 거란의 침입과 고려의 대응

> 거란의 1차 침입 때 서희는 거란 장수 소손녕과 외교 담판을 벌여 송과의 관계를 끊고 거란과 교류할 것을 약속하는 대신 (　㉠　)을/를 확보하였다. 이로써 고려의 영토는 압록강까지 확대되었다.

㉠ : (　　　　　　)

9 다음 괄호 안의 내용 중 알맞은 말을 골라 ○표 하시오.

(1) 서희는 (거란, 몽골)의 1차 침입 때 외교 담판을 벌여 강동 6주를 획득하였다.

(2) 고려는 윤관의 건의에 따라 (별무반, 삼별초)을/를 조직하여 여진을 정벌하였다.

(3) (윤관, 강감찬)이 이끄는 고려군은 거란군을 귀주에서 거의 전멸시켰다.

(4) 거란 침입 이후 고려는 (만리장성, 천리장성)을 쌓아 북방 민족의 침략에 대비하였다.

(5) 고려 시대에는 예성강 하구의 (강화도, 벽란도)가 국제 무역항으로 번성하였다.

10 다음 물음에 답하시오.

(1) 몽골의 1차 침입 이후 최씨 정권이 장기 항전을 대비하기 위해 수도를 옮긴 곳은? (　　　　　　)

(2) 처인성에서 몽골군에 맞서 싸우며 몽골군 대장 살리타를 사살한 인물은? (　　　　　　)

(3) 개경 환도에 반대하며 대몽 항쟁을 계속한 고려의 군대는? (　　　　　　)

(4) 고려 정부가 민심을 모으고 몽골을 물리치려는 염원을 담아 제작한 것은? (　　　　　　)

4일 내신 기출 베스트

대표 예제 1

선생님의 질문에 대한 대답으로 가장 적절한 것은?

태조가 다음 정책을 실시한 목적은 무엇일까요?

- 호족의 딸들과 혼인
- 호족에게 관직과 토지 하사

① 민생 안정　② 민족 통합
③ 호족 견제　④ 호족 포섭
⑤ 옛 고구려 땅 회복

개념 가이드

고려 태조 ❶[　　]은 통일 이후에도 여전히 강성했던 ❷[　　]들을 우대하는 한편 견제하여 왕권을 안정시켰다.

답 ❶ 왕건 ❷ 호족

대표 예제 2

(가)에 들어갈 내용으로 옳은 것을 두 개 고르면?

- 광종의 정책: 고려 초기에는 호족의 힘이 강하여 왕위 계승을 둘러싼 갈등이 심하였다. 이에 광종은 [(가)]을/를 시행하였다.

① 과거제　② 연등회
③ 기인 제도　④ 노비안검법
⑤ 사심관 제도

개념 가이드

광종은 호족들이 불법적으로 노비로 삼은 사람들을 양인으로 해방하는 ❸[　　]을 시행하였다.

답 ❸ 노비안검법

대표 예제 3

다음 설명에 해당하는 고려의 정치 기구는?

① 삼사　② 상서성　③ 어사대
④ 도병마사　⑤ 식목도감

개념 가이드

중앙에는 ❹[　　]과 중추원의 고위 관료들이 모여 국가의 중요 정책을 결정하는 회의 기구로 도병마사와 ❺[　　]을 두었다.

답 ❹ 중서문하성 ❺ 식목도감

대표 예제 4

다음 두 사건이 고려 사회에 미친 영향으로 옳은 것은?

- 이자겸의 난　• 묘청의 서경 천도 운동

① 왕권이 강화되었다.
② 귀족 사회가 성립하였다.
③ 문벌 사회가 동요되었다.
④ 유교 정치가 발달하였다.
⑤ 지방 세력이 성장하였다.

개념 가이드

인종 때 일어난 이자겸의 난과 묘청의 서경 천도 운동으로 지배층은 분열하였고, ❻[　　]의 권위는 추락하였다.

답 ❻ 왕실

대표 예제 5

(가) 시기에 일어난 사건으로 옳은 것은?

묘청의 반란	➡	(가)	➡	삼별초 설치

① 이자겸의 난이 일어났다.
② 거란이 발해를 멸망시켰다.
③ 과거제가 처음 실시되었다.
④ 광종이 호족을 숙청하였다.
⑤ 최충헌이 최고 권력자가 되었다.

개념 가이드

묘청의 반란 이후 최씨 무신 정권이 수립되었다. ❼ [ ] 는 최씨 무신 정권이 설치한 군사 조직이었다. 답 ❼ 삼별초

대표 예제 6

다음은 가상의 사회관계망서비스(SNS)이다. (가)에 들어갈 역사 인물로 옳은 것은?

(가)

무신 정변 이후에 높은 관직을 얻은 천한 노비가 많이 나왔으니 어찌 장군과 재상이 타고나는 것이겠는가? 때가 오면 누구나 차지할 수 있다. 왜 우리만 뼈 빠지게 일하면서 고통받아야 하는가?

① 만적 ② 양규 ③ 척준경
④ 최승로 ⑤ 망이·망소이

개념 가이드

사노비였던 ❽ [ ] 은 신분 해방을 목적으로 개경에서 봉기를 계획하였으나 사전에 들켜 실패하였다. 답 ❽ 만적

대표 예제 7

다음 담판의 결과로 가장 적절한 것은?

① 송의 멸망 ② 개경 함락
③ 귀주 대첩 승리 ④ 고려가 강동 6주 획득
⑤ 고려가 동북 9성 획득

개념 가이드

요의 의도를 파악한 서희는 ❾ [ ] 과의 관계를 끊고 요와 국교를 맺을 것을 약속하며 강동 6주를 획득하였다. 답 ❾ 송

대표 예제 8

선생님의 질문에 따라 카드를 배열한 것으로 옳은 것은?

1번 카드	2번 카드	3번 카드	4번 카드
개경 환도	묘청의 반란	처인성 전투	최씨 정권 붕괴

① 1번 – 3번 – 4번 – 2번
② 2번 – 3번 – 1번 – 4번
③ 2번 – 3번 – 4번 – 1번
④ 3번 – 2번 – 1번 – 4번
⑤ 3번 – 2번 – 4번 – 1번

개념 가이드

묘청의 반란(1135) → ❿ [ ] (1232) → 최씨 정권 붕괴(1258) → 개경 환도(1270)의 순서이다. 답 ❿ 처인성 전투

4일

5일 몽골의 간섭과 고려의 개혁, 고려의 생활과 문화

생각 열기

• 몽골(원)의 간섭

Quiz

원은 고려에 ❶ [ ] 을 설치해 일본 원정을 추진하였는데, 이것은 고려 말까지 남아 내정 간섭에 이용되었다.

답 ❶ 정동행성

공부할 내용

1. 원 간섭기 권문세족의 성장
2. 공민왕의 개혁 정치
3. 새로운 정치 세력의 성장
4. 고려의 사회·종교·사상·예술

• 고려의 개혁

Quiz

원이 점차 쇠퇴하자, 공민왕은 ❶ [　　　] 를 공격하여 원이 차지하고 있던 철령 이북의 영토를 되찾았다.

답 ❶ 쌍성총관부

5일 교과서 **핵심 정리 ①**

개념 1 원 간섭기 권문세족의 성장

원 간섭기의 고려	• 고려의 국왕은 원의 공주와 혼인, 고려 왕실의 호칭과 관제 격하, ❶ ☐ 이문소를 통한 내정 간섭 • 원이 일부 영토를 직접 지배: 쌍성총관부(화주), 동녕부(서경), 탐라총관부(제주도) • 특산물 징발, 공녀와 환관 차출, 응방 설치 • 고려에서는 ❷ ☐ 이, 몽골에서는 고려양이 유행
권문세족의 성장	친원 세력이 음서로 고위 관직 차지, 불법적으로 토지와 노비를 차지하여 대농장 경영 → 세금 감소, 국가 재정 궁핍, 새로운 관리에게 지급할 토지 부족 초래

예 원 간섭기에는 친원 세력이 성장하여 권력을 마구 휘둘렀다.

❶ 정동행성

❷ 몽골풍

개념 2 공민왕의 개혁 정치

개혁 내용	• 반원 자주 정책: 친원 세력 제거, 정동행성 축소, ❸ ☐ 공격(철령 이북 영토 회복), 제도 복구, 몽골풍 금지 • 왕권 강화 정책: ❹ ☐ 폐지(국왕이 인사권 장악), ❺ ☐ 설치(신돈 등용, 권문세족이 불법으로 차지한 땅과 노비를 원래대로 되돌림), 성균관 정비(유학 교육 강화, 신진 사대부 성장의 배경)
개혁의 결과와 영향	• 결과: 권문세족의 반발, 개혁 추진 세력 미약, 홍건적과 왜구의 침입으로 인한 정세 불안 → 신돈 제거, 공민왕 시해 → 개혁 실패 • 영향: 신진 사대부가 새로운 정치 세력으로 성장

예 공민왕은 친원 세력의 횡포를 견제하기 위해 개혁을 추진하였으나 실패하였다.

❸ 쌍성총관부

❹ 정방

❺ 전민변정도감

개념 3 새로운 정치 세력의 성장

1. 신흥 무인 세력 홍건적과 왜구의 격퇴 과정에서 성장(최영, 이성계 등)

2. 신진 사대부

권문세족과의 대립	• 권문세족: 주로 음서로 관직 진출, 대지주, 친원적 • 신진 사대부: 성리학 기반, 주로 과거로 관직 진출, 중소 지주, 친명적
신진 사대부의 분열	• 정몽주, 길재 등: 고려 왕조 체제 내에서의 개혁 주장(온건파) • 정도전, 조준 등: 새 왕조를 세워야 한다고 주장(급진파)

3. 고려의 멸망과 조선 건국 명의 철령 이북 지역 요구 → 우왕과 최영의 요동 정벌 추진 → 이성계의 ❻ ☐ → 개경으로 돌아와 우왕과 최영을 제거하고 실권 장악 → ❼ ☐ 시행 → 고려 멸망, 조선 건국(1392)

예 고려 말에 성장한 신흥 무인 세력이 신진 사대부와 힘을 합쳐 반대파를 제거하고 조선을 건국하였다.

❻ 위화도 회군

❼ 과전법

기초 확인 문제

정답과 해설 70쪽

1 다음 빈칸에 들어갈 알맞은 말을 쓰시오.

(1) 원이 일본 원정을 위해 설치한 ( ) 은/는 고려 말까지 남아 내정 간섭에 이용되었다.

(2) 원 간섭기에 친원적 성향을 가진 이들은 새로운 지배 세력인 ( )을/를 형성하였다.

(3) 원은 고려에 여성을 요구하였는데, 이때 끌려간 여성들을 ( )(이)라고 하였다.

2 다음 자료를 보고 ㉠, ㉡에 들어갈 알맞은 말을 쓰시오.

▲ 철릭(국립민속박물관)

▲ 몽골식 변발을 한 고려인 (「천산대렵도」의 일부)

> 고려와 원의 교류가 활발해지면서 몽골식 풍습인 (㉠)이/가 고려에 소개되었다. 왼쪽 사진은 몽골의 영향을 받은 의복인 철릭, 오른쪽 사진은 몽골식 머리 모양인 (㉡)을/를 한 고려인의 모습을 그린 것이다. 임금의 밥을 높여 부르는 말인 '수라', '벼슬아치'와 같은 말에 붙은 어미 '-아치(-치)' 등도 몽골 풍습에서 영향을 받았다.

㉠ : ( ) ㉡ : ( )

3 서로 관련 있는 것끼리 바르게 연결하시오.

(1) 성균관 정비 • • ㉠ 철령 이북 회복

(2) 정동행성 축소 • • ㉡ 신진 사대부 성장

(3) 쌍성총관부 공격 • • ㉢ 원의 내정 간섭 방지

4 다음 자료를 보고 ㉠, ㉡에 들어갈 알맞은 말을 쓰시오.

▲ 공민왕의 영토 수복

> 14세기 중반 원이 점차 쇠퇴하자 공민왕은 원의 간섭에서 벗어나고자 정치 개혁을 추진하였다. (㉠)은/는 친원 세력을 제거하고, 정동행성을 축소하여 원의 내정 간섭을 막았으며, (㉡)을/를 공격하여 철령 이북의 땅을 되찾았다.

㉠ : ( ) ㉡ : ( )

5 다음 괄호 안의 내용 중 알맞은 말을 골라 ○표 하시오.

(1) 공민왕은 (정방, 정동행성)을 폐지하여 권문세족으로부터 인사권을 회수하였다.

(2) 신돈은 (노비안검법, 전민변정도감)을 통해 권문세족이 불법으로 차지한 토지를 주인에게 돌려주고, 강제로 노비가 된 사람을 양인으로 해방하였다.

(3) 신진 사대부는 주로 (과거, 음서)를 통해 관직에 진출하였다.

(4) 신진 사대부는 주로 (불교, 성리학)을/를 바탕으로 현실 정치에 참여하였다.

(5) (이성계, 정몽주) 등 신흥 무인 세력은 홍건적과 왜구의 침입을 물리치는 과정에서 성장하였다.

5일 교과서 핵심 정리 ②

개념 4 고려 사회의 모습

1. 고려의 신분 양인과 천인으로 나뉨

2. 고려의 가족 제도

혼인과 상속	일부일처제 원칙, 처가살이가 일반적, 이혼과 재혼에 제약 없음, 자녀 균분 상속
여성의 지위	여성도 ❶ [ ] 가 됨, 여성의 사유 재산 인정, 사위와 외손자도 음서 혜택 가능

❶ 호주

개념 5 고려의 문화

1. 고려의 종교와 사상

불교 사상 발달	불교 정책	불교 행사(연등회·팔관회) 장려, 승과 시행, 국사·왕사 제도 정비, 대장경 간행
	불교 통합 운동	• ❷ [ ] : 해동 천태종 창시, 교종 중심으로 선종 통합 • ❸ [ ] : 수선사(송광사) 결사 운동, 선종 중심으로 교종 포용
풍수지리설	수도나 집터 결정에 영향, 묘청의 서경 천도 운동에 영향	
유학 발달	국자감(개경)·향교(지방) 설치, 사학 융성	
성리학의 수용	• ❹ [ ] : 인간의 마음과 우주의 원리를 철학적으로 탐구, 남송의 주희가 집대성 • 수용 과정: 충렬왕 때 ❺ [ ] 이 소개 → 원의 수도에 만권당 설치 → 이색, 정몽주 등에 의해 확산 → 신진 사대부가 개혁 사상으로 수용	
역사서 편찬	고려 전기	김부식, 『삼국사기』: 우리나라에서 가장 오래된 역사책
	고려 후기	일연, 『삼국유사』(단군 신화 최초 기록) / 이승휴, 『제왕운기』(고조선~고려 서술) / 이규보, 「동명왕편」(고구려의 주몽 찬양)

❷ 의천
❸ 지눌
❹ 성리학
❺ 안향

2. 고려의 불교문화와 예술

불교문화의 발달	불상	대형 철불(하남 하사창동 철조 석가여래 좌상), 대형 석불(논산 관촉사 석조 미륵보살 입상) → 고려 전기 지방 문화의 발달 나타냄
	불화	왕실과 권문세족의 후원으로 발전(혜허 「수월관음도」)
	탑	평창 월정사 8각 9층 석탑(고려 전기의 다각 다층탑), 개성 경천사지 10층 석탑(❻ [ ] 의 영향 받음)
	건축	안동 봉정사 극락전, 영주 부석사 무량수전, 예산 수덕사 대웅전 → 주심포 양식, 배흘림기둥이 특징
인쇄술의 발달	• 목판 인쇄술: 팔만대장경(해인사 장경판전에 보관) • 금속 활자 인쇄술: 『❼ [ ] 』(세계에서 가장 오래된 금속 활자본)	
고려청자	순청자 → 상감 청자 → 원 간섭기 이후 쇠퇴	

❻ 원
❼ 직지

상감 청자: 도자기의 표면을 파서 무늬를 새긴 뒤 그 자리에 다른 색깔의 흙을 메워서 다양한 무늬를 표현하는 상감법으로 만든 청자

예 고려 시대에는 연등회·팔관회, 팔만대장경 등 불교문화가 광범위하게 발달하였다.

기초 확인 문제

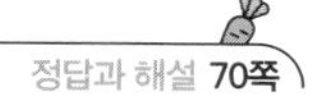

정답과 해설 70쪽

6 다음 설명이 고려 시대의 사실로 옳으면 ○표를, 틀리면 X표를 하시오.

(1) 부모의 재산은 아들과 딸 중 아들이 모두 상속하였다. (　　　　　)

(2) 여성도 한 집안의 호주가 될 수 있었다. (　　　　　)

(3) 여성의 재혼이 자유로웠다. (　　　　　)

(4) 고려 시대에는 시집살이가 일반적이었다. (　　　　　)

7 다음 물음에 답하시오.

(1) 해동 천태종을 창시한 인물은? (　　　　　)

(2) 선종을 중심으로 교종을 포용하고자 한 인물은? (　　　　　)

(3) 성리학을 고려에 처음 소개한 인물은? (　　　　　)

(4) 현존하는 가장 오래된 금속 활자본은? (　　　　　)

(5) 현재 해인사에 보관되어 있으며, 대몽 항쟁 때 무신 정권이 민심을 모으기 위해 제작한 것은? (　　　　　)

8 서로 관련 있는 것끼리 바르게 연결하시오.

(1)『삼국사기』 • 　　• ㉠ 고구려의 주몽 찬양

(2)『삼국유사』 • 　　• ㉡ 단군 신화 최초 기록

(3)「동명왕편」 • 　　• ㉢ 고조선~고려의 역사 서술

(4)『제왕운기』 • 　　• ㉣ 우리나라에서 가장 오래된 역사책

9 다음 자료를 보고 ㉠에 들어갈 알맞은 말을 쓰시오.

고려 전기 불상		고려 후기 불화
 ▲ 하남 하사창동 철조 석가여래 좌상	 ▲ 논산 관촉사 석조 미륵보살 입상	 ▲「수월관음도」

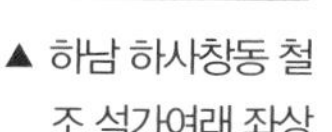

고려 전기에는 지방 세력들이 힘을 과시하고자 대형 철불이나 거대한 석불을 제작하였다. 고려 후기에는 왕실과 권문세족의 요구로 정교하고 화려한 (　㉠　)을/를 제작하였다.

㉠ : (　　　　　)

10 다음 자료를 보고 ㉠, ㉡에 들어갈 알맞은 말을 쓰시오.

석탑		건축물
 ▲ 평창 월정사 8각 9층 석탑	 ▲ 개성 경천사지 10층 석탑	 ▲ 영주 부석사 무량수전

평창 월정사 8각 9층 석탑은 고려 전기의 대표적인 다각 다층탑이다. 개성 경천사지 10층 석탑은 (　㉠　)의 영향을 받은 고려 후기의 석탑이다. 영주 부석사 무량수전은 기둥의 중간 부분이 볼록한 (　㉡　)와/과 안정감 있는 모습이 유명하다.

㉠ : (　　　　　) ㉡ : (　　　　　)

5일 내신 기출 베스트

대표 예제 1

다음 퀴즈의 정답으로 옳은 것은?

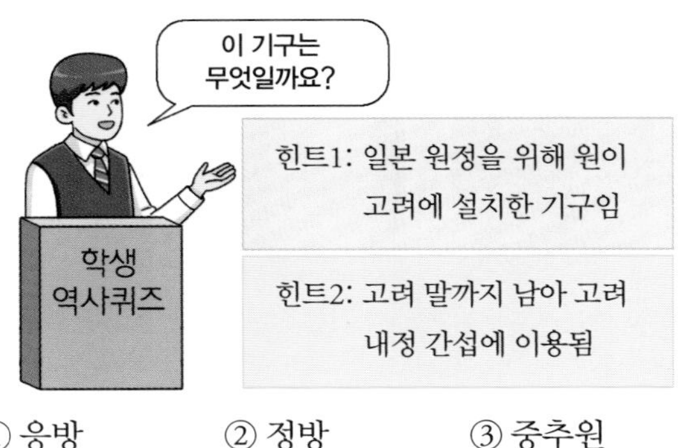

① 응방 ② 정방 ③ 중추원
④ 정동행성 ⑤ 도병마사

개념 가이드

원은 고려에 일본 원정을 추진하기 위해 설치한 ❶ ______ 을 나중에는 내정 간섭에 이용하였다.

답 ❶ 정동행성

대표 예제 2

다음은 가상의 포털 검색창이다. (가)에 들어갈 용어로 옳은 것은?

통합 검색 ▼	(가)	검색

- 개요: 원 간섭기 고려의 새로운 지배 세력을 일컫는 말
- 구성: 몽골어 통역관, 기존 문벌 세력, 원에서 국왕과 함께 지낸 측근 등

① 진골 ② 향리 ③ 호족
④ 6두품 ⑤ 권문세족

개념 가이드

❷ ______ 은 무신 정권이 붕괴한 후에 등장한 새로운 지배 세력으로, 고려 후기 사회를 주도하였다.

답 ❷ 권문세족

대표 예제 3

지도의 빗금 친 지역을 되찾은 시기에 있었던 일은?

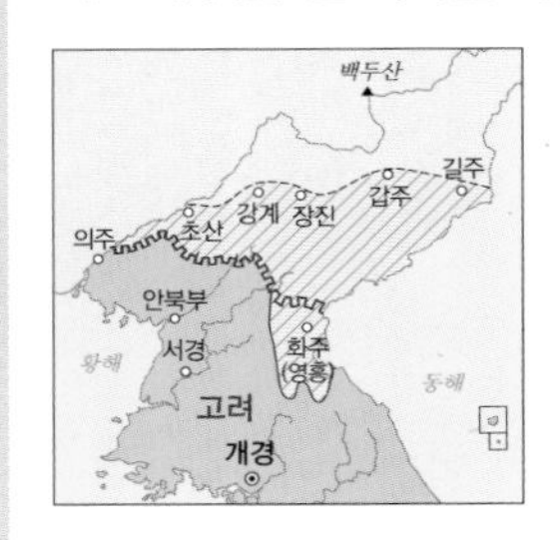

① 교정도감 설치
② 노비안검법 실시
③ 광개토 대왕릉비 건립
④ 권문세족의 대농장 소유
⑤ 왕의 칭호를 마립간으로 정함

개념 가이드

공민왕은 ❸ ______ 를 공격하여 원이 차지하고 있던 영토를 되찾았다. 승려였던 신돈을 등용하여 ❹ ______ 을 설치하기도 하였다.

답 ❸ 쌍성총관부 ❹ 전민변정도감

대표 예제 4

(가)에 들어갈 내용으로 옳지 않은 것은?

역사 용어 카드

신진 사대부

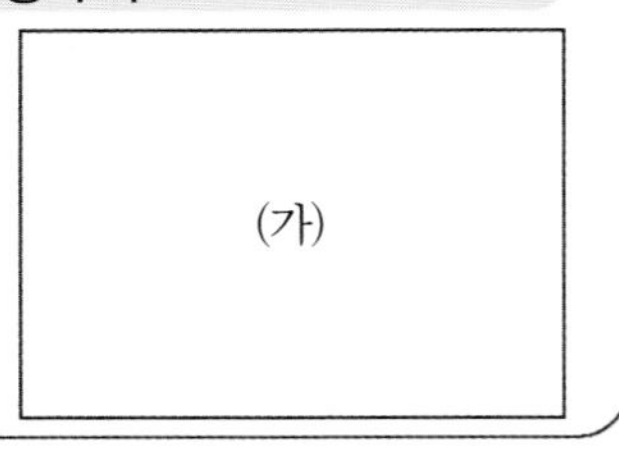

(가)

① 친원 세력 ② 권문세족 비판
③ 정몽주, 정도전 ④ 주로 과거로 관직 진출
⑤ 불교 사원의 부패 비판

개념 가이드

신진 사대부는 주로 과거를 통해 중앙 관직에 진출하였다. 이들은 ❺ ______ 을 바탕으로 정치에 참여하며 고려 말 사회의 문제점을 해결하기 위해 노력하였다.

답 ❺ 성리학

대표 예제 5

다음 대화에서 옳지 않은 말을 한 사람은?

고려의 가족 제도는 어땠을까?

소윤: 부모의 재산은 아들과 딸이 균등하게 상속했어.

라온: 여성도 호주가 될 수 있었어.

민수: 아들이 없어도 양자를 들이지 않았어.

세희: 여성의 재혼은 허락되지 않았어.

① 소윤 ② 라온 ③ 민수
④ 세희 ⑤ 소윤, 민수

개념 가이드

고려 시대에는 ❻ [　　　]가 대체로 동등한 대우를 받았기 때문에 아들이 없어도 양자를 들이지 않았다. 답 ❻ 남녀

대표 예제 6

다음 인물들에 의해 발달한 사상에 관한 옳은 설명은?

안향

이제현

이색

① 연등회와 팔관회를 장려하였다.
② 권문세족의 후원으로 발달하였다.
③ 서경 천도를 주장하는 근거가 되었다.
④ 선종 중심으로 교종을 포용하려 하였다.
⑤ 인간의 마음과 우주의 원리를 탐구하였다.

개념 가이드

안향이 ❼ [　　　]을 고려에 처음 들여온 이후 이제현, 이색을 거쳐 정몽주, 정도전 등에게 전해져 신진 사대부의 사상적 기반이 되었다. 답 ❼ 성리학

대표 예제 7

'고려의 불교문화'를 소개하는 책자에 들어갈 자료로 알맞지 않은 것은?

① 
② 
③ 
④ 
⑤ 

개념 가이드

고려 시대에는 ❽ [　　　]가 융성하여 불상(철불, 거대 석불 등), 불화 등 다양한 불교 예술이 발달하였다. 답 ❽ 불교

대표 예제 8

다음 퀴즈의 정답으로 옳은 것은?

힌트1: 현재 프랑스 국립도서관이 소장 중

힌트2: 세계에서 가장 오래된 금속 활자 인쇄본

① 직지 ② 시무 28조
③ 팔만대장경 ④ 왕오천축국전
⑤ 무구정광대다라니경

개념 가이드

고려 시대에는 세계 최초로 ❾ [　　　]가 발명되었다. 금속 활자는 적은 양의 다양한 인쇄물을 찍어 내는 데 유리했다. 답 ❾ 금속 활자

5일

6일 누구나 100점 테스트 1회

01 (가)에 들어갈 내용으로 옳은 것은?

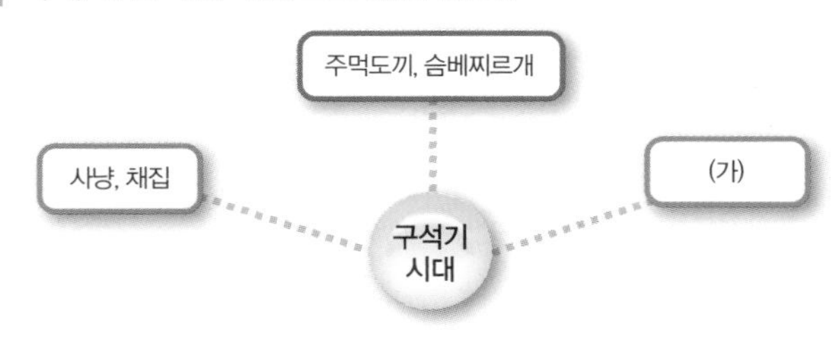

① 정착 생활 ② 계급 사회
③ 농경, 목축 ④ 동굴, 바위 그늘
⑤ 고인돌, 돌널무덤

02 다음 대화가 나타내는 시대에 대한 설명으로 옳은 것을 고르면?

보기
ㄱ. 비파형 동검과 청동 방울을 만들었다.
ㄴ. 무리 지어 다니며 이동 생활을 하였다.
ㄷ. 농사를 짓고 가축을 기르기 시작하였다.
ㄹ. 가락바퀴와 뼈바늘로 옷과 그물을 만들었다.

① ㄱ, ㄴ ② ㄱ, ㄷ ③ ㄴ, ㄷ
④ ㄴ, ㄹ ⑤ ㄷ, ㄹ

03 다음 유물에 관한 설명으로 옳은 것은?

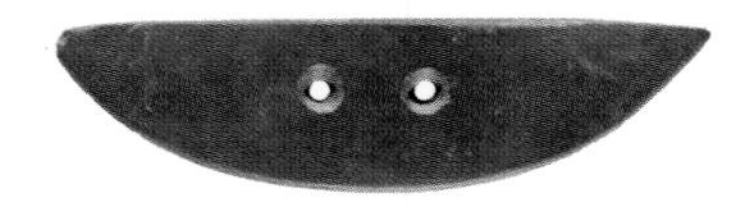

① 신석기 시대에 만들어졌다.
② 사냥할 때 주로 사용하였다.
③ 족장이 목에 걸고 다녔던 장신구이다.
④ 가운데 뚫린 구멍으로 실을 뽑아냈다.
⑤ 곡식 이삭을 자를 때 사용한 반달 돌칼이다.

04 ㉠~㉤ 중 고조선이 농경 사회를 배경으로 성립했음을 추측할 수 있는 것은?

환인의 아들 환웅이 ㉠ 널리 인간을 이롭게 하고자 태백산 신단수 아래로 내려왔다. ㉡ 그는 풍백(바람을 다스리는 신), 우사(비를 다스리는 신), 운사(구름을 다스리는 신)를 거느리고, 인간 세상을 다스리고 교화하였다. 이때 ㉢ 곰과 호랑이가 사람이 되길 원하므로, 환웅은 100일간 굴에서 견디게 하였고 이를 지킨 ㉣ 곰은 여자로 변하여 환웅과 혼인해 아들을 낳았으니 그가 단군왕검이다. ㉤ 단군왕검은 아사달에 수도를 정하고 조선이라는 나라를 세웠다.

① ㉠ ② ㉡ ③ ㉢ ④ ㉣ ⑤ ㉤

05 (가)에 들어갈 내용으로 가장 적절한 것은?

이것은 삼한의 소도에 세우던 것에서 유래한 솟대입니다. 소도는 제사장인 천군이 제사를 지내던 곳입니다. 이를 통해 삼한이 ______(가)______ 사회임을 알 수 있습니다.

① 농경 ② 청동기 ③ 제정일치
④ 제정 분리 ⑤ 노동력을 중시하는

06 (가)에 들어갈 내용으로 옳은 것은?

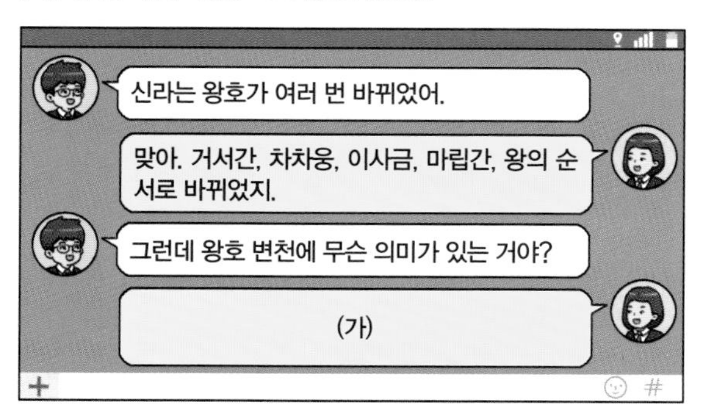

① 왕권이 점점 강해진 거야.
② 고구려의 간섭이 심해진 거야.
③ 중국과의 교역이 확대된 거야.
④ 군장 세력의 정치력이 커진 거야.
⑤ 삼국 간 경쟁과 갈등이 심해진 거야.

07 다음과 같은 영역을 확보한 고구려의 왕에 대한 설명으로 옳은 것을 〈보기〉에서 고른 것은?

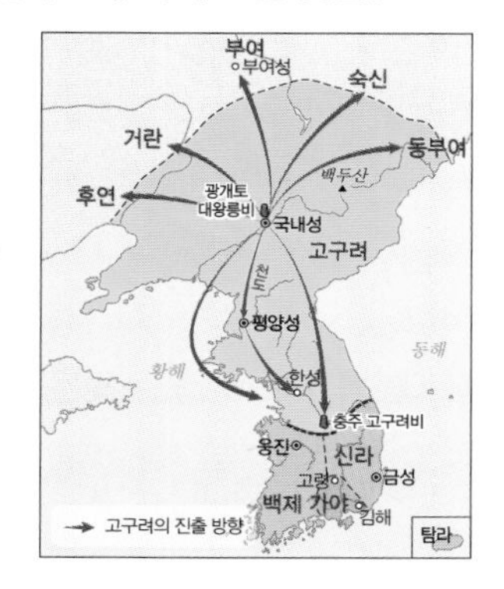

보기
ㄱ. 수도를 평양으로 옮겨 왕권을 강화하였다.
ㄴ. 후연을 물리치고 요동 지역을 차지하였다.
ㄷ. 신라에 침입한 왜군을 물리치고 가야를 공격하였다.
ㄹ. 백제의 수도 한성을 함락하여 한강 유역을 차지하였다.

① ㄱ, ㄴ ② ㄱ, ㄷ ③ ㄱ, ㄹ
④ ㄴ, ㄹ ⑤ ㄷ, ㄹ

08 다음 대화의 주제로 적절한 것은?

① 삼국의 고분 문화 ② 삼국의 도교 문화
③ 삼국의 불교 예술 ④ 삼국의 유학 교육
⑤ 서역 문화의 전래

09 제시된 각 시기와 연결된 설명이 옳지 않은 것은?

(가)	(나)	(다)

수의 남북조 통일 / 당의 건국

① (가) – 안시성 싸움이 일어났다.
② (나) – 살수 대첩이 일어났다.
③ (나) – 고구려 침공에 실패한 수가 멸망하였다.
④ (다) – 천리장성을 축조하였다.
⑤ (다) – 신라와 당이 군사 동맹을 맺었다.

10 신라의 삼국 통일에 대한 긍정적인 평가를 〈보기〉에서 고른 것은?

보기
ㄱ. 외세를 끌어들였다.
ㄴ. 우리 민족 최초의 통일이다.
ㄷ. 삼국의 백성을 하나로 아울렀다.
ㄹ. 고구려의 옛 땅을 모두 차지하지 못하였다.

① ㄱ, ㄴ ② ㄱ, ㄷ ③ ㄴ, ㄷ
④ ㄴ, ㄹ ⑤ ㄷ, ㄹ

6일

6일 누구나 100점 테스트 2회

01 (가)에 들어갈 인물에 대한 설명으로 옳은 것은?

인물 카드

1. 인물: ______(가)______
2. 활동
   - 나당 전쟁을 승리로 이끌었음
   - 옛 백제·고구려계 지배층을 등용하여 지배 체제에 포함시킴
3. 왕릉: 대왕암(경북 경주)

① 삼국 통일을 완성하였다.
② 김흠돌의 난을 진압하였다.
③ 산둥반도의 등주를 선제공격하였다.
④ 신라 최초로 진골 출신의 왕이 되었다.
⑤ 완산주를 중심으로 후백제를 건국하였다.

02 다음 발해의 통치 기구에 대한 설명으로 옳은 것을 〈보기〉에서 고른 것은?

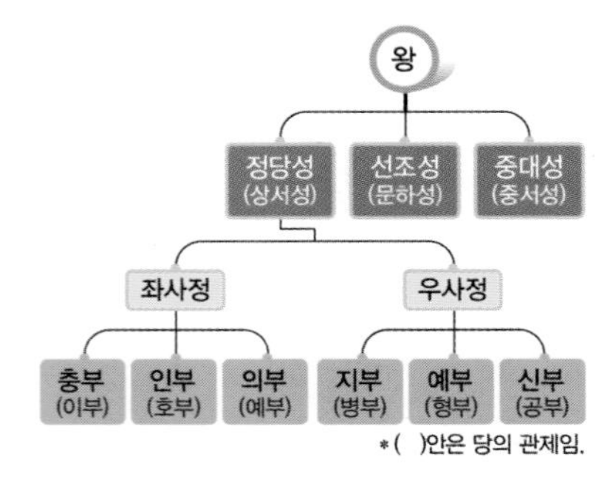

보기
ㄱ. 당의 제도를 모방하였다.
ㄴ. 신라의 통치 체제를 받아들였다.
ㄷ. 각 부의 이름에서 발해의 독자성을 엿볼 수 있다.
ㄹ. 중앙 행정 조직의 운영은 당의 방식을 그대로 따랐다.

① ㄱ, ㄴ　② ㄱ, ㄷ　③ ㄴ, ㄷ
④ ㄴ, ㄹ　⑤ ㄷ, ㄹ

03 선생님이 설명하는 (가) 인물은?

______(가)______은/는 당에서 유학을 하고 돌아와 화엄 사상을 정립하였습니다. '하나가 전체며, 전체가 하나다.'라고 강조하면서 통일 직후 신라 사회를 통합하는 데 큰 역할을 하였습니다.

① 도선　② 원효　③ 의상　④ 지눌　⑤ 혜초

04 제시된 사건이 일어난 시기로 옳은 것은?

신라 말 전라도 지방에서 일어난 농민 봉기 세력을 흡수하며 성장하였고, 백제 부흥을 내세워 완산주에 도읍하고 나라를 세웠다.

(가)	(나)	(다)	(라)	(마)

김흠돌의 난 — 9주 5소경 설치 — 혜공왕 피살 — 후고구려 건국

① (가)　② (나)　③ (다)　④ (라)　⑤ (마)

05 다음 글에 대한 설명으로 옳은 것은?

불교를 행하는 것은 자신을 다스리는 근본이며, 유교를 행하는 것은 나라를 다스리는 근원입니다. 자신을 다스리는 것은 내세를 위한 바탕이며, 나라를 다스리는 것은 오늘의 급한 일입니다. -『고려사』-

① 훈요 10조이다.
② 최충헌이 작성하였다.
③ 광종의 명에 따라 건의한 글이다.
④ 왕은 이를 받아들여 유교를 통치 이념으로 세웠다.
⑤ 민심을 결집하고 대몽 항쟁을 효과적으로 수행하기 위해 작성하였다.

정답과 해설 74쪽

06 ㉠에 대한 설명으로 옳은 것은?

> 고려는 5도 아래에 군현을 두어 지방관을 파견하였다. 군현은 지방관이 파견된 주현과 파견되지 않은 (㉠)(으)로 나뉘었다.

① 국경 지역에 설치되었다.
② 군사 행정 구역에 해당한다.
③ ㉠에는 주진군이 편성되었다.
④ ㉠의 수가 주현보다 훨씬 더 많았다.
⑤ 수도가 한쪽으로 치우친 것을 보완하는 역할을 하였다.

07 다음 (가) 사건은 무엇인지 쓰시오.

> 사건: (가)
> • 배경: 경원 이씨 가문의 세력 확대 및 권력 독점
> • 결과: 국왕의 권위 하락, 문벌 사회의 분열 심화

( )

08 ㉠에 들어갈 인물은?

> (㉠): 무신 정권을 안정시킨 인물이다. 교정도감을 만들어 정치 기구로 삼아 국가의 중요한 정책을 결정하고, 막강한 권력을 행사하였다.

① 묘청 ② 최우 ③ 이의민
④ 이자겸 ⑤ 최충헌

09 (가)에 들어갈 수 있는 말로 적절하지 <u>않은</u> 것은?

안녕하세요. 여러분은 원 간섭기에 원과의 관계를 이용하여 지배층이 되었다고 들었습니다. 어떤 활동을 하여 지배층이 될 수 있었나요?

(가)

① 성리학을 공부하였습니다.
② 몽골어를 통역하였습니다.
③ 원에서 국왕을 수행하였습니다.
④ 응방에서 매를 훈련시켰습니다.
⑤ 원 황실과 혼인 관계를 맺었습니다.

6일

10 다음 가상 드라마에서 볼 수 있는 장면으로 옳지 <u>않은</u> 것은?

① 정방을 설치하는 모습
② 전민변정도감 활동 모습
③ 친원파를 숙청하는 모습
④ 승려 신돈을 등용하는 모습
⑤ 쌍성총관부를 공격하는 모습

6일 서술형 · 사고력 테스트

01 다음 그림으로 알 수 있는 구석기 시대의 생활 모습을 두 가지 이상 서술하시오.

02 다음 그림으로 알 수 있는 신석기 시대의 생활 모습을 세 가지 이상 서술하시오.

03 다음 유적을 만든 목적과 이를 통해 알 수 있는 청동기 시대의 특징을 서술하시오.

04 다음을 읽고 물음에 답하시오.

> • 사람을 죽인 자는 즉시 죽인다.
> • 남에게 상처를 입힌 자는 곡식으로 갚는다.
> • 도둑질한 자는 노비로 삼는다. 용서를 받으려면 50만 전을 내야 한다.
>
> – 반고, 『한서』 「지리지」 –

(1) 위의 법을 시행한 국가를 쓰시오.

(2) (1)의 국가가 노동력을 중시했음을 알 수 있는 근거를 위의 법에서 찾아 서술하시오.

05 다음은 가상의 유물 전시관이다. 자료를 보고 물음에 답하시오.

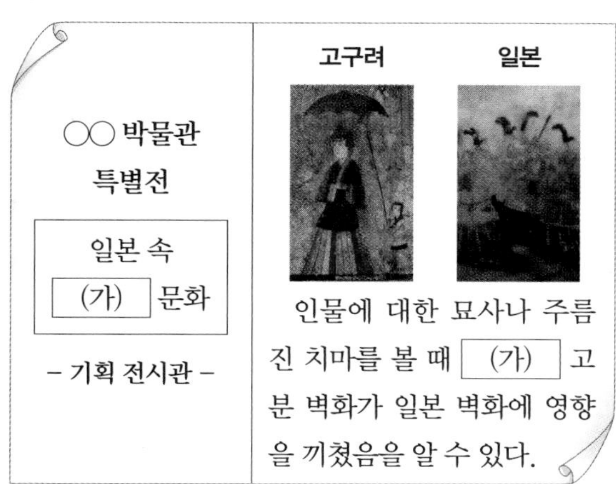

(1) (가)에 들어갈 나라의 이름을 쓰시오.

(2) (가)와 일본의 또 다른 교류 모습을 서술하시오.

06 (가)를 통해 알 수 있는 일본의 발해 인식을 서술하시오.

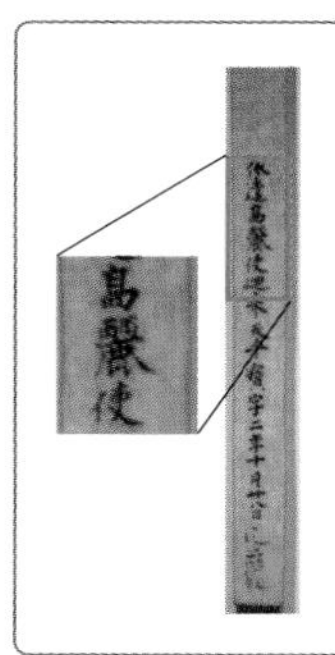

사진의 자료는 발해에 파견되었던 일본 사신단의 목간이다. 일본 헤이조쿄터에서 발견된 것으로 22자가 적혀 있는 (가) 이 목간에는 발해에 파견된 일본 사신단을 '견고려사'로 표현하였다.

07 다음은 고려의 영토 수복에 대한 지도이다. 지도를 보고 물음에 답하시오.

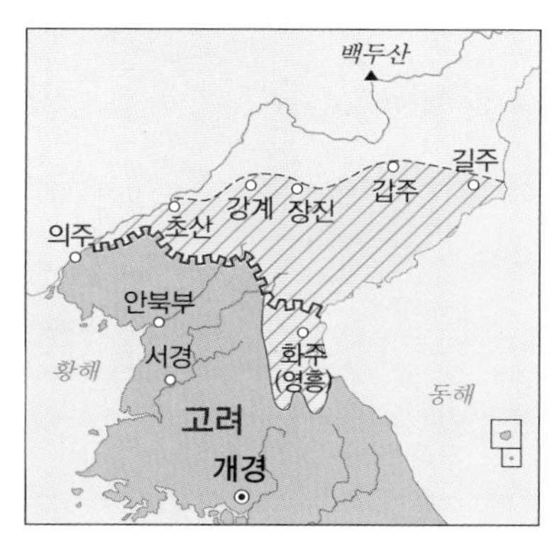

(1) 지도의 빗금 친 지역을 되찾은 왕을 쓰시오.

(2) (1)번 답에 해당하는 왕의 반원 자주 정책 내용을 세 가지 이상 서술하시오.

(3) (1)번 답에 해당하는 왕의 왕권 강화와 내정 개혁 정책을 두 가지 이상 서술하시오.

6일

08 다음은 철기 시대의 여러 나라에 대한 사다리 타기 놀이이다. 아래 물음에 답해 보자.

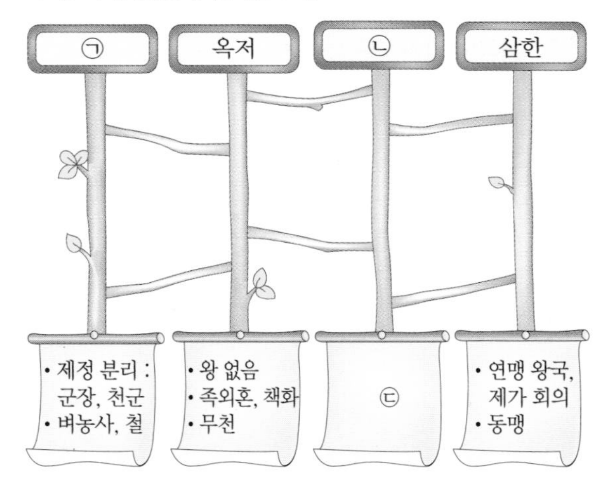

(1) ㉠, ㉡에 들어갈 국가를 쓰시오.

㉠ : (　　　　　　)

㉡ : (　　　　　　)

(2) ㉢에 들어갈 내용을 두 가지 서술하시오.

(3) 다음 그림은 위의 국가들 중 한 나라의 혼인 풍속을 묘사한 것이다. 국가명과 풍속의 명칭을 쓰시오.

• 국가: (　　　　　　)

• 풍속: (　　　　　　)

09 다음은 통일 신라의 행정 구역을 나타낸 지도와 이를 보고 학생들이 나눈 대화이다. 아래 물음에 답해 보자.

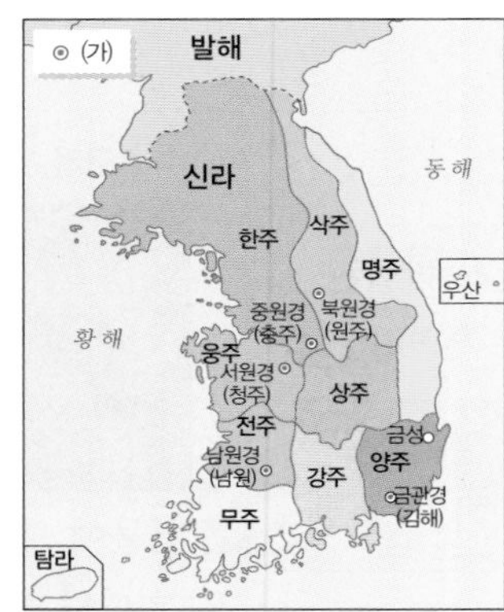

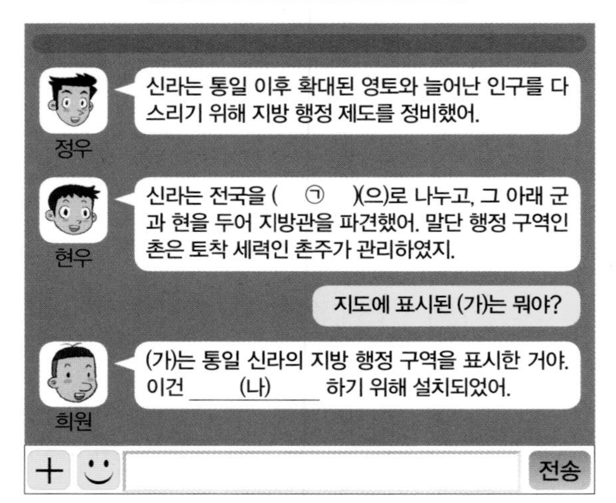

(1) ㉠에 들어갈 알맞은 말을 쓰시오.

㉠: (　　　　　　)

(2) 위 지도의 (가)에 해당하는 행정 구역의 명칭을 쓰시오.

(가): (　　　　　　)

(3) (나)에 들어갈 내용을 두 가지로 나누어 서술하시오.

10 다음은 성리학을 전파한 학자들을 순서대로 나열한 것이다. 아래 물음에 답해 보자.

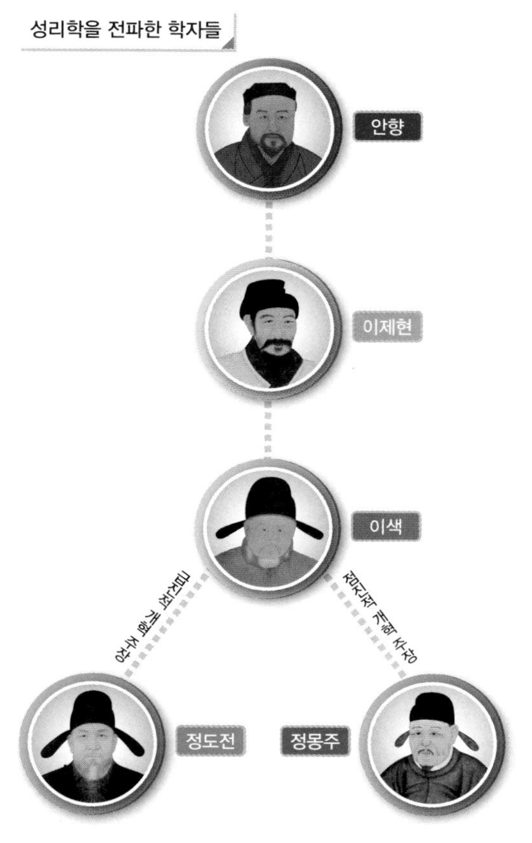

(1) 점진적 개혁을 주장하는 신진 사대부들의 주장을 서술하시오.

(2) 급진적 개혁을 주장하는 신진 사대부들의 주장을 서술하시오.

[11~12] 가로 열쇠와 세로 열쇠 설명을 읽고 퍼즐을 완성해 보자.

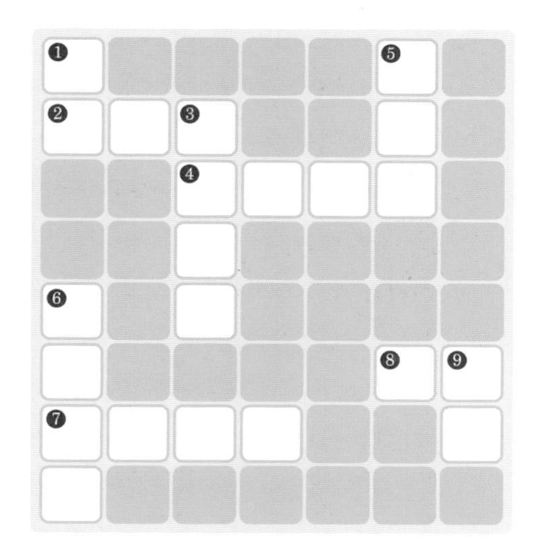

11 가로 퍼즐을 완성해 보자.

❷ 고려의 대표적인 국제 무역항인 벽란도가 위치한 강
❹ 윤관이 별무반을 이끌고 여진족을 몰아낸 후 쌓은 성
❼ 중서문하성과 중추원의 고위 관료들이 모여 국방과 군사 관련 문제를 논의하던 회의 기구
❽ 왕족의 후손, 공신, 5품 이상 관리의 자손은 과거 합격 여부와 관계없이 관직에 임명하는 제도

12 세로 퍼즐을 완성해 보자.

❶ 후고구려를 세운 인물
❸ 서희가 외교 담판으로 얻은 영토
❺ 6부를 통해 정책을 집행한 고려의 중앙 정치 기구
❻ 중서문하성과 중추원의 고위 관료들이 모여 제도와 시행 규칙을 제정하던 회의 기구
❾ 거란의 1차 침입 때 외교 담판으로 강동 6주를 확보한 인물

6일

7일 학교시험 기본 테스트 1회

01 ㉠을 사용한 시대의 생활 모습으로 옳은 것은?

① 농사를 짓기 시작하였다.
② 철제 무기로 주변을 정복하였다.
③ 무리를 지어 이동 생활을 하였다.
④ 군장이 죽으면 고인돌을 만들었다.
⑤ 가락바퀴로 실을 뽑아 옷을 지어 입었다.

02 다음 대화에서 옳은 말을 한 학생은?

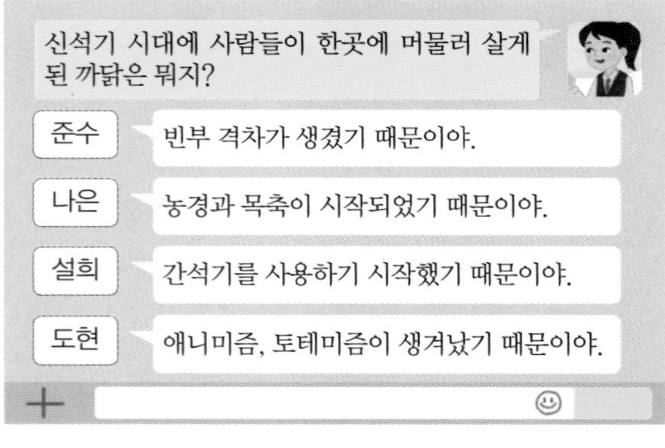

① 준수 ② 나은 ③ 설희
④ 준수, 나은 ⑤ 설희, 도현

03 타임머신을 타고 청동기 시대로 간다면 볼 수 있는 모습으로 옳은 것은?

① 독무덤을 만들고 있는 모습
② 주먹도끼로 동물을 사냥하는 모습
③ 가락바퀴와 뼈바늘로 옷을 짓는 모습
④ 토기의 겉면에 빗살무늬를 새기는 모습
⑤ 군장이 하늘에 제사를 지내고 있는 모습

04 다음 법에 대해 바르게 말하고 있는 사람은?

- 사람을 죽인 자는 즉시 죽인다.
- 남에게 상처를 입힌 자는 곡식으로 갚는다.
- 도둑질한 자는 노비로 삼는다. 용서를 받으려면 50만 전을 내야 한다.

① 갑: 단군 신화에 소개되어 있어.
② 을: 8개 조항이 모두 전해지고 있어.
③ 병: 한의 군이 설치된 이후에 만들어졌어.
④ 정: 계급이 없는 평등 사회의 모습이 담겨 있어.
⑤ 무: 노동력과 사유 재산을 중요하게 여겼음을 알 수 있어.

05 (가), (나)에 해당하는 혼인 풍속과 나라를 옳게 나열한 것은?

(가)

(나)

① (가) – 민며느리제, 옥저
② (가) – 서옥제, 고구려
③ (가) – 족외혼, 동예
④ (나) – 서옥제, 고구려
⑤ (나) – 족외혼, 동예

06 다음 자료를 보고 추론할 수 있는 사실은?

고구려의 무덤과 백제 초기의 무덤은 건축 양식이 매우 비슷하다.

① 고구려가 옥저를 정복하였다.
② 백제는 왜와 긴밀한 관계를 맺었다.
③ 신라는 진한의 사로국에서 시작되었다.
④ 고구려의 장수왕은 수도를 평양으로 옮겼다.
⑤ 백제를 건국한 세력은 고구려에서 온 이주민이다.

07 다음 비석들을 세운 왕의 재위 기간에 있었던 역사적 사실로 옳지 않은 것은?

▲ 단양 적성비

▲ 북한산 순수비

① 화랑도를 국가 조직으로 개편하였다.
② 대가야가 멸망하면서 가야 연맹이 해체되었다.
③ 고구려는 한강 유역을 잃고 평양으로 천도하였다.
④ 백제의 성왕이 신라와의 관산성 전투에서 전사하였다.
⑤ 신라가 백제와의 동맹을 깨고 한강 하류 지역을 빼앗았다.

08 (가)~(다)를 일어난 순서대로 바르게 나열한 것은?

(가) 충주 고구려비 건립
(나) 백제의 마한 전역 차지
(다) 신라의 한강 유역 진출

① (가) – (나) – (다) ② (가) – (다) – (나)
③ (나) – (가) – (다) ④ (나) – (다) – (가)
⑤ (다) – (나) – (가)

09 다음과 같이 검색했을 때 나올 내용으로 옳지 않은 것은?

통합검색 | 고대인의 식생활 ▼ | 검색

① 간장과 된장을 담그는 모습
② 쌀밥과 고기반찬을 먹는 왕의 모습
③ 채소를 소금이나 장에 절이는 모습
④ 고춧가루로 김치를 버무리는 모습
⑤ 도토리 가루를 쪄 먹는 평민의 모습

10 (가) 시기에 있었던 역사적 사실을 〈보기〉에서 고른 것은?

(가)
고구려 멸망 ⟷ 삼국 통일

보기
ㄱ. 사비성이 함락되었다.
ㄴ. 고구려에서 천리장성을 쌓았다.
ㄷ. 당이 평양에 안동도호부를 설치하였다.
ㄹ. 검모잠이 안승을 왕으로 추대하여 고구려 부흥 운동을 전개하였다.

① ㄱ, ㄴ ② ㄱ, ㄷ ③ ㄴ, ㄷ
④ ㄴ, ㄹ ⑤ ㄷ, ㄹ

11 다음 사실들을 통해 알 수 있는 당시 신라 사회의 모습은?

- 집사부와 그 장관인 중시(시중)를 중심으로 국정을 운영하였다.
- 화백 회의의 기능과 그 의장인 상대등의 권한을 축소하였다.
- 관료전을 지급하고 녹읍을 폐지하였다.

① 왕권이 강화되었다.
② 골품제가 붕괴하였다.
③ 민족 문화가 발달하였다.
④ 귀족의 경제 기반이 더 넓어졌다.
⑤ 6두품이 주요 관직을 독점하였다.

12 (가) 왕에 대한 설명으로 옳은 것은?

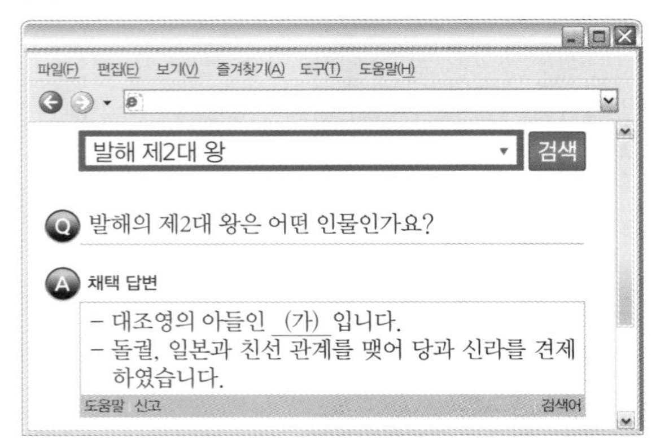

① 당과 친선 관계를 맺었다.
② 수도를 상경 용천부로 옮겼다.
③ 장문휴를 보내 등주를 선제공격하였다.
④ 중앙 통치 제도로 3성 6부제를 마련하였다.
⑤ 만주와 연해주에 이르는 최대 영토를 확보하였다.

13 (가)에서 관람할 수 있는 내용으로 옳은 것은?

국립○○박물관 기획 전시
발해, 그 찬란한 도전
▶ 전시 장소: 국립○○박물관 기획전시실
▶ 전시 내용
– 제1관: (가)

① 이불병좌상 ② 불국사 다보탑
③ 석굴암의 모형 ④ 무구정광대다라니경
⑤ 성덕 대왕 신종 비천상의 탁본

14 다음은 호족에 대한 마인드맵이다. ㉠~㉤ 중 옳지 않은 것은?

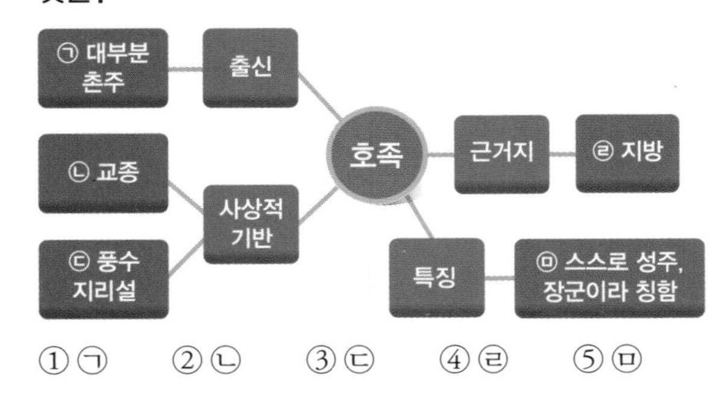

① ㉠ ② ㉡ ③ ㉢ ④ ㉣ ⑤ ㉤

15 (가)에 해당하는 고려의 왕은?

제1조 불교의 힘으로 나라를 세웠으므로 불교를 장려할 것 ……
제4조 중국의 풍습은 억지로 따르지 말고, 거란의 언어와 풍습은 본받지 말 것 ……
제10조 왕은 경전과 역사를 읽어 옛일을 거울삼아 오늘을 경계할 것

① 태조 ② 정종 ③ 광종 ④ 성종 ⑤ 현종

16 밑줄 친 ㉠~㉤ 중 묘청의 서경 천도 운동에 대한 설명으로 옳지 않은 것은?

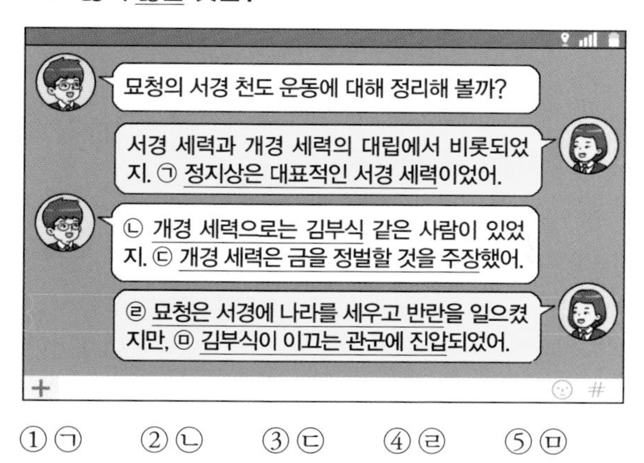

① ㉠　② ㉡　③ ㉢　④ ㉣　⑤ ㉤

17 수업 장면의 (가)에 들어갈 북방 민족으로 옳은 것은?

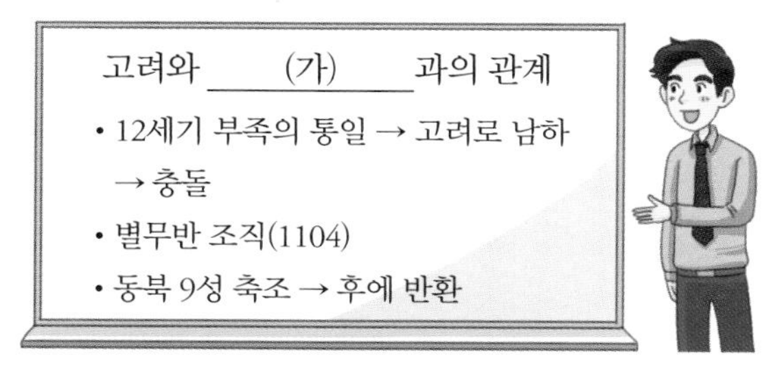

① 거란족　② 말갈족　③ 여진족
④ 몽골족　⑤ 흉노족

18 무신 정권 최고 권력자의 변천을 나타낸 도표이다. (가) 시기에 대한 설명으로 옳은 것은?

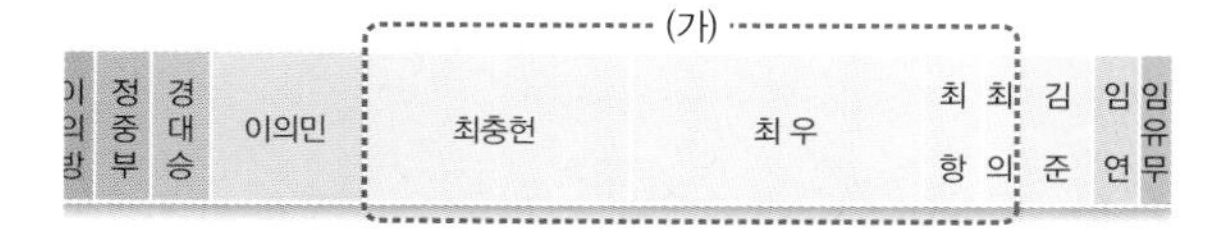

① 정방을 폐지하여 인사권을 장악하였다.
② 삼별초를 통해 군사적 기반을 강화하였다.
③ 교정도감을 설치해 정치적 영향력을 강화하였다.
④ 철저한 문신 탄압으로 학문이 발달할 수 없었다.
⑤ 정치적으로 안정되어 하층민의 봉기가 일어나지 않았다.

19 가상 국민 청원의 ㉠~㉢을 바르게 연결한 것은?

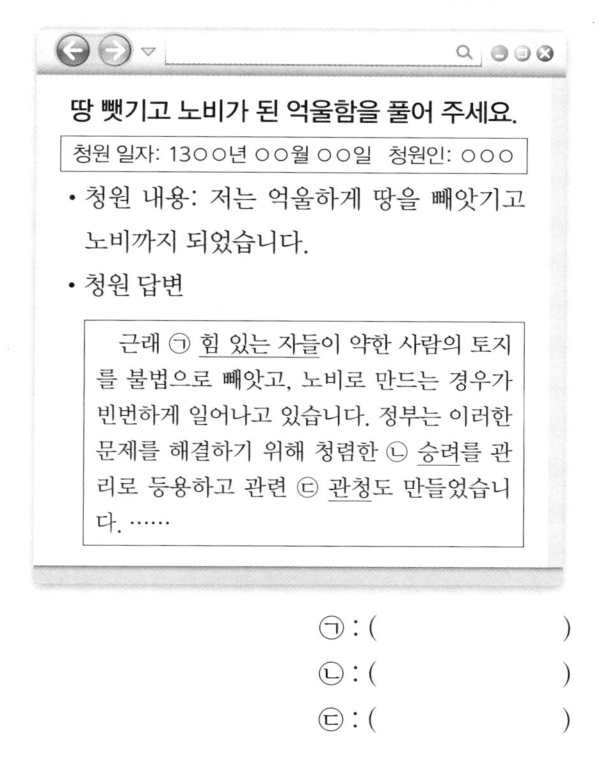
땅 뺏기고 노비가 된 억울함을 풀어 주세요.

청원 일자: 13○○년 ○○월 ○○일　청원인: ○○○

• 청원 내용: 저는 억울하게 땅을 빼앗기고 노비까지 되었습니다.
• 청원 답변

근래 ㉠ 힘 있는 자들이 약한 사람의 토지를 불법으로 빼앗고, 노비로 만드는 경우가 빈번하게 일어나고 있습니다. 정부는 이러한 문제를 해결하기 위해 청렴한 ㉡ 승려를 관리로 등용하고 관련 ㉢ 관청도 만들었습니다. ……

㉠ : (　　　　　　)
㉡ : (　　　　　　)
㉢ : (　　　　　　)

20 (가)에 들어갈 내용으로 옳은 것은?

① 세계에서 가장 오래된 자기이다.
② 해인사 장경판전에 보관되어 있다.
③ 대몽 항쟁 때 민심을 모으고자 만들었다.
④ 주로 백성들의 생활용품으로 사용되었다.
⑤ 상감법을 이용해 고려만의 독특한 자기를 만들었다.

7일 학교시험 기본 테스트 2회

01 (가) 시대에 대한 설명으로 옳은 것은?

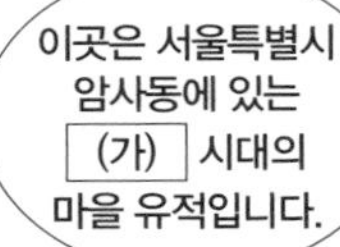

① 고인돌이라는 무덤을 만들었다.
② 민무늬 토기를 만들어 사용하였다.
③ 조, 피, 기장 등을 재배하기 시작하였다.
④ 처음으로 불을 이용해서 음식을 익혀 먹었다.
⑤ 반달 돌칼과 돌낫을 이용해 곡식을 수확하였다.

02 다음은 청동기 시대에 살았던 사람의 가상 일기이다. ㉠~㉤ 중 옳지 않은 것은?

> 오늘은 아버지를 따라 ㉠ 벼농사를 돕고 왔다. ㉡ 아버지가 주신 반달 돌칼로 이삭을 따니 한결 쉽게 수확할 수 있었다. ㉢ 곡식을 모아 민무늬 토기에 보관하면 올겨울도 무사히 넘길 수 있을 것이다. 오후에는 ㉣ 마을의 공동 우물인 고인돌을 만드는 일에 동원되었다. 집으로 돌아오는 길에는 ㉤ 군장 어르신이 가지고 있는 비파형 동검을 구경하여 신이 났다.

① ㉠ ② ㉡ ③ ㉢ ④ ㉣ ⑤ ㉤

03 다음 문화유산들이 발견된 위치를 통해 추론할 수 있는 사실로 적절한 것은?

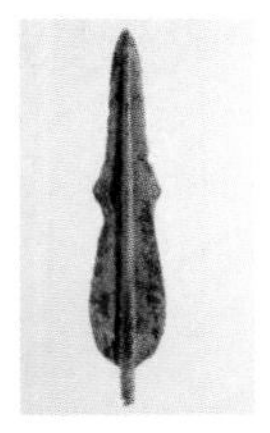

① 고조선의 건국 신화 ② 고조선의 문화 범위
③ 고조선의 멸망 과정 ④ 여러 나라의 제천 행사
⑤ 청동기 시대의 제사용 도구

[04~05] 다음은 철기 문화를 기반으로 등장한 여러 국가를 표시한 지도이다. 지도를 보고 물음에 답하시오.

04 (가)~(마)의 풍속을 바르게 연결한 것은?

① (가) – 책화 ② (나) – 영고
③ (다) – 민며느리제 ④ (라) – 1책 12법
⑤ (마) – 가족 공동 무덤

05 학생이 생각하고 있는 나라를 위 지도에서 고르면?

① (가) ② (나) ③ (다) ④ (라) ⑤ (마)

정답과 해설 80쪽

06 (가) 시기에 고구려에 있었던 일로 옳은 것은?

1세기 후반		4세기 초
태조왕	(가)	미천왕

① 수도를 국내성 지역으로 옮겼다.
② 왕의 칭호를 마립간으로 바꾸었다.
③ 백제의 침략으로 왕이 전사하였다.
④ 동맹이라는 제천 행사를 열기 시작하였다.
⑤ 지방 제도가 정비되고 지방관이 파견되었다.

07 다음 그림과 관계 깊은 신라의 왕은?

① 박혁거세 ② 지증왕 ③ 내물왕
④ 석탈해 ⑤ 법흥왕

08 지도에 표시된 나라에 대한 설명으로 옳은 것은?

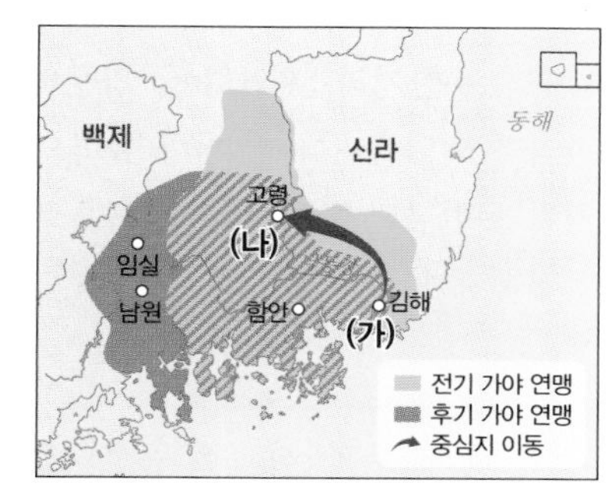

① 질 좋은 철이 많이 생산되었다.
② 백제의 공격을 받아 멸망하였다.
③ (가)는 대가야, (나)는 금관가야이다.
④ 진한의 소국 중 하나인 사로국에서 출발하였다.
⑤ 다른 나라에 비해 중앙 집권화를 늦게 이루었다.

09 '삼국의 불교 예술'을 소개하는 책자에 들어갈 자료로 옳지 않은 것은?

①

▲ 산수무늬 벽돌

②

▲ 분황사 석탑

③

▲ 금동 연가 7년명 여래 입상

④

▲ 서산 용현리 마애 여래 삼존상

⑤

▲ 경주 배동 석조 여래 삼존 입상

10 자료의 국가에 대한 설명으로 옳은 것은?

> 7세기 말 거란족의 반란으로 영주 지방에 대한 당의 통제력이 약화되자, 대조영 등의 무리가 탈출하여 동모산에서 나라를 세웠다.

① 당과 연합군을 결성하였다.
② 황산벌에서 신라군과 맞서 싸웠다.
③ 나당 연합에 맞서 백제와 연계를 강화하였다.
④ 한성에서 검모잠과 안승이 부흥 운동을 하였다.
⑤ 일본에 보낸 외교 문서에 고구려를 계승한 국가임을 밝혔다.

7일

학교시험 기본 테스트 2회

11 다음은 신문왕의 정책에 대한 마인드맵이다. (가), (나)에 대한 설명으로 옳은 것은?

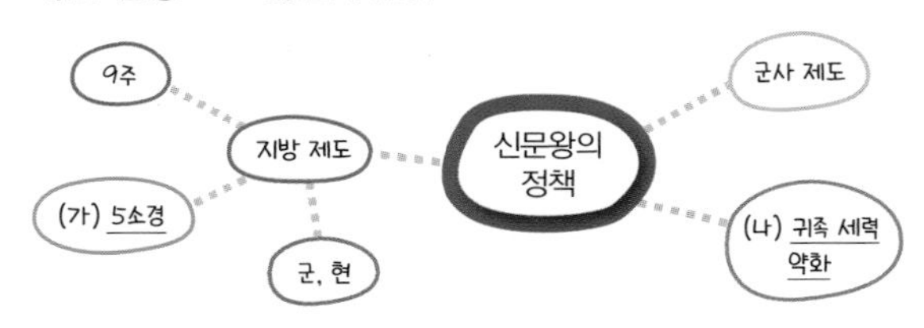

① (가) – 9서당 10정이 이곳에 설치되었다.
② (가) – 상경, 중경, 서경, 동경, 남경이 해당한다.
③ (가) – 수도가 한쪽으로 치우친 단점을 보완하기 위해 설치하였다.
④ (나) – 녹읍을 부활시켰다.
⑤ (나) – 원종과 애노가 난을 일으켰다.

12 (가) 시기에 대한 설명으로 옳은 것은?

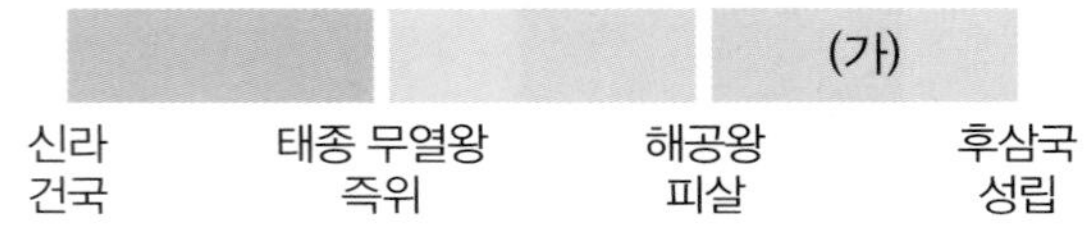

① 삼국 통일을 완성하였다.
② 진골 귀족의 왕위 쟁탈전이 벌어졌다.
③ 관료전을 지급하고 녹읍을 폐지하였다.
④ 유학 교육 기관으로 국학을 설치하였다.
⑤ 화백 회의와 상대등의 역할이 축소되었다.

13 〈보기〉의 사건들을 일어난 순서대로 바르게 나열한 것은?

보기
ㄱ. 고려 건국　　ㄴ. 신라 멸망
ㄷ. 후삼국 통일　　ㄹ. 송악(개경) 천도

① ㄱ – ㄴ – ㄷ – ㄹ　② ㄱ – ㄹ – ㄴ – ㄷ
③ ㄴ – ㄱ – ㄹ – ㄷ　④ ㄴ – ㄷ – ㄱ – ㄹ
⑤ ㄹ – ㄱ – ㄷ – ㄴ

14 다음 대화에서 옳지 않은 말을 한 사람은?

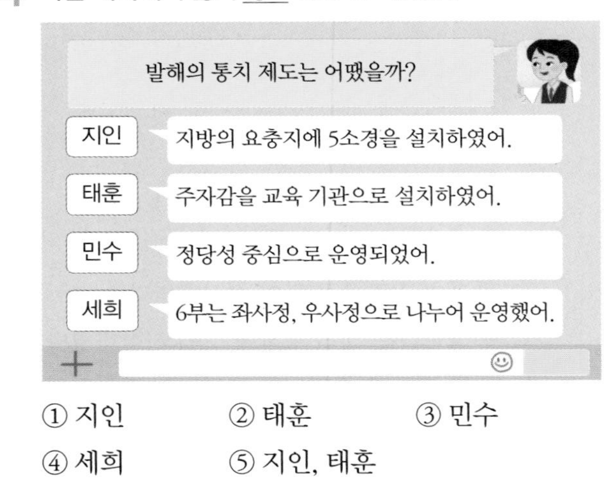

① 지인　② 태훈　③ 민수
④ 세희　⑤ 지인, 태훈

15 ㉠, ㉡에 대한 설명으로 옳지 않은 것은?

엎드려 생각건대 신(최종번)은 …… 진작 ㉠ 과거에 뜻을 두었으나 글 쓰는 재능이 없어 문서에도 익숙지 못한지라, 우연히 ㉡ 가문의 은덕을 입어 관리가 되었습니다. 그러나 유학으로 이름을 떨치지 못한다면 장차 무슨 면목으로 벼슬길에 나가겠습니까.

– 이규보, 『동국이상국집』 –

① ㉠은 문과, 무과, 잡과로 구성되었다.
② ㉠은 광종 대에 시행되었다.
③ ㉡은 음서를 가리킨다.
④ ㉡은 고려 관료 체제의 귀족적 특성을 보여 준다.
⑤ ㉡으로 이미 관리가 된 자가 ㉠에 응시하기도 하였다.

16 검색 단어 (가)로 옳은 것은?

[검색 결과]
윤관의 건의에 따라 조직된 특별 부대로, 신기군·신보군·항마군으로 구성되었습니다.

① 도방 ② 정방 ③ 중방
④ 별무반 ⑤ 삼별초

17 (가)에 들어갈 기구의 이름으로 옳은 것은?

(가) 에 대해 설명해 볼까요?

최씨 무신 정권 시기에 관리의 인사를 담당한 기구였어요.

공민왕이 권문세족으로부터 인사권을 회수하기 위해 폐지했어요.

① 정방 ② 중방 ③ 도방
④ 삼별초 ⑤ 교정도감

18 (가)에 들어갈 내용으로 옳은 것은?

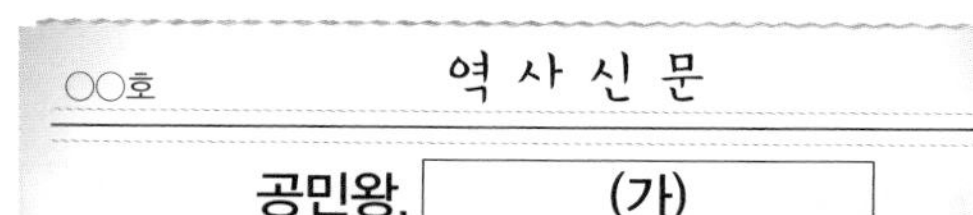
○○호 역 사 신 문

공민왕, (가)

공민왕은 현재 고려의 최고 국립 교육 기관인 이곳을 정비할 계획을 발표하였다. 이는 자신의 개혁을 지지할 세력을 확보하고 유학 교육을 강화하기 위해서인 것으로 보인다.

① 향교를 확대하다 ② 사학을 강화하다
③ 성균관을 개편하다 ④ 주자감을 정비하다
⑤ 국학을 재조직하다

19 다음 가상 온라인 대화에서 다루고 있는 전투에 대한 설명으로 옳은 것은?

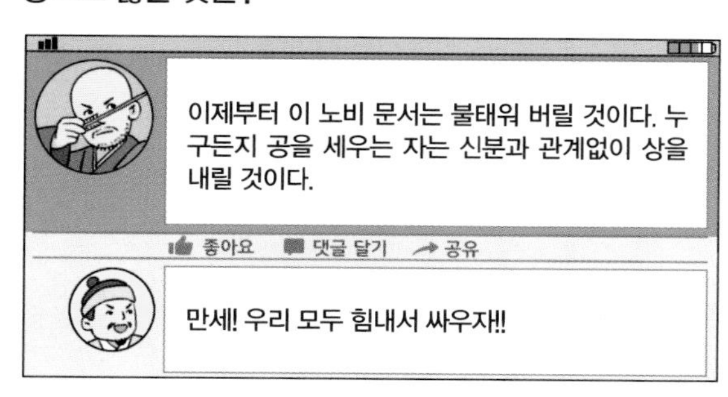

① 윤관의 별무반이 활약하였다.
② 매소성에서 벌어진 전투이다.
③ 김윤후와 하층민이 몽골군을 물리쳤다.
④ 퇴각하는 거란군을 상대로 크게 승리하였다.
⑤ 삼별초가 몽골군에 저항한 전투 중 하나이다.

20 (가), (나)에 들어갈 내용을 옳게 짝 지은 것은?

인물 카드

[인물: (가)]
– 활동 시기: 무신 집권기
– 주요 활동: 불교의 세속화 비판, 불교 개혁 운동 전개, (나)
– 주요 주장: 정혜쌍수, 돈오점수

	(가)	(나)
①	지눌	교종 중심으로 선종 통합
②	지눌	선종 중심으로 교종 포용
③	의천	교종 중심으로 선종 통합
④	의천	선종 중심으로 교종 포용
⑤	혜초	교종 중심으로 선종 통합

memo

7일 끝

정답과 해설

정답과 해설

1일 선사 문화와 고조선 및 여러 나라의 성장

기초 확인 문제 | 9, 11쪽

1 (1) 구석기 (2) 간석기 (3) 반달 돌칼 2 (1) 구 (2) 신 (3) 신 3 (1) 신석기 혁명 (2) 청동기 시대 (3) 제정일치 4 ㉠ 신석기 ㉡ 빗살무늬 토기 5 ㉠ 계급 ㉡ 고인돌 6 (1) 고조선 (2) 위만 (3) 서옥제 (4) 사출도 7 (1) 탁자식 고인돌 (2) 철제 (3) 책화 8 (1) ㉢ (2) ㉠ (3) ㉡ (4) ㉣ 9 ㉠ 농경 사회 ㉡ 제정일치 10 ㉠ 소도

내신 기출 베스트 | 12~13쪽

1 ② 2 ⑤ 3 ④ 4 ② 5 ③ 6 ③ 7 ④, ⑤ 8 ④

1 구석기 시대와 신석기 시대 유물

<보기>에서 ㄱ은 주먹도끼, ㄴ은 가락바퀴, ㄷ은 슴베찌르개, ㄹ은 빗살무늬 토기이다. 주먹도끼와 슴베찌르개는 구석기 시대의 도구이고, 가락바퀴와 빗살무늬 토기는 신석기 시대의 도구이다.

2 신석기 시대의 생활 모습

신석기 시대 사람들은 돌괭이, 돌낫 같은 간석기를 사용하고 토기를 만들어 음식을 조리하고 저장하였다.

자료 분석

▲ 돌괭이

신석기 시대의 돌괭이(간석기)로 밭을 갈 때 사용하였다.

▲ 빗살무늬 토기

신석기 시대를 대표하는 빗살무늬 토기이다. 음식물을 저장하거나 조리하는 용도로 사용하였다.

3 청동기 시대의 생활 모습

청동은 재료가 귀하고 만들기도 어려웠으므로 주로 무기나 제사용 도구, 장신구 등으로 사용되었다. 이 시기 대표적 청동기로 비파형 동검을 들 수 있다. 한편, 농경 등 일상생활에서는 여전히 간석기를 사용하였으며, 신석기 시대보다 그 모양이 다양하고 정교해졌다. 이 시기 대표적인 간석기로는 반달 돌칼이 있다.

선택지 바로 보기

① 주먹도끼를 사용하는 모습 (×) → 구석기 시대
② 강가에 막집을 짓고 있는 모습 (×) → 구석기 시대
③ 토기의 겉면에 빗살무늬를 새기는 모습 (×) → 신석기 시대
④ 반달 돌칼로 곡식의 이삭을 자르는 모습 (○)
⑤ 슴베찌르개를 나무 막대기에 꽂아서 동물을 사냥하는 모습 (×) → 구석기 시대

4 청동기 시대의 만주와 한반도

청동기 시대에는 이전보다 농사를 짓는 기술이 발달하였고 생산량도 늘었다. 그리고 벼농사가 본격적으로 보급되었다. 농경이 발전하여 먹고도 남는 식량이 생기자, 집단을 이끄는 힘 있는 사람들이 이를 독점하고 관리하게 되었다. 부와 권력이 이들에게 집중되며, 빈부 격차가 발생하고 계급도 생겨났다. 이 시기 대표적 청동기로 비파형 동검을 들 수 있다. 토기도 다양한 용도로 제작되었는데 민무늬 토기가 대표적이다.

오답 피하기 ② 불을 사용하기 시작한 것은 구석기 시대에 해당한다.

5 고조선

청동기 문화를 기반으로 우리 역사상 최초의 국가인 고조선이 등장하였다. 고조선은 만주와 한반도 북부 지방을 중심으로 발전하였다. 고조선에서는 독자적인 청동기 문화가 발달하였는데, 비파형 동검, 탁자식 고인돌 등이 대표적인 유물·유적이다. 고조선은 8조법을 시행하여 사회 질서를 유지하였다. 남아있는 8조법의 조항을 보면 고조선 사회가 노동력과 사유 재산을 중요하게 여겼으며, 노비가 존재하는 계급 사회였음을 알 수 있다.

오답 피하기 ③ 단군왕검의 칭호에서 단군은 제사장, 왕검은 정치적 우두머리인 군장을 의미하는데, 이를 통해 고조선이 제정일치 사회였음을 알 수 있다.

6 고조선의 발전 과정

고조선은 기원전 4세기에 연과 맞설 정도로 성장하였다. 기원전 194년에는 중국 진·한 교체기에 고조선으로 이주한 위만이 준왕을 몰아내고 왕위를 차지하였다. 위만 조선은 중국의 한과 한반도 중남부의 진 사이에서 중계 무역을 하여 경제적 이익을 차지하였다. 그러나 한 무제의 침략을 받아 왕검성이 함락되면서 고조선은 멸망하였다. 이를 순서대로 나열하면 ㄷ - ㄱ - ㄹ - ㄴ이다.

7 철기 문화를 바탕으로 세워진 여러 나라

기원전 5세기경부터 만주와 한반도 북부에 전래되던 철기 문화는 점차 한반도 남쪽까지 확산되었다. 이 과정에서 기존에 있던 국가가 더욱 확장되거나 새로운 국가가 세워지기도 하였다. 만주와 한반도 지역에서는 가장 먼저 부여가 등장하였고 이후 고구려, 옥저, 동예, 삼한이 등장하였다.

오답 피하기 ④ (라)는 동예, ⑤ (마)는 삼한에 해당한다.

자료 분석

만주와 한반도의 초기 여러 나라를 보여 주는 지도이다. (가)는 부여, (나)는 고구려, (다)는 옥저, (라)는 동예, (마)는 삼한이다. 마한, 진한, 변한을 통틀어 삼한이라고 부른다.

8 여러 나라의 제천 행사

제천 행사는 '하늘에 제사를 지내는 행사'라는 뜻으로, 농사의 풍요를 기원하고 노래와 춤을 즐기는 축제의 성격을 띠었다. 동맹은 고구려의 제천 행사이고, 무천은 동예, 영고는 부여의 제천 행사이다. 5월제는 삼한의 제천 행사이다.

오답 피하기 ④ 책화는 부족 간 경계를 중시하여 서로의 경계를 침범하였을 때 노비나 소·말 등으로 배상하게 했던 동예의 풍습이다.

2일 삼국의 성립과 발전, 삼국의 문화와 대외 교류

기초 확인 문제 | 17, 19쪽

1 (1) 태조왕 (2) 태학 (3) 고이왕 (4) 사로국 (5) 김씨 2 ㉠ 근초고왕 ㉡ 칠지도 3 (1) ㉠ (2) ㉢ (3) ㉡ 4 (1) 광개토 대왕 (2) 나제 동맹 (3) 성왕 5 ㉠ 광개토 대왕 ㉡ 충주 고구려비 6 (1) 지증왕 (2) 법흥왕 (3) 금관가야 (4) 대가야 7 ㉠ 한강 ㉡ 대가야 8 ㉠ 돌무지덧널무덤 9 ㉠ 도교 10 ㉠ 아스카

내신 기출 베스트 | 20~21쪽

1 ④ 2 ③ 3 ⑤ 4 ① 5 ⑤ 6 ④ 7 ⑤ 8 ④

1 고구려 소수림왕의 업적

소수림왕은 전진으로부터 불교를 수용하여 사상적 통일을 도모하고 왕실의 권위를 높이고자 하였으며, 태학을 설립하여 능력 있는 인재를 양성하고자 하였다. 또 율령을 반포하여 통치 조직을 정비하였다.

더 알아보기 고구려의 성장

태조왕	옥저 정복, 요동 지방으로의 진출 도모
고국천왕	• 왕위의 부자 상속 확립 • 지방 제도 정비 및 지방관 파견
미천왕	서안평 점령, 낙랑군과 대방군 지역 병합
고국원왕	백제의 공격으로 고국원왕 전사, 황해도 일부 상실
소수림왕	• 불교 수용: 사상 통일 및 왕실의 권위 향상 • 태학 설립: 능력 있는 인재 양성, 유학 교육 • 율령 반포: 통치 조직 정비

2 백제 근초고왕의 업적

지도는 4세기 삼국의 형세이다. 백제는 4세기 후반 근초고왕 때 활발한 대외 팽창 활동으로 전성기를 맞이하였다. 근초고왕은 마한 전 지역을 통합하여 전라도 지역을 차지하였다. 또한, 고구려의 평양성까지 진격하여 영토를 황해도의 일부 지역까지 넓혔다.

선택지 바로 보기

① 옥저 정복 (×) → 고구려 태조왕
② 관리의 등급 제정 (×) → 백제 고이왕
③ 마한 전 지역 통합 (○)
④ 전진에서 불교 수용 (×) → 고구려 소수림왕
⑤ 왕의 칭호를 마립간으로 정함 (×) → 신라 내물왕

3 고구려 광개토 대왕

4세기 말 왕위에 오른 광개토 대왕은 지속해서 백제를 공격하여 고구려의 영역을 한강 이북까지 확대하였다. 아울러 왜의 침공을 받은 신라의 내물 마립간(내물왕)이 도움을 요청하자, 대군을 파견하여 왜군을 물리치고 가야까지 공격하였다(400). 서쪽으로는 후연을 물리치고 요동 지역을 완전히 차지하였다. 또 동부여를 병합하고, 거란과 숙신도 영향력 아래에 두었다.

4 신라 내물왕의 업적

내물왕은 4세기 후반에 신라가 중앙 집권 국가로 성장할 수 있는 기반을 마련하였다. 내물왕은 김씨의 왕위 세습을 확립하였고, 대군장을 뜻하는 '마립간'의 칭호를 사용하였다. 또 낙동강 동쪽의 진한 지역 대부분을 차지하였으며, 고구려 광개토 대왕의 도움을 받아 신라에 침입한 왜군을 격퇴하였다. 이를 바탕으로 신라는 중앙 집권 국가의 기틀을 마련하였다.

선택지 바로 보기

가온: 김씨가 왕위를 독점하기 시작했어. (○)
나은: 고구려의 도움을 받아 왜군을 격퇴하였어. (○)
단우: 마한 지역의 대부분을 차지하였어. (×)
→ 백제 근초고왕
라희: '왕'이라는 호칭을 사용하기 시작하였어. (×)
→ 신라 지증왕

5 백제의 중흥 노력

고구려의 공격으로 수도 한성이 함락되자 백제 왕실은 웅진(공주)으로 천도하였다(475). 이후 무령왕은 고구려의 침입을 막고 지방 제도를 재정비하였으며, 중국 남조와 교류하였다. 뒤를 이은 성왕은 사비(부여)로 수도를 옮기고(538), 국호를 한때 남부여로 고쳤다. 성왕은 중앙에 22개의 실무 관청을 두고, 수도와 지방의 통치 제도를 정비하였다. 성왕은 신라와 힘을 합하여 한강 하류 유역을 되찾았다. 그러나 신라 진흥왕이 한강 하류 지역을 기습하여 차지하였고 이에 성왕은 신라를 공격하였으나 관산성에서 전사하였다.

6 신라 법흥왕

법흥왕은 율령을 반포하고 관리들의 등급을 17등급으로 확정하였다. 아울러 불교를 공인하여 사상의 통합을 도모하였다. 또 김해 지역의 금관가야를 병합하여 낙동강 하류까지 영역을 확장하였다(532).

7 가야 연맹

가야의 여러 나라는 변한의 소국 중 하나인 구야국에서 출발하였다. 구야국은 금관가야로 발전하였다. 금관가야가 자리한 낙동강 하류 김해 지역은 농경에 유리하였고, 철이 많이 생산되었다. 가야는 중국 군현과 왜를 잇는 해상 교역으로 성장하였다. 이를 기반으로 금관가야는 주변 소국들과 연맹 관계를 맺고, 연맹을 이끌었다(전기 가야 연맹). 이후 두각을 드러낸 것은 고령 지역의 대가야였다(후기 가야 연맹).

8 돌무지덧널무덤

신라에서는 거대한 돌무지덧널무덤을 주로 만들었다. 돌무지덧널무덤은 나무 덧널 위에 많은 양의 돌을 쌓고 다시 흙으로 덮는 구조이다. 이 구조는 도굴이 어려웠으므로 여러 고분에서 금관을 비롯한 많은 유물이 출토되었다. 6세기 이후에는 점차 굴식 돌방무덤이 대세를 이루었다.

자료 분석

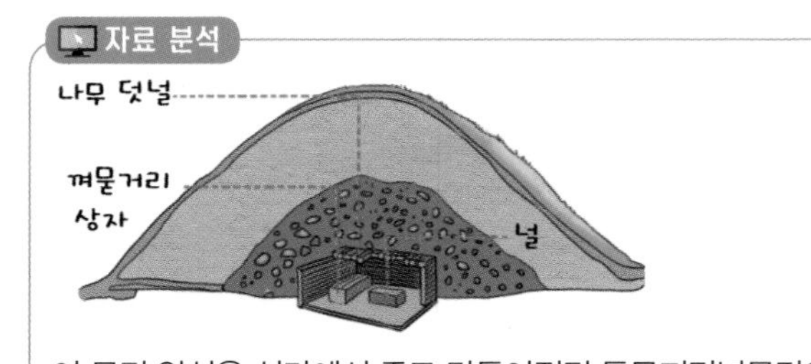

이 무덤 양식은 신라에서 주로 만들어졌던 돌무지덧널무덤이다. 시신과 껴묻거리를 넣은 나무 덧널 위에 많은 돌을 쌓아 올리고, 흙으로 거대한 봉분을 만든 구조이다. 도굴이 어려워서 많은 껴묻거리와 유물들이 보존되어 있다. 또한 이 구조에서는 벽화를 그릴 공간이 없다는 특징이 있다.

3일 남북국 시대의 전개

기초 확인 문제 | 25, 27쪽

1 (1) 살수 대첩 (2) 안시성 (3) 발해 **2** (1) 웅진 도독부 (2) 고구려 (3) 강화 **3** (1) 김춘추 (2) 신문왕 (3) 녹읍 **4** ㉠ 매소성 ㉡ 기벌포 **5** ㉠ 9주 ㉡ 5소경 **6** (1) 호족 (2) 견훤 (3) 무왕 (4) 문왕 (5) 선왕 **7** ㉠ 3성 6부제 **8** (1) ㉡ (2) ㉢ (3) ㉠ **9** ㉠ 불교 **10** ㉠ 고구려

내신 기출 베스트 | 28~29쪽

1 ① **2** ② **3** ③ **4** ③ **5** ② **6** ④ **7** ③ **8** ③

1 을지문덕의 살수 대첩

수 양제는 113만 대군으로 고구려를 침략하였는데, 고구려는 요동에서 강력히 저항하였다. 수 양제는 따로 군대를 편성하여 평양성을 공격하였으나, 을지문덕이 살수(청천강)에서 그 대부분을 물리쳤다(살수 대첩, 612).

2 백제와 고구려의 멸망과 신라의 삼국 통일 과정

백제와 고구려 멸망 이후 당이 한반도 전체를 지배하려 하자, 신라는 백제와 고구려 유민을 포섭하여 나당 전쟁을 시작하였다. 신라는 매소성에서 당의 육군을 크게 물리쳤고, 기벌포에서 당의 수군을 격파하면서 삼국 통일을 이루었다. ② 1번 백제 멸망 – 3번 고구려 멸망 – 2번 매소성 전투 – 4번 신라의 삼국 통일 순서이다.

3 백제와 고구려의 부흥 운동

백제 멸망 이후 여러 지역에서 백제를 다시 일으키려는 움직임이 나타났다. 복신과 도침은 왜에 있던 왕자 부여풍을 왕으로 맞이하여 주류성에서 백제 부흥을 꾀하였고, 흑치상지는 임존성에서 군사를 일으켰다. 고구려의 검모잠은 보장왕의 아들인 안승을 왕으로 받들어 한성에서 부흥 운동을 벌였다. 그러나 지도층이 분열하여 안승이 검모잠을 죽이고 신라에 망명하였다. 이후 신라는 안승을 보덕국의 왕으로 임명하여 고구려 유민을 포섭하였다.

선택지 바로 보기

① (가) – 고연무 (×) → 고구려 부흥 운동을 이끎
② (가) – 검모잠 (×) → 고구려 부흥 운동을 이끎
③ (나) – 검모잠 (○)
④ (나) – 흑치상지 (×) → 백제 부흥 운동을 이끎
⑤ (나) – 복신·도침 (×) → 백제 부흥 운동을 이끎

4 통일 신라의 신문왕

신문왕은 김흠돌의 난을 진압하고 난에 관련된 귀족들을 제거하였다. 관리들에게 관료전을 지급하고, 귀족들의 경제적 기반인 녹읍을 폐지하여 귀족의 특권을 제한하려 하였다. 또 학식을 갖춘 6두품 이하 출신의 관료들을 양성하고 유학 교육 기관인 국학을 설치하였다. 이 과정에서 왕권을 한층 강화하였다.

5 신라 말 호족의 등장

신라 말 중앙의 정치가 혼란한 가운데 호족이 새로운 지방 세력으로 성장하였다. 호족은 중앙 정치에 도전하는 지방 세력으로, 신라 정부를 등진 농민들을 규합하여 성장하였다. 이들은 성을 쌓아 근거지를 확보하고 스스로 '성주' 혹은 '장군'이라 부르며 사실상 신라로부터 독립해 나갔다.

더 알아보기 후백제와 후고구려

구분	후백제	후고구려
건국	견훤(서남 해안을 지키던 군진의 장교)이 남서부 지역에서 세력을 키움 → 완산주(전주)에서 후백제 건국(900)	궁예(신라 왕족 출신으로 알려짐)가 양길의 부하로 있다가 자립하여 세력을 키움 → 송악(개성)에서 후고구려 건국(901)
지배 지역	전라도, 충청도, 경상도의 일부 지역 지배	황해도, 경기도, 강원도 지역 지배
발전	최승우 등 6두품 세력을 등용하여 통치 체제 정비	나라 이름을 마진으로 고침 → 철원으로 도읍을 옮긴 뒤 다시 나라 이름을 태봉으로 고침

6 발해의 전성기

발해는 9세기 전반 선왕 때 요동 지방에서 만주와 연해주에 이르는 최대 영토를 확보하였다. 당에서는 발해를 가리켜 '바다 동쪽의 융성한 나라'를 뜻하는 '해동성국'이라고 불렀다. 그러나 9세기 말 지배층의 내분으로 점점 약해지다가, 거란의 침입으로 결국 멸망하였다(926). 이후 발해 유민들은 수차례 발해를 계승한 나라를 세우려 하였지만 실패하였고, 발해 왕자 대광현 등 유민의 상당수는 고려로 귀화하였다.

7 통일 신라의 유학 발달

통일 신라는 유학을 정치 이념으로 삼아 왕권을 강화하고자 하였다. 신문왕 때에는 교육 기관인 국학을 세워 유교 경전을 가르쳤다. 원성왕 때에는 유교 경전의 이해 수준을 평가해 관리를 선발하는 독서삼품과를 마련하였다. 한편, 신라에서는 뛰어난 유학자들이 많이 배출되었다. 설총은 한자의 음을 빌려 우리말로 표기하는 방식인 이두를 정리하였고, 강수는 외교 문서 작성에 능해 삼국 통일에 이바지하였다. 또 당에서 유학생에게 실시한 과거인 빈공과에 신라인 다수가 합격할 정도로 학문의 수준이 높았다. 신라의 최치원은 당에서 뛰어난 문장으로 이름을 떨쳤다.

오답 피하기 ③ ㉢ 독서삼품과는 원성왕 때 실시되었다.

8 고구려 문화의 토대 위에 꽃핀 발해 문화

발해는 고구려 문화를 기반으로 당의 문화를 받아들이고, 말갈의 문화를 융합하며 독자적인 문화를 이루었다.

자료 분석

발해 문화 중 고구려의 영향을 받은 온돌(왼쪽)과 이불병좌상(오른쪽)이다. 상경성 터 등 발해 주요 도시 건축에서 고구려의 것과 비슷한 형태의 온돌이 발굴되었다. 두 부처가 나란히 앉아 있는 모습의 불상인 이불병좌상은 고구려 불상의 특징을 담고 있다.

4일 고려의 성립과 대외 관계

기초 확인 문제 | 33, 35쪽

1 (1) 북진 (2) 노비안검법 (3) 과거제 2 ㉠ 성종 ㉡ 유교 3 (1) ㉢ (2) ㉠ (3) ㉡ 4 ㉠ 2성 6부 ㉡ 도병마사 5 (1) 5도, 양계 (2) 음서제 (3) 이자겸 (4) 묘청 6 (1) ㉢ (2) ㉡ (3) ㉠ 7 (1) 최충헌 (2) 망이·망소이 (3) 만적 8 ㉠ 강동 6주 9 (1) 거란 (2) 별무반 (3) 강감찬 (4) 천리장성 (5) 벽란도 10 (1) 강화도 (2) 김윤후 (3) 삼별초 (4) 팔만대장경

내신 기출 베스트 | 36~37쪽

1 ④ 2 ①, ④ 3 ④ 4 ③ 5 ⑤ 6 ① 7 ④ 8 ③

1 태조의 정책

태조 왕건이 호족의 딸들과 혼인하고 호족에게 관직과 토지를 하사한 것은 호족을 포섭하려는 정책에 해당한다. 태조 왕건은 통일 이후에도 여전히 강성했던 호족들을 우대하여 자기편으로 끌어들이는 한편, 동시에 견제하는 방법을 이용하여 왕권을 안정시켰다. 이 밖에도 태조는 옛 고구려의 땅을 되찾기 위해 평양을 서경으로 삼아 북진 정책을 추진하였다. 또 발해를 멸망시킨 거란을 적대시 하였고, 후대 왕들에게 정치할 때 유의할 점을 남겼다.

2 광종의 정책

고려 초기에는 호족의 힘이 강하여 왕위 계승을 둘러싼 갈등이 심하였다. 이에 광종은 호족들이 불법적으로 노비로 삼은 사람들을 양인으로 해방하는 노비안검법을 시행하였다. 그리고 과거제를 처음으로 실시하여 유교적 지식과 능력을 갖춘 새로운 인재를 등용하였다. 뒤이어 광종은 자신의 정책에 반대하는 공신과 호족들을 대대적으로 숙청하였다. 이로써 호족 세력을 약화하고 왕권을 안정시켰으며, 중앙 집권적인 통치 체제의 기반을 만들었다.

선택지 바로 보기

① 과거제 (○)
② 연등회 (×) → 고려 시대에 행해지던 불교 행사. 태조 왕건이 불교 장려 차원에서 중시함
③ 기인 제도 (×) → 태조가 실시한 호족 견제 정책. 지방의 호족 자제를 인질로 개경에 머물게 하는 제도
④ 노비안검법 (○)
⑤ 사심관 제도 (×) → 태조가 실시한 호족 견제 정책. 중앙의 관리를 출신 지역의 사심관으로 임명하여 그 지역을 통제하도록 한 제도

3 고려의 중앙 정치 제도 – 도병마사

중서문하성은 국가 정책을 계획하고 결정하는 일을 맡았고, 상서성은 6부를 통해 정책을 집행하였다. 중추원은 군사 기밀을 다루고 왕의 명령을 전달하였다. 중서문하성과 중추원의 고위 관료들이 모여 국가의 중요 정책을 결정하는 회의 기구로 도병마사와 식목도감을 두었다. 도병마사는 국방과 군사 문제를 논의하였고, 식목도감은 각종 제도와 시행 규칙을 제정하였다.

더 알아보기 고려의 중앙 정치 기구

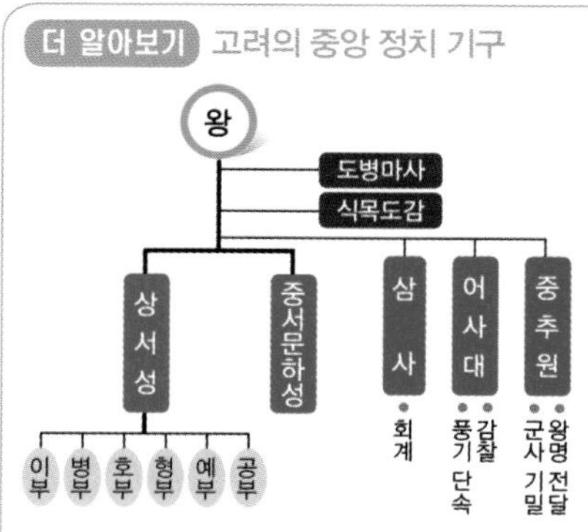

고려의 중앙 정치 제도는 당의 3성 6부제를 수용하여 고려의 실정에 맞게 2성 6부로 고쳐 운영되었다. 중서문하성의 낭사와 어사대는 대간으로 불렸는데, 이들은 왕과 고위 관료를 견제하여 정치권력의 균형을 잡는 역할을 하였다.

4 문벌 사회의 동요

제시된 사건들은 문벌 사회의 동요를 보여 주는 대표적인 사건이다. 이자겸의 난과 묘청의 서경 천도 운동으로 지배층은 분열하였고, 왕실의 권위는 추락하였다.

더 알아보기 서경 세력과 개경 세력의 비교

구분	서경 세력	개경 세력
중심 인물	묘청, 정지상	김부식
수도	서경 천도	개경 유지
대외 정책	금 정벌	금에 사대

5 무신 정권

정중부, 이의방 등의 무신들은 의종의 실정과 무신에 대한 차별 대우에 반발하여 정변을 일으켰다(무신 정변, 1170). 이후 무신들의 회의 기구인 중방이 기존의 정치 기구를 대신하여 최고의 권력 기관이 되었다. 무신 정변 이후 무신들은 권력을 독차지하려고 싸움을 벌였다. 이 과정에서 최고 권력자가 자주 바뀌었고, 결국 최충헌이 권력을 잡은 후 4대 60여 년 동안 최씨 가문이 최고 권력자의 자리를 지켰다. 최충헌은 집권 후 봉사 10조를 내걸고 개혁을 주장하였다. 그러나 실상은 지배 기구를 추가로 만들어 막강한 권력을 행사하였다. 정치적으로는 교정도감을 만들어 국가의 중요 정책을 결정하였다. 군사적으로는 도방, 삼별초와 같은 사병 집단을 이용하여 자신의 권력을 지켜나갔다. 최우는 정방을 만들어 모든 관리의 인사 행정을 담당하게 하였다. 이규보와 같은 문신을 등용하고 국가의 정책을 자문받기도 하였다.

선택지 바로 보기

① 이자겸의 난이 일어났다. (×)
→ 묘청의 반란 이전에 일어난 사건임
② 거란이 발해를 멸망시켰다. (×)
→ 고려 건국 초기에 있었던 일임
③ 과거제가 처음 실시되었다. (×) → 고려 초기 광종 때
④ 광종이 호족을 숙청하였다. (×) → 고려 초기의 일임
⑤ 최충헌이 최고 권력자가 되었다. (○)

더 알아보기 무신 정권의 권력 기구

정치	중방	무신 집권 초기의 최고 권력 기구
	교정도감	최충헌이 설치한 최고 권력 기구
	정방	최우가 설치한 인사 행정 담당 기구
군사	도방	경대승이 설치한 사병 조직
	삼별초	최우가 설치한 사병 조직

6 만적의 봉기

무신 정권 시기에 집권자들의 수탈은 더욱 심해졌다. 이러한 상황에서 백성들은 봉기를 일으켜 무신 정권에 저항하였다. 한편, 무신 정권이 들어선 이후 낮은 신분의 사람들이 출세하는 일이 많이 생겨났다. 그러자 하층민들도 신분 상승이 가능하리라는 기대를 하게 되었다. 사노비였던 만적은 신분 해방을 목적으로 개경의 노비들과 함께 봉기를 계획하였으나, 사전에 들켜 실패에 그쳤다.

선택지 바로 보기

① 만적 (○)
② 양규 (×) → 거란의 2차 침략 때 거란군을 물리친 장수
③ 척준경 (×) → 고려 인종 때 이자겸의 난에 관련되었던 인물
④ 최승로 (×) → 고려 성종 때 시무 28조를 올린 인물
⑤ 망이·망소이 (×) → 무신 정권 시기 공주 명학소에서 봉기한 형제

7 서희의 담판

건국 초기부터 북진 정책을 추진한 고려는 발해를 멸망시키고 세력을 확장하던 거란(요)과 충돌하였다. 송과 대립하던 거란은 송을 공격하기에 앞서 송과 우호 관계인 고려를 먼저 공격하였다. 거란의 침략 목적이 고려와 송의 관계를 끊는 데 있다는 것을 알아차린 서희는 거란의 장수 소손녕과 담판을 벌였고, 송과 관계를 끊기로 약속하며 강동 6주를 확보하였다.

8 묘청의 반란 ~ 개경 환도

[2번 카드] 묘청의 반란 → [3번 카드] 처인성 전투 → [4번 카드] 최씨 정권 붕괴 → [1번 카드] 개경 환도의 순서이다. 묘청의 반란 이후에 무신 정변이 일어났고 이후 무신 정권이 수립되었다. 무신 정권 시기에 몽골의 침입이 있었는데 당시 김윤후는 처인성에서 부곡민들과 함께 몽골군 사령관 살리타를 사살하는 전과를 거두었다. 이후 몽골의 3~6차 침입 이후에 최의가 피살되며 최씨 정권이 붕괴되고 몽골과의 강화가 체결되었다. 그러나 무신 정권은 계속 개경 환도를 거부하였는데, 당시 무신 정권의 집권자인 임유무가 피살되며 무신 정권은 붕괴하였고, 1270년 고려왕 원종은 개경 환도를 단행하였다.

5일 몽골의 간섭과 고려의 개혁, 고려의 생활과 문화

기초 확인 문제 | 41,43쪽

1 (1) 정동행성 (2) 권문세족 (3) 공녀 2 ㉠ 몽골풍 ㉡ 변발 3 (1) ㉡ (2) ㉢ (3) ㉠ 4 ㉠ 공민왕 ㉡ 쌍성총관부 5 (1) 정방 (2) 전민변정도감 (3) 과거 (4) 성리학 (5) 이성계 6 (1) × (2) ○ (3) ○ (4) × 7 (1) 의천 (2) 지눌 (3) 안향 (4) 직지 (5) 팔만대장경 8 (1) ㉣ (2) ㉡ (3) ㉠ (4) ㉢ 9 ㉠ 불화 10 ㉠ 원 ㉡ 배흘림기둥

내신 기출 베스트 | 44~45쪽

1 ④ 2 ⑤ 3 ④ 4 ① 5 ④ 6 ⑤ 7 ⑤ 8 ①

1 원의 내정 간섭 – 정동행성

고려는 몽골(원)과 오랜 전쟁 끝에 독립국의 지위를 유지할 수 있었다. 그러나 원의 정치적 간섭을 받는 등 여러 가지 시련을 겪어야 했다. 원은 고려에 정동행성을 설치해 일본 원정을 추진하며 많은 물자와 군인을 요구하였다. 이때 설치한 정동행성은 고려 말까지 남아 내정 간섭에 이용되었다.

선택지 바로 보기

① 응방 (×)
→ 원에 조공으로 바칠 매와 사냥개 등을 관리하던 기구
② 정방 (×) → 무신 집권기에 최우가 설치한 인사 행정 담당 기구로, 무신 정권 이후에도 왕권을 제약하였음
③ 중추원 (×)
→ 군사 기밀을 다루고 왕의 명령을 전달하던 중앙 정치 기구
④ 정동행성 (○)
⑤ 도병마사 (×) → 중서문하성과 중추원의 고위 관료들이 모여 국가의 중요 정책을 결정하는 회의 기구로 국방과 군사 문제를 논의하였음

2 권문세족

원 간섭기에는 원과 밀접한 관계가 있는 친원 세력이 권세를 누렸다. 이들은 몽골어 통역관, 응방의 관리, 원에

서 국왕과 함께 지낸 측근 등 원과 특별한 관계가 있었다. 친원 세력은 기존의 문벌 세력, 무신 정권기에 등장한 가문과 더불어 권문세족을 형성하고 새로운 지배 세력으로 성장하였다. 권문세족은 주로 음서를 통해 관직에 진출하였고, 권력을 이용해 불법적으로 대규모 농장을 만들었다. 심지어 가난한 백성을 노비로 삼아 자신의 농장에서 일하게 하였다. 이 때문에 세금을 내는 토지와 백성이 줄어들어 국가의 재정이 어려워졌고, 새로운 관료에게 지급할 토지도 부족하게 되는 등 여러 가지 문제점이 나타났다.

3 공민왕의 쌍성총관부 탈환

14세기 중반에 원은 점차 쇠퇴하였고, 중국 각지에서 한족이 반란을 일으켰다. 이러한 국제 정세를 파악한 공민왕은 원의 간섭에서 벗어나고자 개혁을 시작하였다. 공민왕은 먼저 고려의 자주성을 회복하고자 노력하였다. 기철을 비롯한 친원 세력을 제거하고, 정동행성을 축소하여 원의 내정 간섭을 막았다. 또한 쌍성총관부를 공격하여 철령 이북의 땅을 되찾았다. 이와 더불어 원의 간섭으로 바뀌었던 정치 제도와 왕실의 호칭을 원래대로 되돌리고, 몽골식 풍습을 금지하였다. 공민왕은 원으로부터 고려의 자주성을 회복하는 한편, 왕권 강화와 내정 개혁을 이루고자 노력하였다. 신돈을 등용하여 전민변정도감을 설치하였다. 이를 통해 권문세족이 불법적으로 빼앗은 토지를 원래의 주인에게 돌려주고, 강제로 노비가 된 사람들을 양인으로 풀어 주었다.

자료 분석

빗금 친 부분은 공민왕 때 쌍성총관부를 탈환하고 원 세력을 축출하여 수복한 지역이다. 쌍성총관부는 화주(영흥)에 있었다.

4 신진 사대부의 특징

원 간섭기에 고려의 지식인들은 원의 학자들과 교류하며 성리학을 받아들였다. 이후 공민왕의 개혁에 힘입어 성리학적 지식을 갖춘 새로운 정치 세력이 등장하였는데, 이들을 신진 사대부라고 한다. 신진 사대부는 도덕과 명분을 중시하는 성리학을 공부하였고, 주로 과거를 통해 중앙 관직에 진출하였다. 이들은 성리학을 바탕으로 현실 정치에 참여하며 고려 말 사회의 문제점을 해결하기 위해 적극적으로 노력하였다. 신진 사대부는 권세가의 불법적인 농장 확대와 불교 사원의 부패를 비판하였다. 신진 사대부들은 개혁의 과정에서 개혁 방향을 놓고 의견이 충돌하였다. 이들은 결국 고려 왕조를 유지하면서 개혁을 추진해야 한다는 신진 사대부 세력과 고려 왕조를 없애고 새로운 왕조를 세워야 한다는 신진 사대부 세력으로 분열하였다.

더 알아보기 권문세족과 신진 사대부 비교

구분	권문세족	신진 사대부
성향	친원적, 보수적	친명적, 개혁적
관직 진출	주로 음서를 통하여 진출	주로 과거 시험을 통하여 진출
사상 기반	불교	성리학

5 고려의 가족 제도

고려 시대에는 일부일처제가 원칙이었다. 결혼 후에는 남자가 여자의 집에서 지내는 처가살이가 일반적이었다. 또한 고려 시대에는 남자와 여자의 계보를 동등하게 중시하였다. 음서의 혜택도 사위나 외손자까지 누릴 수 있었다. 부모의 재산은 아들과 딸을 구분하지 않고 균등하게 상속하였다. 부모의 제사도 자녀들이 돌아가면서 나누어 맡았다. 또한 아들이 없는 경우에는 굳이 양자를 들이지 않았고, 딸이 부모의 제사를 지냈다. 고려 시대에는 여성도 한 집안의 호주가 될 수 있었고, 호적에 아들과 딸을 구분하지 않고 태어난 순서대로 이름을 적었다. 처가의 호적에 사위의 이름을 기록하는 것도 가능하였다. 또한 고려 시대의 여성은 결혼 후에도 자신의 재산을 따로 가질 수 있었다. 여성의 재혼도 특별한 제한 없이 자유로웠다.

오답 피하기 ④ 세희의 말은 옳지 않다. 고려 시대에 여성의 재혼은 특별한 제한 없이 자유로웠다.

6 성리학의 수용

고려 말, 고려의 학자들이 원에 왕래하면서 성리학이 고려에 소개되었다. 성리학은 인간의 마음과 우주의 원리를 철학적으로 탐구하는 새로운 유학이었다. 고려에 성리학을 처음 소개한 인물은 안향이었다. 뒤를 이어 이제현은 충선왕이 원에 설치한 만권당에서 원의 학자들과 교류하며 성리학을 연구하였다. 이후 성리학은 이색을 거쳐 정몽주, 정도전 등에게 전해지며 신진 사대부의 사상적 기반이 되었다. 신진 사대부는 사회에 유교적 질서를 정착시키고자 노력하였고, 성리학은 새로운 통치 이념이자 생활 윤리로 자리 잡기 시작하였다.

선택지 바로 보기

① 연등회와 팔관회를 장려하였다. (×) → 불교
② 권문세족의 후원으로 발달하였다. (×) → 불교
③ 서경 천도를 주장하는 근거가 되었다. (×) → 풍수지리설
④ 선종 중심으로 교종을 포용하려 하였다. (×) → 불교(지눌의 사상)
⑤ 인간의 마음과 우주의 원리를 탐구하였다. (○)

7 고려의 불교문화

고려 전기에는 하남 하사창동 철조 석가여래 좌상과 같은 대형 철불을 만들었고, 논산 관촉사 석조 미륵보살 입상과 같은 거대한 석불도 제작하였다. 고려 전기의 호족 세력은 자신들의 힘을 과시하고자 거대 석불을 만들었다. 고려 후기에는 왕실과 권문세족의 요구로 아름답고 화려한 불화를 주로 제작하였다. 고려 전기에는 평창 월정사 8각 9층 석탑처럼 송의 영향을 받은 석탑을 만들었다. 고려 후기에는 개성 경천사지 10층 석탑과 같이 원의 영향을 받은 석탑을 만들었다.

오답 피하기 ⑤ 경주 불국사 다보탑은 통일 신라 시대의 석탑이다.

8 인쇄술의 발달

오늘날 세계에서 가장 오래된 금속 활자 인쇄본은 청주 흥덕사에서 만든 『직지』(1377)로, 2001년에 세계 기록 유산에 등재되었다.

누구나 **100점 테스트** 1회 | 46~47쪽

01 ④	02 ⑤	03 ⑤	04 ②	05 ④	06 ①
07 ③	08 ④	09 ①	10 ③		

01 구석기 시대의 생활

구석기인은 무리 지어 다니면서 서로 협동하여 식량을 구했고, 한곳에서 사냥과 채집을 마치면 다른 곳으로 이동하였다. 이들은 추위와 비바람을 피해 동굴이나 바위 그늘에서 지냈으며, 막집을 짓고 살기도 했다.

02 신석기 시대의 생활

만주와 한반도 지역에서도 약 1만 년 전부터 신석기인이 생활하였다. 이 시기는 빙하기가 끝나고 기온이 올라, 자연환경이 변화하고 작고 빠른 짐승이 번성하였다. 이들을 사냥하려면 돌화살촉, 돌창 같은 더욱 정교하고 날카로운 간석기가 필요하였다. 신석기인은 강가나 바닷가에 거주하며 고기잡이, 사냥, 채집 등을 통해 살아갔다. 일부 지역에서는 농경이 시작되어 돌괭이나 돌낫 같은 간석기로 조, 피 등을 재배하였다. 빗살무늬 토기 등을 만들어 음식을 조리·저장하였고, 움집을 짓고 마을을 이루어 한곳에 정착하여 살았다. 이들은 뼈바늘과 가락바퀴를 이용해 옷과 그물 등을 만들었다.

03 청동기 시대의 도구 – 반달 돌칼

제시된 자료는 반달 돌칼이다. 청동기 시대의 농사용 도구로, 곡식을 수확할 때 이삭을 자르는 용도로 사용하였다.

선택지 바로 보기

① 신석기 시대에 만들어졌다. (×) → 청동기 시대의 도구임
② 사냥할 때 주로 사용하였다. (×) → 농사용 도구임
③ 족장이 목에 걸고 다녔던 장신구이다. (×) → 농사용 도구임
④ 가운데 뚫린 구멍으로 실을 뽑아냈다. (×) → 가락바퀴에 해당함
⑤ 곡식 이삭을 자를 때 사용한 반달 돌칼이다. (○)

04 단군의 건국 이야기로 알 수 있는 점

단군의 건국 이야기를 통해 고조선 건국 당시의 사회 모습을 짐작할 수 있다. 고조선이 농경 사회를 배경으로 성립한 사실, 토테미즘, 새로운 세력과 토착 세력의 결합, 제정일치 사회 등을 파악할 수 있다.

자료 분석

환인의 아들 환웅이 ㉠ 널리 인간을 이롭게 하고자 태백산 신단수 아래로 내려왔다. ㉡ 그는 풍백(바람을 다스리는 신), 우사(비를 다스리는 신), 운사(구름을 다스리는 신)를 거느리고, 인간 세상을 다스리고 교화하였다. 이때 ㉢ 곰과 호랑이가 사람이 되길 원하므로, 환웅은 100일간 굴에서 견디게 하였고 이를 지킨 ㉣ 곰은 여자로 변하여 환웅과 혼인해 아들을 낳았으니 그가 단군왕검이다. ㉤ 단군왕검은 아사달에 수도를 정하고 조선이라는 나라를 세웠다.

㉡: 농경 사회 반영
㉢: 토테미즘
㉣: 새로운 세력과 토착 세력의 결합
㉤: 제정일치 사회

05 삼한의 풍속

삼한에서는 신지와 읍차 같은 군장이 각각의 소국을 통치하였으며, 제사장인 천군이 소도라는 지역에서 제사를 주관하였다. 소도는 신성한 지역으로 여겨졌다. 이곳은 군장의 힘이 미치지 못하여 죄인이 숨어들어 가도 함부로 잡아가지 못하였다.

06 신라의 왕호 변천

신라의 왕호는 여러 차례 변하였는데, 이를 통하여 당시 상황을 짐작할 수 있다. 거서간은 군장이라는 의미로, 신라가 작은 공동체에서 시작되었다고 여겨진다. 차차웅은 무당이라는 뜻으로 본디 지도자에게 제사장으로 해야 할 역할이 요구되었음을 보여 준다. 이후 나타나는 이사금은 연륜이 많은 사람이 임금이 될 수 있던 시대였음을 엿볼 수 있다. 마립간은 회의를 이끄는 지도자를 의미한다. 이와 같은 왕호 변화는 신라의 왕권이 점차 강화되고 있음을 보여 준다.

07 광개토 대왕과 장수왕의 업적 구분

장수왕은 수도를 평양으로 옮겨(427) 왕권을 강화하였으며, 중국 여러 왕조와 활발히 교류하였다. 또 남쪽으로 영역 확장도 계획하였다. 위협을 느낀 백제와 신라는 나제 동맹을 결성하였으나(433), 결국 고구려는 백제 수도 한성을 함락하였다(475). 이로써 고구려는 한강 유역을 전부 차지하게 되었다.

선택지 바로 보기

ㄱ. 수도를 평양으로 옮겨 왕권을 강화하였다. (○)
ㄴ. 후연을 물리치고 요동 지역을 차지하였다. (×) → 광개토 대왕의 업적
ㄷ. 신라에 침입한 왜군을 물리치고 가야를 공격하였다. (×) → 광개토 대왕의 업적
ㄹ. 백제의 수도 한성을 함락하여 한강 유역을 차지하였다. (○)

08 삼국의 유학 교육

삼국에는 한자의 보급과 함께 유교가 전래하였다. 고구려에서는 소수림왕 때 수도에 태학을 세워 유교 경전을 가르쳤고, 지방에는 경당을 세워 학문과 무예를 가르쳤다. 백제에서도 오경박사를 두어 유교를 가르쳤다. 신라에서는 화랑도가 그 역할을 담당하였으며, 임신서기석에도 유교 경전을 공부하겠다는 내용이 들어 있다. 이때의 유교는 국가를 통치하기 위한 수단으로 적극적으로 활용되었으며, 학문적인 접근은 상대적으로 활발히 이루어지지 않았다.

09 고구려와 수·당의 전쟁

중국에서는 수가 남북조를 통일한 이후 수 문제는 대군을 동원하여 고구려를 침략하였으나, 장마와 전염병 탓에 곧 물러났다(598). 수 양제는 113만 대군으로 고구려를 다시 침략하였는데, 고구려는 요동에서 강력히 저항하였다. 수 양제는 따로 군대를 편성하여 평양성을 공격하였으나, 을지문덕이 살수(청천강)에서 그 대부분을 물리쳤다(살수 대첩, 612). 중국에서는 수가 멸망하고 당이 건국하였다. 고구려의 영류왕은 천리장성을 쌓아 침략에 대비하였으나 연개소문의 정변으로 목숨을 잃었다. 이 당시 백제의 영역 확장으로 신라는 큰 위기

에 빠졌다. 선덕 여왕은 김춘추를 고구려로 보내 연개소문에게 도움을 요청하였다. 그러나 연개소문은 동맹의 대가로 한강 유역을 요구하였고 협상은 실패하였다. 대제국 건설의 뜻을 품고 주변 국가들을 정복하던 당 태종은 결국 연개소문의 정변을 구실 삼아 고구려를 침략하였다. 당군은 요동성, 백암성 등을 차례로 함락하고 안시성을 포위하였다. 그러나 성주와 백성들의 굳건한 저항으로 결국 안시성에서 물러났다(안시성 싸움, 645). 여러 차례의 공격이 좌절되자 당은 다른 국가와 동맹하고자 하였다. 마침 김춘추가 당에 도착하여 도움을 요청하였고 이로써 양국은 군사적으로 힘을 합치게 되었다(나당 연합, 648).

오답 피하기 ① 안시성 싸움은 고구려와 당 사이에 일어났다. 따라서 당의 건국 이후인 (다) 시기에 해당한다.

10 신라의 삼국 통일에 대한 평가

신라의 삼국 통일은 외세를 끌어들였고, 고구려의 옛 땅을 모두 차지하지는 못했다는 한계가 있다. 그러나 나당 전쟁을 거치며 백제인과 고구려인도 신라의 일원이 됨으로써 백성을 하나로 아우르게 되었다. 또한 우리 역사상 최초의 통일이라는 점에서 의미가 크다. 문제에서는 긍정적 평가만을 묻고 있으므로 ③ ㄴ, ㄷ이 답이다.

누구나 100점 테스트 2회 | 48~49쪽

01 ①	02 ②	03 ③	04 ④	05 ④	06 ④
07 이자겸의 난		08 ⑤	09 ①	10 ①	

01 삼국 통일을 완성한 문무왕

나당 전쟁을 마무리 지은 (가) 왕은 문무왕이다. 문무왕은 나당 전쟁에서 승리한 뒤 삼국 통일을 완성하였으며, 옛 백제, 고구려계 지배층들을 등용하여 융합하려 하였다.

02 발해의 통치 기구

발해는 중국의 3성 6부제를 받아들였으나 중서성·문하성·상서성은 각각 중대성, 선조성, 정당성으로 이름을 바꾸었고, 6부의 명칭을 유교적 표현으로 바꾸어 독자적으로 운영하였다.

03 통일 신라의 불교

(가)는 의상이다. 당에서 유학을 하면서 화엄종을 신라에 들여왔으며 화엄 사상을 정립하였다. 또한 관세음보살을 내세워 백성들이 불교를 믿을 수 있도록 하였는데 이때 의상이 전파한 것을 관음 신앙이라 한다.

04 후삼국 시대의 시작

자료의 사건은 후백제 건국이다. 후백제 건국은 900년이며, 후고구려 건국은 901년으로 후고구려 건국 이전인 (라) 시기에 해당한다.

05 최승로의 시무 28조

자료는 최승로가 고려 성종의 명에 따라 시무에 관한 내용을 건의한 '시무 28조'이다. 성종은 이를 받아들여 유교 정치 이념을 통치 이념으로 세웠다.

선택지 바로 보기

① 훈요 10조이다. (×) → 시무 28조
② 최충헌이 작성하였다. (×) → 최승로가 작성
③ 광종의 명에 따라 건의한 글이다. (×) → 성종의 명에 따라 건의함
④ 왕은 이를 받아들여 유교를 통치 이념으로 세웠다. (○)
⑤ 민심을 결집하고 대몽 항쟁을 효과적으로 수행하기 위해 작성하였다. (×) → 대몽 항쟁은 고려 후기, 성종은 고려 전기임

06 고려의 지방 통치

㉠은 속현이다. 속현은 주현을 통해 중앙과 연결되었으며, 호족 출신인 향리가 실질적인 행정을 담당하였다.

선택지 바로 보기

① 국경 지역에 설치되었다. (×) → 양계에 대한 설명
② 군사 행정 구역에 해당한다. (×) → 양계에 대한 설명
③ ㉠에는 주진군이 편성되었다. (×) → 양계에 대한 설명
④ ㉠의 수가 주현보다 훨씬 더 많았다. (○)
⑤ 수도가 한쪽으로 치우친 것을 보완하는 역할을 하였다. (×) → 통일 신라의 5소경에 대한 설명

07 이자겸의 난

경원 이씨 가문의 대표적인 인물이었던 이자겸은 예종과 인종에게 딸들을 시집보내며 막강한 권력을 행사하였다. 인종이 이자겸에게 위협을 느끼고 그를 제거하려 했지만, 먼저 이를 눈치챈 이자겸이 난을 일으켜 왕실에 위협을 가하였다.

08 무신 정권을 안정시킨 최충헌

무신 정권을 안정시키고 교정도감을 만들었다는 내용을 통해 ㉠은 최씨 정권을 열었던 최충헌임을 알 수 있다. 무신 정변 이후 최고 권력자가 자주 바뀌었고, 결국 최충헌이 이의민을 제거하고 권력을 잡은 후 4대 60여 년간 최씨 가문이 최고 권력자의 자리를 지켰다.

09 권문세족의 특징

원과의 관계를 이용하여 지배층이 된 사람들은 권문세족에 해당한다. 원 간섭기에는 원과 밀접한 관계가 있는 친원 세력이 권세를 누렸다. 이들은 몽골어 통역관, 응방의 관리, 원에서 국왕과 함께 지낸 측근 등 원과 특별한 관계가 있었다. 친원 세력은 기존의 문벌 세력, 무신 정권기에 등장한 가문과 더불어 권문세족을 형성하고 새로운 지배 세력으로 성장하였다.

오답 피하기 ① 이 시기에 성리학을 공부한 사람들은 신진 사대부이다.

10 공민왕의 개혁

공민왕은 고려의 자주성을 회복하고자 노력하였다. 기철을 비롯한 친원 세력을 제거하고, 정동행성을 축소하여 원의 내정 간섭을 막았다. 또한 쌍성총관부를 공격하여 철령 이북의 땅을 되찾았다. 공민왕은 원으로부터 고려의 자주성을 회복하는 한편, 왕권 강화와 내정 개혁을 이루고자 노력하였다. 먼저 정방을 없애고, 권문세족으로부터 인사권을 가져왔다. 그리고 신돈을 등용하여 전민변정도감을 설치하였다. 또한 개혁을 지지할 세력을 확보하고자 성균관을 정비하였다.

오답 피하기 ① 공민왕은 무신 정권기에 설치되어 왕권을 제약하던 정방을 없애고 권문세족으로부터 인사권을 가져왔다.

서술형·사고력 테스트 / 창의·융합·코딩 테스트 | 50~53쪽

01 구석기 시대의 생활 모습

모범 답안 | 불을 사용하였고, 주로 동굴에서 살았으며, 사냥하여 식량을 구하였다.

핵심 단어 | 불 사용, 동굴, 사냥

채점 기준	구분
핵심 단어를 모두 사용하여 구석기 시대의 생활 모습을 바르게 서술한 경우	상
핵심 단어 중 두 가지만 사용하여 구석기 시대의 생활 모습을 바르게 서술한 경우	중
핵심 단어 중 한 가지만 사용하여 구석기 시대의 생활 모습을 바르게 서술한 경우	하

02 신석기 시대의 생활 모습

모범 답안 | 움집을 짓고 생활하였고, 토기를 사용하였으며, 농경과 목축을 하였다. 가락바퀴로 실을 만들었다.

핵심 단어 | 움집, 토기, 농경과 목축, 가락바퀴

채점 기준	구분
핵심 단어를 모두 사용하여 신석기 시대의 생활 모습을 바르게 서술한 경우	상
핵심 단어 중 두 가지만 사용하여 신석기 시대의 생활 모습을 바르게 서술한 경우	중
핵심 단어 중 한 가지만 사용하여 신석기 시대의 생활 모습을 바르게 서술한 경우	하

03 청동기 시대의 특징

모범 답안 | 청동기 시대에는 군장이 죽으면 그의 권위를 상징하는 거대한 무덤인 고인돌을 만들었다. 이를 통해 청동기 시대에 계급 사회가 성립되었음을 알 수 있다.

핵심 단어 | 청동기 시대, 군장, 고인돌, 계급 사회

채점 기준	구분
핵심 단어를 모두 사용하여 청동기 시대의 특징을 바르게 서술한 경우	상
핵심 단어 중 두 가지만 사용하여 청동기 시대의 특징을 바르게 서술한 경우	중
핵심 단어 중 한 가지만 사용하여 청동기 시대의 특징을 바르게 서술한 경우	하

04 고조선의 8조법

(1) 고조선

(2) 모범 답안 | "남에게 상처를 입힌 자는 곡식으로 갚는다."라는 조항은 상처를 입은 경우 노동력이 그만큼 손실되기 때문에 그에 대한 배상 기준을 제시한 것으로, 당시 고조선 사회가 노동력을 중시했음을 알 수 있다.

핵심 단어 | 남에게 상처를 입힌 자는 곡식으로 갚는다, 노동력 손실, 배상

채점 기준	구분
핵심 단어를 모두 사용하여 고조선이 노동력을 중시했음을 바르게 서술한 경우	상
핵심 단어 중 두 가지만 사용하여 고조선이 노동력을 중시했음을 바르게 서술한 경우	중
핵심 단어 중 한 가지만 사용하여 고조선이 노동력을 중시했음을 바르게 서술한 경우	하

05 고구려와 일본의 문화 교류

(1) 고구려

(2) 모범 답안 | 승려 혜자는 일본 쇼토쿠 태자의 스승이 되었고, 담징은 종이와 먹·벼루 만드는 기술을 일본에 가르쳐 주었다.

핵심 단어 | 혜자, 쇼토쿠 태자의 스승, 담징, 종이와 먹·벼루 만드는 기술

채점 기준	구분
핵심 단어를 모두 사용하여 고구려와 일본의 문화 교류를 바르게 서술한 경우	상
핵심 단어 중 두 가지만 사용하여 고구려와 일본의 문화 교류를 바르게 서술한 경우	중
핵심 단어 중 한 가지만 사용하여 고구려와 일본의 문화 교류를 바르게 서술한 경우	하

06 일본의 발해 인식

모범 답안 | 일본에서 발해를 고려라고 표현한 점에서 일본은 발해를 고구려를 계승한 국가로 인식하였다는 것을 알 수 있다.

핵심 단어 | 일본, 발해를 고려라고 표현, 고구려를 계승한 국가로 인식

채점 기준	구분
핵심 단어를 모두 사용하여 일본의 발해 인식을 바르게 서술한 경우	상
핵심 단어 중 두 가지만 사용하여 일본의 발해 인식을 바르게 서술한 경우	중
핵심 단어 중 한 가지만 사용하여 일본의 발해 인식을 바르게 서술한 경우	하

07 공민왕의 개혁 정책

(1) 공민왕

(2) 모범 답안 | 공민왕은 기철을 비롯한 친원 세력을 제거하고, 정동행성을 축소하여 원의 내정 간섭을 막았다. 이와 더불어 원의 간섭으로 바뀌었던 정치 제도와 왕실의 호칭을 원래대로 되돌리고, 몽골식 풍습을 금지하였다.

핵심 단어 | 친원 세력 제거, 정동행성 축소, 정치 제도와 왕실의 호칭 되돌리기, 몽골식 풍습 금지

채점 기준	구분
핵심 단어를 모두 사용하여 공민왕의 반원 자주 정책을 바르게 서술한 경우	상
핵심 단어 중 두 가지만 사용하여 공민왕의 반원 자주 정책을 바르게 서술한 경우	중
핵심 단어 중 한 가지만 사용하여 공민왕의 반원 자주 정책을 바르게 서술한 경우	하

(3) 모범 답안 | 공민왕은 정방을 없애 권문세족으로부터 인사권을 가져오고, 전민변정도감을 설치하여 권문세족이 불법으로 빼앗은 토지와 노비를 원래대로 되돌렸으며, 개혁 지지 세력을 확보하고자 성균관을 정비하였다.

핵심 단어 | 정방 폐지, 전민변정도감 설치, 성균관 정비

채점 기준	구분
핵심 단어를 모두 사용하여 공민왕의 왕권 강화와 내정 개혁을 바르게 서술한 경우	상
핵심 단어 중 두 가지만 사용하여 공민왕의 왕권 강화와 내정 개혁을 바르게 서술한 경우	중
핵심 단어 중 한 가지만 사용하여 공민왕의 왕권 강화와 내정 개혁을 바르게 서술한 경우	하

08 철기 시대 만주와 한반도의 여러 나라

(1) ㉠ 고구려 ㉡ 동예

(2) 모범 답안 | 왕이 없고, 읍군·삼로라고 불리는 군장들이 다스렸다. 민며느리제, 가족 공동 묘 등의 풍속이 있었다.

핵심 단어 | 왕이 없음, 읍군·삼로, 민며느리제, 가족 공동 묘

채점 기준	구분
핵심 단어를 모두 사용하여 옥저의 풍속을 바르게 서술한 경우	상
핵심 단어 중 두 가지만 사용하여 옥저의 풍속을 바르게 서술한 경우	중
핵심 단어 중 한 가지만 사용하여 옥저의 풍속을 바르게 서술한 경우	하

(3) • 국가 : 고구려
• 풍속 : 서옥제

09 통일 신라의 행정 구역

(1) 9주

(2) 5소경

(3) 모범 답안 | 수도인 금성이 동남쪽에 치우친 점을 보완하고, 지방 세력의 성장을 견제

핵심 단어 | 금성이 동남쪽에 치우친 점 보완, 지방 세력 성장 견제

채점 기준	구분
핵심 단어를 모두 사용하여 통일 신라의 행정 구역을 바르게 서술한 경우	상
핵심 단어 중 두 가지만 사용하여 통일 신라의 행정 구역을 바르게 서술한 경우	중
핵심 단어 중 한 가지만 사용하여 통일 신라의 행정 구역을 바르게 서술한 경우	하

10 성리학의 수용과 신진 사대부의 분화

(1) 모범 답안 | 고려 왕조를 유지하면서 개혁을 추진해야 한다.

핵심 단어 | 고려 왕조 유지, 개혁 추진

채점 기준	구분
핵심 단어를 모두 사용하여 점진적 개혁을 주장하는 신진 사대부의 주장을 바르게 서술한 경우	상
핵심 단어 중 한 가지만 사용하여 점진적 개혁을 주장하는 신진 사대부의 주장을 바르게 서술한 경우	하

(2) 모범 답안 | 고려 왕조를 없애고 새로운 사회를 세워야 한다.

핵심 단어 | 고려 왕조 없앰, 새로운 사회

채점 기준	구분
핵심 단어를 모두 사용하여 급진적 개혁을 주장하는 신진 사대부의 주장을 바르게 서술한 경우	상
핵심 단어 중 한 가지만 사용하여 급진적 개혁을 주장하는 신진 사대부의 주장을 바르게 서술한 경우	하

11~12 고려 가로세로 퍼즐

❶궁					❺상	
❷예	성	❸강			서	
		❹동	북	9	성	
		6				
❻식		주				
목					❽음	❾서
❼도	병	마	사			희
감						

학교 시험 **기본 테스트** 1회 | 54~57쪽

01 ③	02 ②	03 ⑤	04 ⑤	05 ②	06 ⑤
07 ③	08 ③	09 ④	10 ⑤	11 ①	12 ③
13 ①	14 ②	15 ①	16 ③	17 ③	18 ③

19 ㉠ 권문세족 ㉡ 신돈 ㉢ 전민변정도감 20 ⑤

01 구석기 시대의 생활 모습

제시된 그림은 뗀석기를 만드는 방법에 대한 것이다. 뗀석기는 구석기 시대의 도구이다.

선택지 바로 보기

① 농사를 짓기 시작하였다. (×) → 신석기 시대
② 철제 무기로 주변을 정복하였다. (×) → 철기 시대
③ 무리를 지어 이동 생활을 하였다. (○)
④ 군장이 죽으면 고인돌을 만들었다. (×) → 청동기 시대
⑤ 가락바퀴로 실을 뽑아 옷을 지어 입었다. (×)
→ 신석기 시대

02 신석기 시대의 정착 생활

신석기 시대 후기에 농경과 목축이 시작되면서 사람들은 움집을 짓고 마을을 이루어 한곳에 정착하여 살았다.

03 청동기 시대의 생활 모습

청동기 시대에는 군장 세력이 점차 권력을 키워 정치권력뿐만 아니라 하늘에 제사를 지내는 종교적 권위까지 이용하여 집단을 지배하였다.

더 알아보기 청동기 시대의 도구와 사회 변화

구분	내용
청동기	지배 계급의 무기, 제사용 도구, 장신구 등으로 사용
간석기	농경 등 일상생활에서는 다양하고 정교해진 간석기 사용(반달 돌칼이 대표적)
농경	한반도 남부 일부 지역에서 벼농사 시작
사회	• 계급 사회의 성립: 남는 생산물, 사유 재산 등장 → 빈부 격차 발생 → 계급 발생 → 군장 출현 • 제정일치 사회: 군장(정치적 지배자)이 제사장(종교 의식 주관)을 겸함 • 지배 계급의 권위를 상징하는 거대한 무덤인 고인돌이나 돌널무덤 등이 만들어짐
신앙, 예술	• 농경과 관련된 자연신에 대한 제사의 중요성 증대 • 울산 대곡리 반구대 바위그림: 신석기 시대~청동기 시대에 걸쳐 새겨짐 → 사냥과 고기잡이의 성공, 풍요와 다산 기원

04 고조선의 8조법

주어진 법은 고조선의 8조법이다. 살인과 도둑질에 대해 크게 처벌하는 것을 통해 노동력과 사유 재산을 중시했음을 알 수 있다.

선택지 바로 보기

① 갑: 단군 신화에 소개되어 있어. (×)
→ 『한서』 「지리지」에 소개되어 있음
② 을: 8개 조항이 모두 전해지고 있어. (×)
→ 3개 조항만이 전해짐
③ 병: 한의 군이 설치된 이후에 만들어졌어. (×)
→ 한의 군이 설치된 이후에는 법 조항이 더 늘어남
④정: 계급이 없는 평등 사회의 모습이 담겨 있어. (×)
→ 청동기 시대 이후로 계급 사회가 형성됨
⑤ 무: 노동력과 사유 재산을 중요하게 여겼음을 알 수 있어. (○)

05 철기 시대 여러 나라의 풍속

(가)에 해당하는 혼인 풍속은 고구려의 서옥제이다. 고구려에는 서옥제라는 풍속이 있어, 신랑이 신부의 집에서 아이를 낳고 살다가 자식이 자라면 아내와 자식을 데리고 자기 집으로 돌아갔다. (나)는 옥저의 민며느리제에 해당한다. 옥저에는 어린 여자아이를 데려다가 키워서 며느리로 삼는 민며느리제라는 혼인 풍속이 있었다.

06 백제의 건국 세력

백제는 고구려에서 내려온 세력이 한강 유역의 토착 세력과 결합하여 건국하였다. 주몽의 아들인 온조가 남쪽으로 내려가 백제를 건국하였다는 설화가 그 사실을 반영하고 있다. 또 고구려에서 주로 만들어진 계단식 돌무지무덤 양식이 백제 초기의 무덤에서도 나타나는 것에서도 알 수 있다.

07 신라 진흥왕 시기의 역사적 사실

제시된 비석들은 6세기 신라 진흥왕이 영토 확장을 기념하기 위해 세운 것이다.

오답 피하기 ③ 고구려가 평양으로 천도한 것은 5세기 장수왕 때의 일이다. 6세기에는 신라와 백제가 협공하여 고구려가 차지하고 있던 한강 유역을 빼앗았다.

08 삼국의 전성기 특징과 순서

백제가 마한 전역을 차지한 것은 4세기 근초고왕 때의 일이다. 5세기 고구려 장수왕은 충주 고구려비를 건립

하였고 신라가 한강 유역에 진출한 것은 6세기 진흥왕 때의 일이다. 따라서 (나) → (가) → (다)의 순서이다.

09 고대인의 먹거리

대다수의 평민은 주로 보리, 조 등의 잡곡을 먹었으며, 도토리를 갈아 가루로 만들어 쪄 먹기도 하였다. 쌀은 귀한 곡물이어서 왕과 귀족을 비롯한 지배층만 먹을 수 있었다. 오늘날과 같은 김치는 없었지만 대신 각종 채소를 소금이나 장에 절여 장아찌와 비슷한 형태로 만들어 먹었다. 또 된장이나 간장 같은 발효 식품도 만들어 먹었다.

오답 피하기 ④ 삼국 시대에는 고추가 전래하지 않았기 때문에 오늘날과 같은 김치는 없었다.

10 고구려 멸망 이후의 상황

고구려가 멸망하자 당은 고구려의 옛 땅에 안동도호부를 설치하여 직접 지배하려 하였고, 검모잠 등은 고구려의 유민들과 고구려 부흥 운동을 전개하였다.

11 통일 신라의 왕권 강화

왕의 명령을 집행하는 집사부의 권한을 강화하고 진골 귀족의 회의체인 화백 회의와 그 의장인 상대등의 권한을 축소하였으며 귀족들의 경제 기반이었던 녹읍을 폐지한 것은 모두 왕권을 강화하기 위한 것이었다.

12 발해 무왕

(가)는 발해의 무왕이다. 당이 신라와 흑수 말갈을 이용해 발해를 압박하자 돌궐, 일본과 친선 관계를 맺어 당을 견제하고자 하였다. 특히 장문휴를 보내 산둥 반도의 등주 지방을 공격하기도 하였다. ①, ②, ④는 발해의 문왕에 대한 설명이고, ⑤는 선왕에 대한 설명이다.

13 발해의 문화유산

이불병좌상은 발해의 고구려 문화 계승을 엿볼 수 있는 유물로, 발해를 주제로 하는 기획 전시에 편성할 수 있는 자료이다. 나머지는 모두 통일 신라의 문화유산들이다.

14 호족의 개념

호족은 중앙 정치에 도전하는 지방 세력으로, 신라 정부를 등진 농민들을 규합하여 성장하였다. 이들은 성을 쌓아 근거지를 확보하고 스스로 '성주' 혹은 '장군'이라 부르며 사실상 신라로부터 독립해 나갔다. 신라 말에는 새로운 불교 사상인 선종이 유행하였는데, 당시 선종은 왕실뿐만 아니라 지방 호족들에게도 환영을 받았다.

오답 피하기 ② 호족의 사상적 기반은 교종이 아니라 선종이다.

15 태조 왕건의 훈요 10조

제시된 자료는 태조 왕건이 남긴 '훈요 10조'의 일부분이다.

16 묘청의 서경 천도 운동

김부식 등 개경 세력은 수도를 옮기지 말고, 금에 사대할 것을 주장하였다. 반면 묘청, 정지상 등 서경 세력은 서경 천도를 추진하고, 황제 칭호 및 연호 사용을 주장하며 금을 정벌할 것을 요구하였다.

17 고려와 여진과의 관계

12세기에 강성해진 여진족이 고려의 국경을 위협하자, 윤관이 별무반을 조직하고 여진 정벌을 추진하여 여진족을 몰아내고 동북면 지역에 9성을 설치하였다.

18 최씨 정권의 지배 기구

4대 60여 년간 전개된 최씨 정권은 교정도감, 정방, 서방, 삼별초 등의 지배 기구를 통해 다른 무신 정권에 비해 비교적 안정된 권력을 유지하였다. 최씨 정권은 문인들의 숙위 기구인 서방을 통해 이규보와 같은 정책 자문을 위한 문인을 등용하기도 하였다.

19 공민왕의 개혁 – 전민변정도감

공민왕은 원으로부터 고려의 자주성을 회복하는 한편, 왕권 강화와 내정 개혁을 이루고자 노력하였다. 승려였던 신돈을 등용하여 전민변정도감을 설치하였다. 이를 통해 권문세족이 불법적으로 빼앗은 토지를 원래의 주인에게 돌려주고, 강제로 노비가 된 사람들을 양인으로 풀어 주었다.

20 고려청자

고려청자는 11세기에는 맑고 투명한 빛깔의 순청자로 만들어졌으나, 12세기 중반부터는 상감법을 사용해 고려만의 독특한 상감 청자로 발전하였다.

학교 시험 기본 테스트 2회 | 58~61쪽

01 ③	02 ④	03 ②	04 ③	05 ①	06 ⑤
07 ③	08 ①	09 ①	10 ⑤	11 ③	12 ②
13 ②	14 ①	15 ①	16 ④	17 ①	18 ③
19 ③	20 ②				

01 신석기 시대 사람들의 생활

서울 암사동 선사 유적은 신석기 시대의 마을 유적이다. 신석기 시대 후기에는 농경과 목축이 시작되었다.

선택지 바로 보기

① 고인돌이라는 무덤을 만들었다. (×) → 청동기 시대
② 민무늬 토기를 만들어 사용하였다. (×) → 청동기 시대
③ 조, 피, 기장 등을 재배하기 시작하였다. (○)
④ 처음으로 불을 이용해서 음식을 익혀 먹었다. (×) → 구석기 시대
⑤ 반달 돌칼과 돌낫을 이용해 곡식을 수확하였다. (×) → 반달 돌칼은 청동기 시대의 도구이고 돌낫은 신석기 시대의 도구임

02 청동기 시대 사람들의 생활

청동기 시대에는 잉여 생산물과 사유 재산이 등장하고, 계급이 발생하였으며 군장이 출현하였다. 지배 계급은 청동을 사용하여 무기, 제사용 도구, 장신구 등을 만들었다. 군장이 죽으면 그의 권위를 상징하는 고인돌, 돌널무덤 등 거대한 무덤을 만들었다. 한편 청동기 시대에는 일부 지역에서 벼농사가 시작되었으며, 반달 돌칼 등 다양하고 정교해진 간석기가 농경 등 일상생활에서 사용되었다. 또 민무늬 토기와 미송리식 토기가 제작되었다.

오답 피하기 ④ ㉣ 고인돌은 군장의 권위를 상징하는 청동기 시대의 거대한 무덤이다.

03 고조선의 문화 범위

제시된 탁자식 고인돌, 비파형 동검이 분포하는 지역을 바탕으로 고조선의 문화 범위를 짐작할 수 있다.

04 여러 나라의 풍속

(가)는 부여, (나)는 고구려, (다)는 옥저, (라)는 동예, (마)는 삼한이다. 책화는 동예의 풍속, 영고와 1책 12법은 부여의 풍속, 민며느리제와 가족 공동 무덤은 옥저의 풍속이다.

05 부여의 특징

부여는 중앙은 왕이 다스리고 주변 지역은 여러 가(加)들이 다스렸는데 이들이 다스리는 지방을 사출도라고 한다. 매년 12월마다 영고라는 제천 행사를 열었으며 평야가 넓어서 농업과 목축업이 발달하였다.

06 태조왕 ~ 미천왕 사이 시기의 고구려

고구려는 태조왕 이후부터 미천왕 이전의 시기에 수도와 지방을 각각 5부로 나누었고, 지방에 관리를 파견하여 행정과 군사 업무를 처리하였다.

07 신라 내물왕

내물왕은 고구려 광개토 대왕의 도움으로 침입한 왜군을 물리치며 낙동강 동쪽 지역까지 영토를 넓혔다.

08 가야 연맹의 특징

지도에 표시된 나라는 가야 연맹으로 (가)는 금관가야, (나)는 대가야이다. 가야 연맹에서는 질 좋은 철이 많이 생산되어 철기 문화가 크게 발달하였다.

09 삼국의 불교 예술

② 경주 분황사 석탑, ⑤ 경주 배동 석조 여래 삼존 입상은 신라의 불교 문화유산이다. ③ 금동 연가 7년명 여래 입상은 고구려의 불교 문화유산이다. ④ 서산 용현리 마애 여래 삼존상은 백제의 불교 문화유산이다.

오답 피하기 ① 산수무늬 벽돌은 신선 사상을 바탕으로 산과 나무, 구름 등이 아름답게 묘사된 백제의 벽돌로 도교와 관련 있는 문화유산이다.

10 발해의 고구려 계승 의식

대조영이 동모산에 도읍을 정하여 세운 나라는 발해이다. 발해는 자신들이 고구려를 계승한 국가임을 표현하였다.

선택지 바로 보기

① 당과 연합군을 결성하였다. (×) → 신라
② 황산벌에서 신라군과 맞서 싸웠다. (×) → 백제
③ 나당 연합에 맞서 백제와 연계를 강화하였다. (×) → 왜
④ 한성에서 검모잠과 안승이 부흥 운동을 하였다. (×) → 고구려
⑤ 일본에 보낸 외교 문서에 고구려를 계승한 국가임을 밝혔다. (○)

11 신문왕의 정책

신문왕 때 전국을 9주로 나누고 지방의 주요 지역에 특별 행정 구역인 5소경을 두어 수도가 한쪽으로 치우쳐 있어서 생기는 단점을 보완하고자 하였다.

12 신라 말 왕위 쟁탈전

혜공왕이 피살되고 후삼국이 성립하기 전까지인 (가) 시기는 신라 말 정치적 혼란기에 해당한다. 진골 귀족의 왕위 쟁탈전이 심했으며, 농민 봉기가 일어나고 호족이 등장한 시기이다.

13 고려의 후삼국 통일 과정

ㄱ. 고려 건국 → ㄹ. 송악(개경) 천도 → ㄴ. 신라 멸망 → ㄷ. 후삼국 통일 순이다.

14 발해의 통치 제도

발해는 당의 3성 6부제를 수용했으나, 발해의 실정에 맞게 운영하였다. 당이 중서성 중심으로 운영한 것과 달리, 발해는 당의 상서성에 해당하는 정당성을 중심으로 운영하였고, 3부의 명칭이나 6부의 명칭을 모두 바꾸어 운영하였다. 또한 6부를 이원화시켜 운영하였다는 점에서 독자적으로 운영하였음을 알 수 있다.

오답 피하기 ① 지방의 요충지에 5소경을 설치한 것은 통일 신라에 해당한다.

15 고려의 관리 등용 제도

고려 시대에는 과거제와 음서제로 관리를 선발하였다. 고려 시대 과거는 문과, 잡과, 승과로 구성되었으며, 법적으로 양인 이상이면 응시가 가능하였다. 무과는 거의 시행되지 않았기 때문에 무예나 신체 조건이 뛰어난 사람을 뽑아서 무관으로 임명하였다. 음서는 왕족의 후손, 공신, 5품 이상 관리의 자손을 과거 합격 여부와 관계없이 관직에 임명하는 제도였다.

오답 피하기 ① 고려 시대 과거제는 문과, 잡과, 승과로 구성되었으며, 무과는 거의 시행되지 않았다.

16 윤관의 별무반

윤관은 기병·보병·승병으로 구성된 특별 부대인 별무반을 이끌고 여진을 몰아내, 동북 지역에 9성을 쌓고 고려의 영토로 삼았다.

17 무신 정권의 통치 기구

공민왕은 무신 정권기에 설치되어 왕권을 제약하던 정방을 없애고, 권문세족으로부터 인사권을 가져왔다.

18 공민왕의 성균관 개편

공민왕은 개혁을 지지할 세력을 확보하고자 성균관을 정비하고 유학 교육을 강화하였다. 이는 신진 사대부가 새로운 정치 세력으로 성장할 수 있는 배경이 되었다.

19 김윤후와 하층민의 대몽골 항쟁

승려였던 김윤후는 처인성에서 부곡민들과 몽골군 대장 살리타를 사살했을 뿐 아니라, 몽골의 5차 침입 때 충주성에서 관노비들과 함께 몽골군의 남하를 막기도 하였다.

20 지눌의 활동

지눌은 선종을 중심으로 교종을 포용하고자 하였고, 불교의 세속화를 비판하며 불교 개혁 운동을 전개하였다.

더 알아보기 의천과 지눌

의천	지눌
• 고려 전기에 활동한 승려 • 화엄종을 중심으로 교종 통합, 이어 선종을 통합하기 위해 해동 천태종 창시	• 무신 집권기에 활동한 승려 • 수선사(송광사)를 중심으로 불교 개혁 운동 전개 • 선종을 중심으로 교종 포용

핵심 용어 풀이

❶ 뗀석기 (뗀, 돌 石, 그릇 器)

돌을 깨거나 떼어 내어 만든 석기

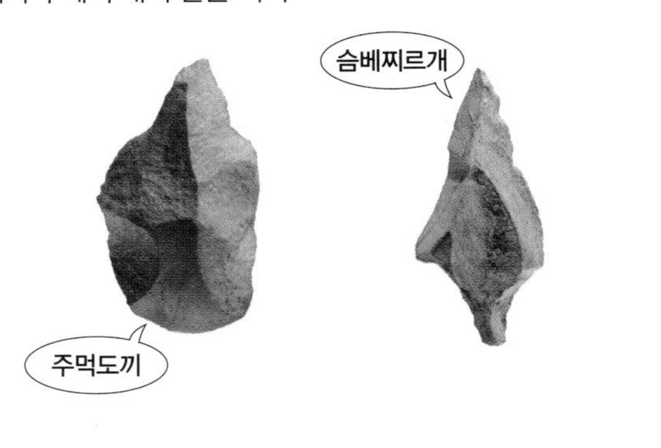

예1 구석기 시대 사람들이 사용한 뗀석기에는 찍개, 주먹도끼, 슴베찌르개 등이 있다.

예2 나무를 자르거나 사냥할 때 사용한 찍개는 대표적인 뗀석기이다.

❷ 간석기 (간, 돌 石, 그릇 器)

❶ [   ]의 날 부분 또는 표면 전체를 갈아서 만든 석기

답 ❶ 돌

예1 신석기 시대에는 돌을 갈아서 만든 간석기를 사용하였다.

예2 신석기 시대에는 돌도끼, 돌화살촉 등 용도에 따라 다양한 간석기가 만들어졌다.

❸ 막집 (막 幕, 집)

평탄한 지형에 기둥을 세우고 바람을 막기 위해 간단히 지은 집

예1 구석기 시대 사람들은 동굴이나 바위 그늘, 강가의 막집에서 생활하였다.

예2 막집은 선사 시대의 사람들이 생활 본거지 이외에 계절에 따라 잠시 살았던 자리이다.

❹ 움집

❶ [   ]을 파고 바닥을 편평하게 고른 뒤, 기둥을 세우고 그 위에 억새나 나뭇가지 등으로 덮어 만든 집

답 ❶ 땅

예1 신석기 시대 사람들은 강가나 바닷가에 움집을 지어 생활하였다.

예2 움집은 지면보다 아래에 위치하기 때문에 바람을 피하고 온도를 유지하는 데 효과적이었다.

❺ 신석기 혁명 (새 新, 돌 石, 도구 器, 가죽 革, 목숨 命)

신석기 시대에 ❶ [   ]과 목축의 시작으로 식량을 생산하게 되면서 인류의 생활 모습이 크게 달라진 변화를 일컫는 말

답 ❶ 농경

예1 신석기 시대의 변화를 산업 혁명과 비교하여 신석기 혁명이라고 한다.

예2 인류는 신석기 혁명으로 한곳에 머물러 사는 정착 농경 생활을 시작하였다.

❻ 청동기 (푸를 靑, 구리 銅, 도구 器)

구리에 주석이나 아연을 섞어 만든 금속인 ❶ [   ]으로 만든 그릇이나 도구

답 ❶ 청동

예1 인류의 생활은 청동기를 사용하면서 크게 변하였다.

예2 인류는 청동기의 사용으로 생산력이 향상되고 강력한 군대가 조직되었다.

❼ 제사장 (제사 祭, 맡을 祀, 어른 長)

제사를 비롯한 ❶ [   ] 의식을 주관하는 사람

답 ❶ 종교

예1 삼한에서는 제사장인 천군이 소도에 머무르며 종교 의식을 주관하였다.

예2 제사장인 천군이 머무는 소도는 신성한 지역으로 여겨졌다.

❽ 연맹 (이을 聯, 맹세 盟)

둘 이상의 개인이나 단체가 공동의 목적을 위해 서로 돕고 같은 행동을 취할 것을 약속한 조직체

예1 부여와 고구려는 5부족이 연맹을 맺은 국가였다.

예2 가야는 중앙 집권 국가로 발전하지 못하여 연맹 왕국 단계에서 멸망하였다.

❾ 서옥제 (사위 壻, 집 屋, 제도 制)

신부 집에 작은 별채를 지어 신랑이 들어가 살다가 아이가 장성하면 부인과 아이를 신랑 집으로 데려가는 ❶[ ]의 혼인 풍습

답 ❶ 고구려

예1 고구려에는 남자가 여자 집에 가서 일정 기간 거주하는 서옥제라는 혼인 풍습이 있었다.

❿ 민며느리제

10세 정도의 며느릿감을 데려다 키우고, 장성한 뒤 일단 다시 여자 집으로 돌려보내 그쪽에서 청구하는 돈을 지급한 후 다시 데려와 혼인하는 ❶[ ]의 결혼 풍습

답 ❶ 옥저

예1 옥저에는 여자아이를 데려와 기른 후 며느리로 삼는 민며느리제라는 혼인 풍습이 있었다.

⓫ 책화 (꾸짖을 責, 재난 禍)

다른 부족의 영역을 침범하면 노비나 소, 말 등으로 물게 하는 ❶[ ]의 풍습

답 ❶ 동예

예1 동예에는 각 부족이 영역을 정해 다른 부족이 함부로 침범하지 못하게 하는 책화라는 풍습이 있었다.

⓬ 태학 (클 太, 배울 學)

❶[ ]의 중앙 교육 기관으로, 상류 계급의 자제들을 입학시켜 경학(유교 경전을 연구하는 학문), 문학, 무예 등을 가르침

답 ❶ 고구려

예1 고구려의 소수림왕은 국립 교육 기관인 태학을 설치하여 중앙 귀족 자제에게 경학, 문학 등을 가르쳐 인재를 양성하였다.

⓭ 율령 (법 律, 명령 令)

형률과 법령이라는 뜻으로, ❶ [ ] 을 통틀어 이르는 말

답 ❶ 법률

예1 고구려의 소수림왕은 율령을 반포(널리 알림)하여 통치 조직을 정비하였다.

예2 율령을 나라의 기본으로 하여 통치한 국가를 율령 국가라고 한다.

⓮ 담로 (멜 擔, 노둔할 魯)

백제가 지방 통치 조직을 정비하기 전에 두었던 ❶ [ ] 행정 구역의 명칭

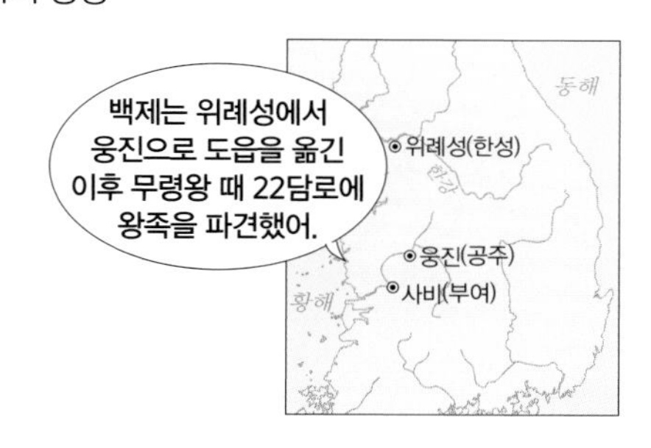

답 ❶ 지방

예1 무령왕은 지방의 중요 지역인 22담로에 왕족을 파견하여 지방을 통제하였다.

예2 백제는 왕자나 왕족을 파견하여 다스리는 지방 행정 구역으로 담로를 두었다.

⓯ 연호 (해 年, 부를 號)

❶ [ ] 를 나타내기 위해 붙이는 이름으로, 군주 국가에서는 임금이 즉위하는 해에 새로운 연호를 붙임.

답 ❶ 연도

예1 광개토 대왕은 '영락'이라는 연호를 사용하였다.

⓰ 순수비 (돌 巡, 사냥할 狩, 비석 碑)

왕이 나라 안을 돌아다니며 두루 살핀 것을 기념하여 세운 비석. 신라 ❶ [ ] 은 새로 영토가 된 한강 유역을 살피며 서울 북한산 신라 진흥왕 순수비를 세웠다.

▲ 북한산 신라 진흥왕 순수비

답 ❶ 진흥왕

예1 신라 진흥왕은 영토 확장을 기념하여 4개의 순수비를 세웠다.

⑰ 고분 (옛 古, 무덤 墳)

삼국 시대에 왕을 비롯한 지배층의 ❶ [   ]

답 ❶ 무덤

예1 고분을 삼국 예술의 보고(보물 창고)라고 한다.

예2 일제 시대에 일본인 골동품 수집가들이 우리나라의 고분을 많이 파헤쳤다고 한다.

⑱ 사신도 (넉 四, 신 神, 그림 圖)

각기 동, 서, 남, 북의 ❶ [   ]를 지키는 신인 청룡, 백호, 주작, 현무를 그린 그림

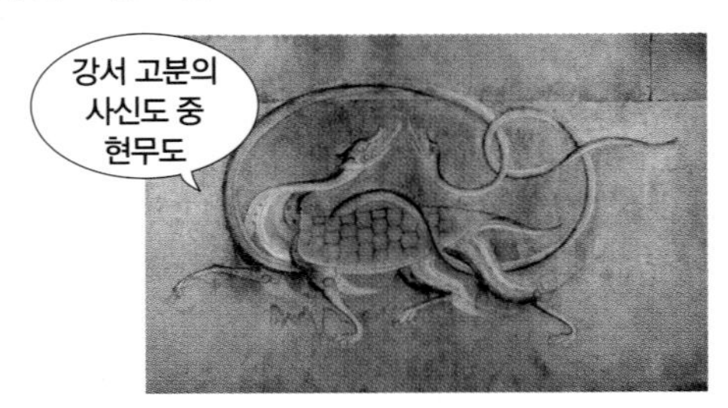

답 ❶ 방위

예1 고구려는 고분 벽화에 사신도를 즐겨 그렸다.

예2 사신도는 돌로 널을 안치하는 방 형태인 돌방무덤의 네 벽면에 그려졌다.

⑲ 서역 (서녘 西, 땅의 가장자리 域)

❶ [   ]의 서쪽 지역에 있던 여러 나라를 통틀어 이르는 말

답 ❶ 중국

예1 삼국은 서역 지방과도 교류하였는데, 경주에서 발견된 유리그릇과 보검 등은 서역에서 신라까지 전해졌다.

⑳ 국학 (나라 國, 배울 學)

통일 신라에서 ❶ [   ]을 가르치기 위해 설립한 국립 교육 기관

답 ❶ 유학

예1 신문왕은 국학을 설치하여 유학을 전문적으로 가르치도록 하였고, 국학은 유학자들이 성장하는 배경이 되었다.

㉑ 관료전(벼슬 官, 동료 僚, 밭 田)

통일 신라 시대 국가가 ❶ [　　　]에게 등급에 따라 차등 있게 지급한 토지. 토지에 대한 수조권(세금을 거둘 수 있는 권한)만 지급함

답 ❶ 관리

예1 신문왕은 관리들에게 관료전을 지급하였다.

㉒ 녹읍(녹봉 祿, 고을 邑)

신라 시대 국가가 ❶ [　　　]에게 지급한 토지. 토지에 대한 수조권뿐만 아니라, ❷ [　　　]의 노동력까지도 동원할 수 있는 권한이 있어 귀족의 특권이 되었음

답 ❶ 귀족 ❷ 농민

예1 신문왕은 귀족들의 경제 기반인 녹읍을 폐지하였다.

㉓ 호족(호걸 豪, 무리 族)

통일 신라 말기 ❶ [　　　]에서 성장한 세력

답 ❶ 지방

예1 신라 말에는 지방에서 독자적으로 세력을 키운 호족이 등장하였다.

예2 신분 제도에 따라 관직 승진에 제한을 받았던 6두품 지식인은 정치에서 물러나 호족과 손을 잡고 사회 개혁을 주도하였다.

㉔ 과거제(과목 科, 들 擧, 제도 制)

일정한 시험을 거쳐 ❶ [　　　]를 등용하는 제도로, 우리나라에서는 고려 시대 ❷ [　　　]이 중국에서 귀화한 쌍기의 건의로 처음 시행함

답 ❶ 관리 ❷ 광종

예1 광종은 과거제를 시행하여 유학을 익힌 신진 인재들을 등용하였다.

예2 왕은 과거제를 통해 자신에게 충성할 인물들을 뽑을 수 있었고, 이는 왕권의 강화로 이어졌다.

㉕ 향, 부곡, 소 (시골 鄕, 나눌 部, 굽을 曲, 곳 所)

신라 때부터 고려 말까지 있었던 특수한 행정 구역. 향과 부곡은 ❶ [   ]에 종사하였으며, 소는 종이나 자기, 먹 등 나라에서 필요로 하는 물건을 만드는 지역임

답 ❶ 농업

예1 고려 시대에는 향, 부곡, 소 등의 특수 행정 구역을 설치하였다.

㉖ 삼별초 (셋 三, 나눌 別, 뽑을 抄)

❶ [   ] 정권 시기에 조직된 군대로 좌별초와 우별초, 신의군으로 구성됨. 고려 정부가 ❷ [   ]과 강화할 때 이에 반대하여 마지막까지 항쟁함

답 ❶ 최씨 ❷ 몽골

예1 삼별초는 몽골과의 강화를 거부하고 대몽 항쟁을 계속하였다.

㉗ 연등회 (탈 燃, 등 燈, 모임 會)

정월 보름 때 불을 켜고 부처에게 복을 비는 불교 행사로, 고려 시대에는 ❶ [   ]에서 이를 주도하였음

답 ❶ 국가

예1 고려에서는 태조 때부터 국가의 안녕을 빌기 위하여 연등회가 해마다 열렸다.

㉘ 성리학 (사물의 본질 性, 이치 理, 학문 學)

남송의 주희가 집대성한 ❶ [   ]으로, 우주의 원리와 인간의 심성 등을 탐구하고 절제와 윤리의식을 강조하는 실천 철학

답 ❶ 유학

예1 신진 사대부들은 성리학 이론에 근거하여 사회 개혁을 추진하였다.

핵심 정리 01 구석기 시대와 신석기 시대

구분	구석기 시대	신석기 시대
시기	약 70만 년 전부터 시작	약 1만 년 전부터 시작
도구	❶ ______ (주먹도끼, 슴베찌르개, 찍개 등) ▲ 주먹도끼	❷ ______ (갈판과 갈돌, 돌괭이 등), 토기(빗살무늬 토기) ▲빗살무늬 토기
주거	동굴, 바위 그늘, 막집	강가나 바닷가의 움집
생활 모습	이동 생활, 평등 사회	농경과 목축 시작, 정착 생활, 평등 사회

답 ❶ 뗀석기 ❷ 간석기

핵심 정리 02 청동기 시대

1. **시기** : 기원전 2000년~기원전 1500년경
2. **도구** : 청동검(비파형 동검), 간석기(반달 돌칼), 토기(민무늬 토기)
3. **생활 모습** : 벼농사 시작, 계급 사회(❶ ______, 돌널무덤 등 거대한 무덤 제작), 제정일치 사회

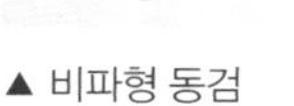

▲ 비파형 동검

▲ 고인돌

답 ❶ 고인돌

핵심 정리 03 고조선

1. **건국** : ❶ ______ 문화를 배경으로 건국된 우리 역사상 최초의 국가(기원전 2333)
2. **성장과 멸망** : 기원전 5세기 철기 문화 수용 → 위만 집권(기원전 194) → 중계 무역으로 큰 이익 차지 → 한 무제의 침입으로 멸망(기원전 108)
3. **사회 모습** : ❷ ______ 을 두어 질서 유지

고조선의 8조법 중 일부
- 사람을 죽인 자는 즉시 죽인다.
- 남에게 상처를 입힌 자는 곡식으로 갚는다.
- 도둑질한 자는 노비로 삼는다. 용서를 받으려면 50만 전을 내야 한다.

답 ❶ 청동기 ❷ 8조법

핵심 정리 04 여러 나라의 성장

구분	정치	사회
부여	왕 있음, 5개 집단이 연맹한 국가	• 순장, 1책 12법 • 제천 행사 : ❶ ______
고구려	왕 있음. ❷ ______ 에서 국가 중대사 결정	• 서옥제 • 제천 행사 : 동맹
옥저	왕이 없고, 읍군·삼로가 다스림.	민며느리제, 가족 공동 무덤
동예		• 족외혼, 책화 • 제천 행사 : 무천
삼한	• 마한, 진한, 변한 → 마한의 왕이 삼한을 대표함 • 신지·읍차가 정치 담당, 천군이 ❸ ______ 에서 종교의식 → 제정 분리	• 벼농사 발달 • 제천 행사 : 5월·10월 계절제 • 변한 지역에 철 풍부 → 화폐처럼 사용함

답 ❶ 영고 ❷ 제가 회의 ❸ 소도

핵심 정리 02

[예제] 다음 유물과 관련 있는 시대에 살았던 사람들의 가상 대화로 옳지 않은 것은?

① 올해 벼농사는 풍년일세.
② 어서 반달 돌칼로 수확하러 가세.
③ 나는 주먹도끼를 쓰는 게 더 편하네.
④ 나는 돼지, 염소를 돌봐야 해서 갈 수가 없네.
⑤ 나도 군장님의 고인돌을 만들러 가야 한다네.

답 ③

기억해요!

비파형 동검은 ❶ [ ] 시대에 처음 만들어졌다. ❷ [ ] 는 구석기 시대의 대표적인 도구이다.

답 ❶ 청동기 ❷ 주먹도끼

핵심 정리 01

[예제] '구석기 시대 상상화 그리기' 모둠 과제를 수행하기 위해 학생들이 토의한 내용이다. 적절한 내용만을 말한 학생을 고른 것은?

> 주혜 : 구석기인이 무리 지어서 멧돼지를 사냥하는 모습을 그리자.
> 윤아 : 사냥을 하는 구석기인의 손에 반달 돌칼을 그려주는 것이 좋겠어.
> 수현 : 그림의 배경으로 움집을 몇 개 그려서 구석기인의 마을을 표현해주자.
> 지훈 : 구석기인 몇 명이 동굴 안에서 벽화를 그리는 모습도 함께 그려주면 좋겠어.

① 주혜, 윤아 ② 주혜, 지훈 ③ 윤아, 수현
④ 윤아, 지훈 ⑤ 수현, 지훈

답 ②

기억해요!

구석기 시대에는 ❶ [ ] 를 사용하였고, 동굴이나 ❷ [ ] 에서 살며 이동 생활을 하였다.

답 ❶ 뗀석기 ❷ 막집

핵심 정리 04

[예제] (가)에 대한 설명으로 옳지 않은 것은?

> 한반도 남부에서는 여러 개의 소국이 모여서 마한, 진한, 변한이라는 연맹체를 만들었다. 이들을 통틀어 (가) 이라고 한다.

① 5월과 10월에 제천 행사를 하였다.
② 5개의 집단이 연맹하여 세운 국가였다.
③ 군장의 힘이 미치지 못하는 신성 지역이 있었다.
④ 비옥한 평야 지대에 자리해 벼농사가 발달하였다.
⑤ 신지와 읍차 같은 군장이 각각의 소국을 통치하였다.

답 ②

기억해요!

마한, 진한, 변한을 통틀어 삼한이라고 한다. 철기 문화를 바탕으로 세워진 여러 나라 중 5개의 집단이 연맹하여 세운 나라는 ❶ [ ] 와 ❷ [ ] 이다.

답 ❶ 부여 ❷ 고구려

핵심 정리 03

[예제] 고조선의 위만과 가상 인터뷰를 할 때 질문으로 적절하지 않은 것은?

① 8조법을 없앤 까닭은 무엇인가요?
② 왜 준왕을 몰아내고 왕이 된 건가요?
③ 중계 무역은 경제 발전에 어떤 도움이 되었나요?
④ 철기 문화 확산을 위해 어떤 노력을 기울였나요?
⑤ 무리를 이끌고 고조선으로 이주한 까닭은 무엇인가요?

답 ①

기억해요!

고조선은 ❶ [ ] 의 집권 이후 철기 문화를 바탕으로 더욱 세력을 넓혔다. 사회 · 경제적으로 발전하면서 ❷ [ ] 등 엄격한 법률을 통해 사회 질서를 유지하였다.

답 ❶ 위만 ❷ 8조법

핵심 정리 05 삼국의 성장

고구려	• 건국 : 부여의 이주민 세력을 이끈 주몽이 왕위 차지 • ❶ ______ : 옥저 정복 • 소수림왕: 불교 수용, 태학 설립, 율령 반포
백제	• 건국 : 마한의 소국에서 출발(부여 · 고구려계 이주민 + 한강 유역의 토착 세력) • 고이왕 : 관리의 등급을 정함, 율령 마련 • 근초고왕 : 마한 전 지역 통합, 중국의 동진 및 왜와 교류 • 침류왕 : ❷ ______ 수용
신라	• 건국 : 진한의 사로국에서 출발(경주 토착 세력 + 이주민 세력) • 내물왕 : 김씨의 왕위 세습, 왕호 '❸ ______' 사용

답 ❶ 태조왕 ❷ 불교 ❸ 마립간

핵심 정리 06 삼국의 발전(5~6세기)

고구려	• 광개토 대왕 : 만주와 요동 대부분 차지, 신라 내물왕의 요청으로 신라에 침입한 왜군 격퇴 • 장수왕 : ❶ ______ 천도(427), 남진 정책(한반도 중부 지역까지 영역 확장
백제	• 쇠퇴 : 고구려의 남진 정책 → 나제 동맹 체결 → 고구려의 한성 점령 → ❷ ______(공주)으로 천도 • 무령왕 : 남조와 교류, 22담로에 왕족 파견 • 성왕 : 사비(부여) 천도, 중앙에 22개 실무 관청 설치, 한강 하류를 일시적으로 회복
신라	• 지증왕 : 국호 '신라', '왕' 칭호 사용, 우산국 정복 • 법흥왕 : 율령 반포, 관리의 등급을 17등급으로 정함, 불교 공인, 금관가야 정복 • ❸ ______ : 황룡사 건립, 화랑도 개편, 한강 유역 모두 차지, 대가야 정복

답 ❶ 평양 ❷ 웅진 ❸ 진흥왕

핵심 정리 07 삼국의 문화

1. **불교문화** : 고구려(금동 연가 7년명 여래 입상), 백제(서산 용현리 마애 여래 삼존상), ❶ ______(경주 배동 석조 여래 삼존 입상)
2. **도교** : 신선 사상, 노장사상 등이 결합된 신앙(사신도, 산수무늬 벽돌, 백제 금동 대향로)
3. **유학 교육** : 고구려(❷ ______, 경당), 백제(오경박사), 신라(임신서기석)

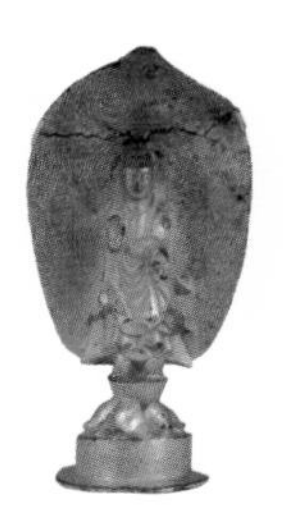
▲ 금동 연가 7년명 여래 입상

▲ 서산 용현리 마애 여래 삼존상

▲ 경주 배동 석조 여래 삼존 입상

답 ❶ 신라 ❷ 태학

핵심 정리 08 통일 신라

1. **태종 무열왕** : 최초의 ❶ ______ 출신 왕. 이후 무열왕의 직계 자손이 왕위 독점
2. **문무왕** : 나당 전쟁 승리 → 삼국 통일 완성
3. **신문왕** : 김흠돌의 난 진압, 진골 귀족 세력 숙청, 국학 설치, 통치 제도 정비(집사부 중시(시중)의 권한 강화, 지방을 ❷ ______으로 정비, 관료전 지급, 녹읍 폐지)

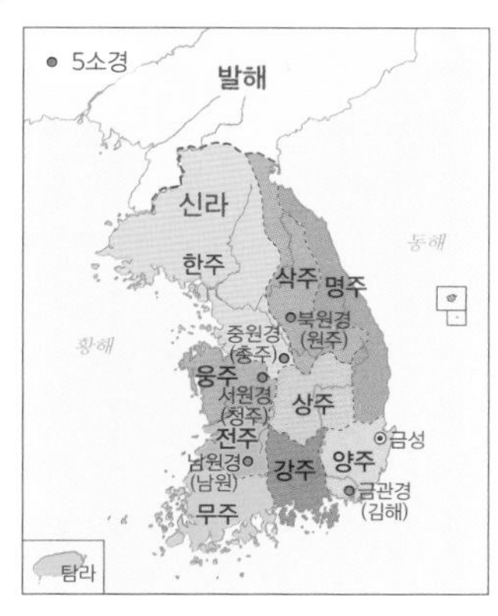

▲ 9주 5소경

답 ❶ 진골 ❷ 9주 5소경

절취선에 따라 카드를 잘라서 활용하세요.

핵심 정리 06

[예제] **빈칸에 들어갈 왕에 대한 설명으로 옳지 않은 것은?**

> 554년, (가) 은/는 신라를 습격하고자 하여 친히 보병과 기병 50명을 거느리고 밤에 구천(충북 옥천)에 이르렀다. 신라의 복병이 일어나자 더불어 싸웠으나 적군에게 해를 입어 죽었다.
>
> - 김부식, 『삼국사기』 -

① 수도를 사비로 옮겼다.

② 국호를 한때 남부여로 고쳤다.

③ 중앙에 22개의 실무 관청을 두었다.

④ 22담로를 정비하여 왕족을 파견하였다.

⑤ 신라와 함께 고구려를 공격해 일시적으로 한강 유역을 회복하였다.

답 ④

기억해요!

22담로를 정비하여 왕족을 파견한 백제의 왕은 ❶ ☐ 이다.

답 ❶ 무령왕

핵심 정리 05

[예제] **㉠, ㉡에 들어갈 국가를 옳게 연결한 것은?**

> 주몽이 졸본에 와서 비류와 온조 두 아들을 낳았다. …… 유리가 왕이 되자 (㉠)를 떠나게 되었다. …… 온조는 한강 남쪽의 하남 위례성에 도읍을 정하였다. …… 그 뒤 백성이 많아지자 나라 이름을 (㉡)라 하였다. 그 조상이 (㉠)와 마찬가지로 부여에서 나왔다고 하여 성을 부여씨라 하였다.
>
> - 『삼국사기』 -

	㉠	㉡		㉠	㉡
①	고구려	신라	②	백제	고구려
③	고구려	백제	④	신라	고구려
⑤	백제	신라			

답 ③

기억해요!

백제는 ❶ ☐ 에서 이주한 세력이 ❷ ☐ 유역의 토착 세력과 결합하여 건국하였다.

답 ❶ 고구려 ❷ 한강

핵심 정리 08

[예제] **다음 정책들을 실시한 목적으로 가장 적절한 것은?**

> • 관료전 지급　　　• 녹읍 폐지

① 나당 전쟁에서 승리하기 위해서이다.

② 귀족의 특권을 제한하기 위해서이다.

③ 삼국의 백성을 융화시키기 위해서이다.

④ 6두품 이하의 관료를 양성하기 위해서이다.

⑤ 화백 회의의 기능을 확대시키기 위해서이다.

답 ②

기억해요!

❶ ☐ 은 관리들에게 관료전을 지급하고 귀족들의 경제적 기반인 녹읍을 폐지하여 ❷ ☐ 의 특권을 제한하려 하였다.

답 ❶ 신문왕 ❷ 귀족

핵심 정리 07

[예제] **(가)에 들어갈 말로 옳은 것은?**

> ○○박물관
> 특별전
>
> 삼국의
> (가) 예술
>
> - 기획 전시관 -

▲ 백제 금동 대향로

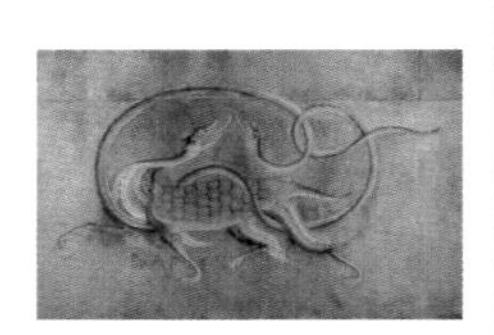

▲ 사신도(현무)

① 고분　② 도교　③ 불교

④ 유교　⑤ 민간 신앙

답 ②

기억해요!

고구려에서는 고분 벽화에 도교의 방위신인 ❶ ☐ 를 즐겨 그렸으며, 백제의 ❷ ☐ 에는 도교 신앙의 요소들이 표현되어 있다.

답 ❶ 사신도 ❷ 금동 대향로

핵심 정리 09 발해

1. 발전과 멸망

무왕	독자 연호 사용, 당의 산둥반도 공격
문왕	상경 용천부로 천도, 당과의 관계 개선
선왕	옛 고구려 영토 대부분 차지, 당에서 발해를 '❶ [ ]'이라 칭함
멸망	9세기 말 지배층의 권력 다툼으로 국력 약화 → 거란의 침략으로 멸망(926)

2. 통치 제도 : 중앙(3성 6부제 → 당 제도를 모방하였으나 독자적으로 운영), 지방(5경 15부 62주, 지방관 파견)

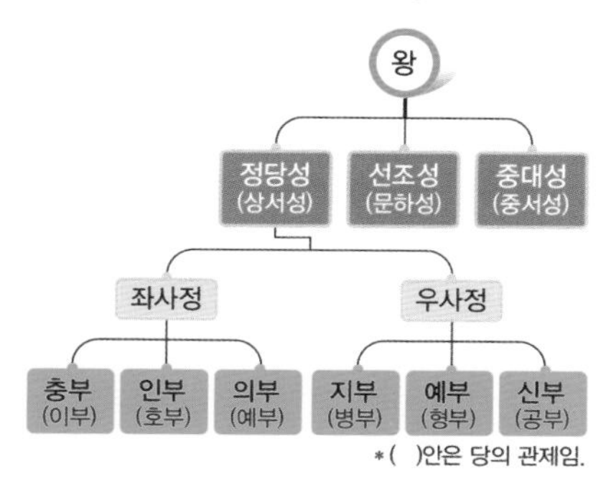

*( )안은 당의 관제임.

답 ❶ 해동성국

핵심 정리 10 남북국의 문화

1. 통일 신라의 문화

유학	국학 설치, 독서삼품과 실시, 유학자(강수, 설총, 최치원, 김대문)
불교	원효(일심 사상을 바탕으로 한 화쟁 사상, 불교 대중화(아미타 신앙)), ❶ [ ](신라 화엄종 개창, 관음 신앙), 혜초(『왕오천축국전』 저술)
불교 문화	불국사, 석굴암, 3층 석탑 유행, 신라 말 승탑과 탑비 유행, 범종(성덕 대왕 신종, 상원사 동종), 『무구정광대다라니경』(세계에서 가장 오래된 목판 인쇄물)

2. 발해의 문화 : ❷ [ ] 문화 바탕(온돌, 이불병좌상, 석등) + 당 문화 수용(당의 장안성을 모방한 발해 수도 상경성, 발해 삼채) + 말갈 문화 흡수(말갈식 토기)

답 ❶ 의상 ❷ 고구려

핵심 정리 11 고려의 건국과 체제 정비

1. **태조** : ❶ [ ] 통합(혼인 정책, 사심관 제도, 기인 제도), 북진 정책(서경 중시, 거란 적대), 훈요 10조(후대 왕들이 지켜야 할 정책 방향 제시)
2. **광종** : 노비안검법 시행, 과거제 실시, 황제 칭호와 독자 연호 사용
3. **성종** : 최승로의 ❷ [ ] 채택, 중앙 정치 제도 마련, 지방의 12목에 지방관 파견

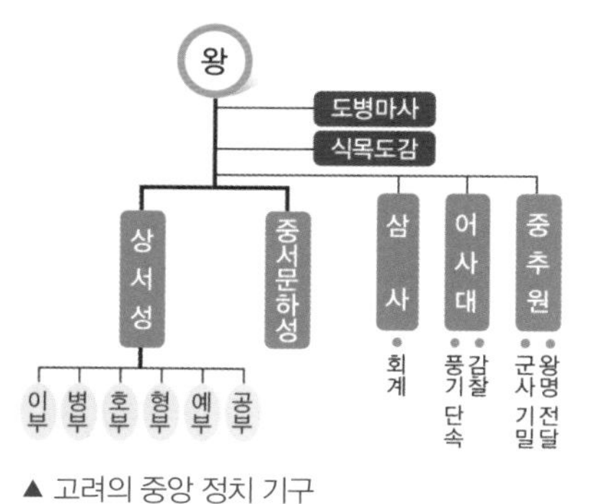

▲ 고려의 중앙 정치 기구

답 ❶ 호족 ❷ 시무 28조

핵심 정리 12 무신 정권

1. **무신 정변** : 문신 위주의 정치, 무신에 대한 차별 대우, 의종의 실정 → 정중부, 이의방 등이 정변을 일으킴 → 문신 제거, 의종 폐위(중방이 최고 권력 기관이 됨)
2. **최씨 무신 정권** : ❶ [ ] 집권 이후 4대 60여 년간 지속, 교정도감(최고 권력 기구), ❷ [ ](관리 인사 행정), 도방(최고 집권자의 사병), 삼별초(최씨 무신 정권의 군사적 기반)

이의방	정중부	경대승	이의민	최충헌	최우	최항	최의	김준	임연	임유무
중방				교정도감		교정도감·정방				

▲ 무신 집권자의 변천과 무신 정권의 지배 기구

답 ❶ 최충헌 ❷ 정방

핵심 정리 10

[예제] (가)에 들어갈 명칭으로 옳은 것은?

문화재 카드

1. 문화재명 : (가)
2. 특징
   - 불국사 3층 석탑에서 발견되었음
   - 세계에서 가장 오래된 목판 인쇄물

① 다보탑 ② 석굴암
③ 『발해고』 ④ 『왕오천축국전』
⑤ 『무구정광대다라니경』

답 ⑤

기억해요!

불국사 3층 석탑에서 발견된 『무구정광대다라니경』은 ❶ ______ 의 인쇄술과 제지술이 뛰어남을 보여 준다.

답 ❶ 통일 신라

핵심 정리 09

[예제] (가), (나)에 해당하는 국왕으로 옳은 것은?

(가) 돌궐, 일본과의 친선 관계를 통해 당과 신라를 견제하였고, 장문휴를 보내 산둥반도의 등주를 선제 공격하였다.
(나) 당과 친선 관계를 맺고 당의 문물과 제도를 받아들였다. 또한 수도를 상경 용천부로 옮겼다.

	(가)	(나)
①	무왕	문왕
②	무왕	선왕
③	문왕	무왕
④	문왕	선왕
⑤	선왕	무왕

답 ①

기억해요!

발해의 2대 왕인 ❶ ______ 은 당의 산둥반도를 공격하는 등 당에 적대적이었다. 그러나 ❷ ______ 은 당과의 관계를 개선하였다.

답 ❶ 무왕 ❷ 문왕

핵심 정리 12

[예제] (가), (나)에 들어갈 정치 기구를 옳게 짝지은 것은?

(가) : 최씨 무신 정권 당시 국정 총괄 기관. 국가의 중요 정책 결정
(나) : 최우가 설치한 관리들의 인사 업무 담당 기구

	(가)	(나)
①	교정도감	정방
②	교정도감	도방
③	도방	정방
④	정방	교정도감
⑤	정방	도방

답 ①

기억해요!

최충헌은 군사적으로 도방, ❶ ______ 와 같은 사병 집단을 이용하여 자신의 권력을 지켜 나갔다.

답 ❶ 삼별초

핵심 정리 11

[예제] 다음 주장을 뒷받침할 수 있는 내용을 〈보기〉에서 고른 것은?

고려의 태조는 북진 정책을 추진하였다.

보기
ㄱ. 노비안검법을 시행하였다.
ㄴ. 유력한 호족의 딸들과 혼인하였다.
ㄷ. 발해를 멸망시킨 거란을 적대시하였다.
ㄹ. 고구려의 수도였던 서경(평양)을 중시하였다.

① ㄱ, ㄴ ② ㄱ, ㄹ ③ ㄴ, ㄷ
④ ㄴ, ㄹ ⑤ ㄷ, ㄹ

답 ⑤

기억해요!

고려 태조 ❶ ______ 이 서경을 중시하고 거란을 배척한 사실을 바탕으로 ❷ ______ 의 의지를 파악할 수 있다.

답 ❶ 왕건 ❷ 북진 정책

핵심 정리 13 고려 전기의 대외 관계

1. 송·거란·여진과의 관계

송	친선 관계(송의 거란 견제 목적)
거란(요)	1차 침입(❶ ______의 외교 담판 → 강동 6주 획득), 2차 침입(양규의 활약), 3차 침입(강감찬의 귀주 대첩 → 천리장성, 나성 축조)
여진	윤관의 ❷ ______ 조직 → 여진 정벌, 동북 9성 축조

2. 대외 교류 : 예성강 하구 벽란도가 국제 무역항으로 번성(아라비아 상인도 드나듦)

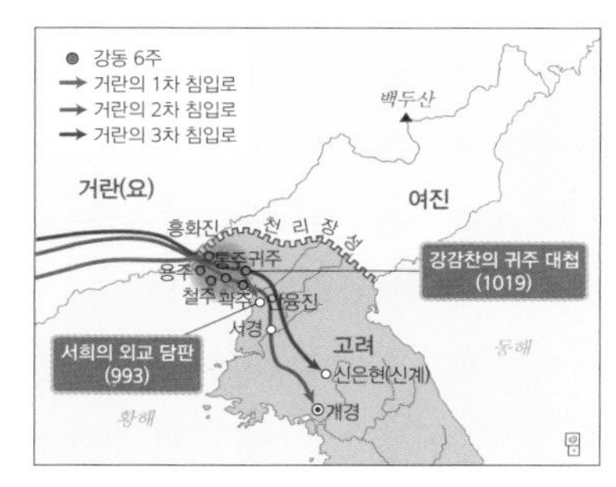

▲ 거란의 침입과 고려의 대응

답 ❶ 서희 ❷ 별무반

핵심 정리 14 공민왕의 개혁 정치

1. 반원 자주 정책 : 친원 세력 제거, 정동행성 축소, ❶ ______ 공격(철령 이북 영토 회복), 격하된 왕실의 호칭과 관제 복구, 몽골풍 금지

2. 왕권 강화 정책 : 정방 폐지(국왕이 인사권 장악), ❷ ______ 설치(신돈 등용, 권문세족이 불법으로 차지한 땅과 노비를 원래대로 되돌림), 성균관 정비(유학 교육 강화 → 신진 사대부 성장의 배경)

답 ❶ 쌍성총관부 ❷ 전민변정도감

핵심 정리 15 고려의 가족 제도

1. 고려의 가족 제도

혼인	일부일처제 원칙, 처가살이가 일반적, 이혼과 재혼에 제약 없음
상속	부모의 재산은 아들과 딸을 구분하지 않고 균등하게 상속, 부모의 제사도 자녀들이 돌아가며 나누어 맡았기 때문에 아들이 없어도 양자를 들이지 않음
여성의 지위	여성도 ❶ ______가 될 수 있음, 아들과 딸 구분 없이 태어난 순서대로 호적에 기록, 여성의 사유 재산 인정, 사위와 외손자도 음서 혜택 가능

▲ 여주 이씨 호적

답 ❶ 호주

핵심 정리 16 고려의 종교와 사상

1. 불교 통합 운동

의천	해동 천태종 창시, 교종 중심으로 선종 통합
지눌	수선사(송광사) 결사 운동, ❶ ______ 중심으로 교종 포용

2. 성리학의 수용

성리학	인간의 마음과 우주의 원리를 철학적으로 탐구하는 새로운 유학
수용 과정	충렬왕 때 안향이 소개 → 원의 수도에 만권당 설치 → 이색, 정몽주 등에 의해 확산 → ❷ ______가 개혁 사상으로 수용

답 ❶ 선종 ❷ 신진 사대부

핵심 정리 14

[예제] (가)에 들어갈 내용으로 옳은 것을 〈보기〉에서 고르면?

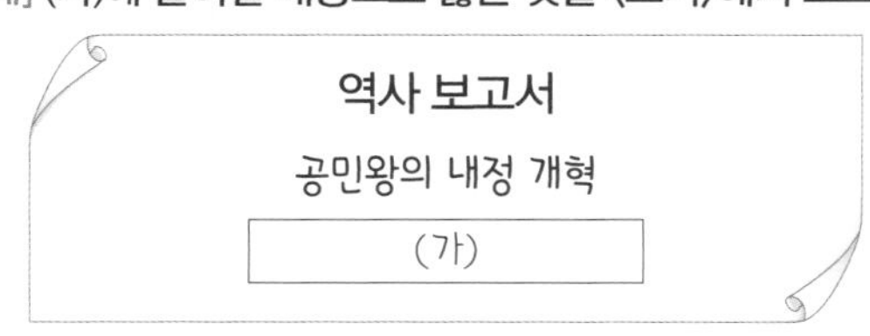

보기

ㄱ. 정방 설치　　ㄴ. 성균관 정비
ㄷ. 친원 세력 등용　　ㄹ. 전민변정도감 설치

① ㄱ, ㄴ　② ㄱ, ㄹ　③ ㄴ, ㄷ
④ ㄴ, ㄹ　⑤ ㄷ, ㄹ

답 ④

기억해요!

공민왕은 ❶ ☐ 을 없애고 친원 세력인 ❷ ☐ 으로부터 인사권을 가져왔다.

답 ❶ 정방 ❷ 권문세족

핵심 정리 13

[예제] 가상 뉴스의 (가)에 들어갈 내용으로 옳은 것은?

① 고려는 강화도로 수도를 옮겼다.
② 김윤후와 처인성의 부곡민이 항전하였다.
③ 삼별초가 개경 환도에 반대하며 항전하였다.
④ 강감찬과 고려군이 귀주에서 크게 승리하였다.
⑤ 민심을 모으기 위해 팔만대장경을 제작하였다.

답 ④

기억해요!

거란의 3차 침입에 맞서 ❶ ☐ 이 이끄는 고려군이 ❷ ☐ 대첩의 승리를 거두었다.

답 ❶ 강감찬 ❷ 귀주

핵심 정리 16

[예제] 다음은 철수가 그린 마인드맵이다. (가)에 들어갈 사상으로 옳은 것은?

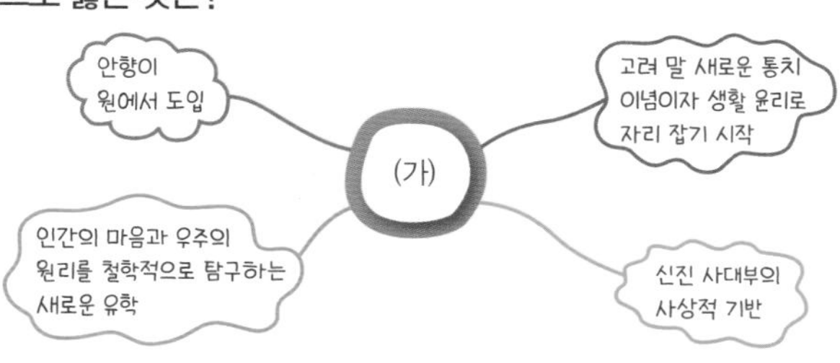

① 교종　② 선종
③ 성리학　④ 민간 신앙
⑤ 풍수지리설

답 ③

기억해요!

❶ ☐ 은 남송의 주희가 집대성한 학문으로, 인간의 심성과 우주의 원리를 탐구하는 새로운 유학이다.

답 ❶ 성리학

핵심 정리 15

[예제] 다음의 검색 결과로 나올 수 없는 내용은?

통합검색 | 고려의 가족 제도 ▼ | 검색

① 혼인을 하면 일반적으로 시집살이를 하였다.
② 사위와 외손자도 음서의 혜택을 받을 수 있었다.
③ 부모의 재산은 아들과 딸이 균등하게 물려받았다.
④ 아들이 없어도 양자를 들이지 않는 것이 일반적이었다.
⑤ 부모의 제사도 아들과 딸을 구별하지 않고 돌아가며 나누어 맡았다.

답 ①

기억해요!

고려 시대에는 ❶ ☐ 가 원칙이었고, 결혼 후에는 남자가 여자의 집에서 지내는 ❷ ☐ 가 일반적이었다.

답 ❶ 일부일처제 ❷ 처가살이

언제나 만점이고 싶은 친구들

Welcome!

숨 돌릴 틈 없이 찾아오는 시험과 평가,
성적과 입시 그리고 미래에 대한 걱정.
중·고등학교에서 보내는 6년이란 시간은
때때로 힘들고, 버겁게 느껴지곤 해요.

그런데 여러분, 그거 아세요?
지금 이 시기가 노력의 대가를
가장 잘 확인할 수 있는 시간이라는 걸요.

안 돼, 못하겠어, 해도 안 될 텐데-
어렵게 생각하지 말아요. 천재교육이 있잖아요.
첫 시작의 두려움을 첫 마무리의 뿌듯함으로 바꿔줄게요.

펜을 쥐고 이 책을 펼친 순간
여러분 앞에 무한한 가능성의 길이 열렸어요.

우리와 함께 꽃길을 향해 걸어가 볼까요?

#시험대비
#핵심정복

7일 끝
중간고사
기말고사

Chunjae
Makes
Chunjae

▼

개발총괄	김덕유
편집개발	중등 사회팀
제작	황성진, 조규영

발행일	2021년 3월 15일 초판 2021년 3월 15일 1쇄
발행인	(주)천재교육
주소	서울시 금천구 가산로9길 54
신고번호	제2001-000018호
고객센터	1577-0902
교재 내용문의	(02)3282-1780

※ 정답 분실 시에는 천재교육 홈페이지에서 내려받으세요.

7일 끝으로 끝내자!

중학 **역사②**

BOOK 2

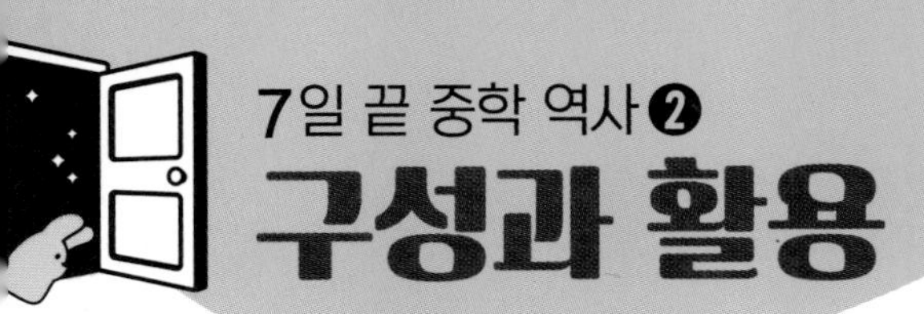

7일 끝 중학 역사 ❷ 구성과 활용

시험 공부 시작

생각 열기

공부할 내용을 만화로 가볍게 살펴보며 학습을 준비해 보세요.

❶ 생각 열기 만화 내용을 가볍게 보고 퀴즈를 풀면서 학습 목표를 떠올려 보세요.

❷ 공부할 내용을 살피며 핵심 학습 요소를 확인해 보세요.

본격 공부 중

교과서 **핵심 정리** + 기초 확인 문제

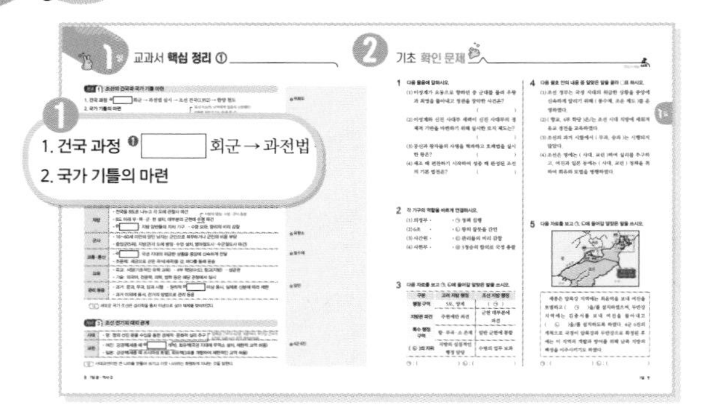

꼭 알아야 할 교과서 핵심 내용을 익히고 기초 확인 문제를 풀며 제대로 이해했는지 확인해 보세요.

❶ 빈칸 문제를 채우며 교과서 핵심 내용을 다시 한 번 체크해 보세요.

❷ 교과서 핵심과 관련된 기초 확인 문제를 풀며 공부한 내용을 확인해 보세요.

내신 기출 베스트

다양한 유형의 문제를 풀어 보며 공부한 내용을 점검해 보세요.

❶ 대표 예제 문제를 풀며 시험에 잘 나오는 문제를 확인해 보세요.

❷ 개념 가이드를 보며 시험에 잘 나오는 용어나 개념을 익히거나 문제 해결의 힌트를 얻어 보세요.

누구나 100점 테스트
앞에서 공부한 내용을 바탕으로 기초 이해력을 점검해 보세요.

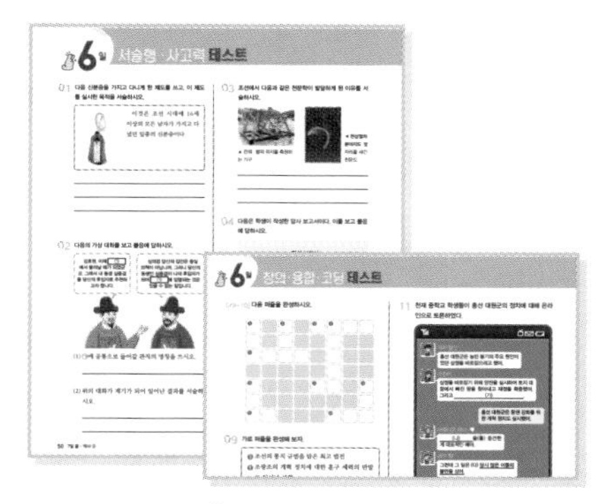

서술형·사고력 **테스트** / 창의·융합·코딩 **테스트**
참신하고 다양한 자료들을 활용한 문제를 풀면서 사고력을 길러 보세요.

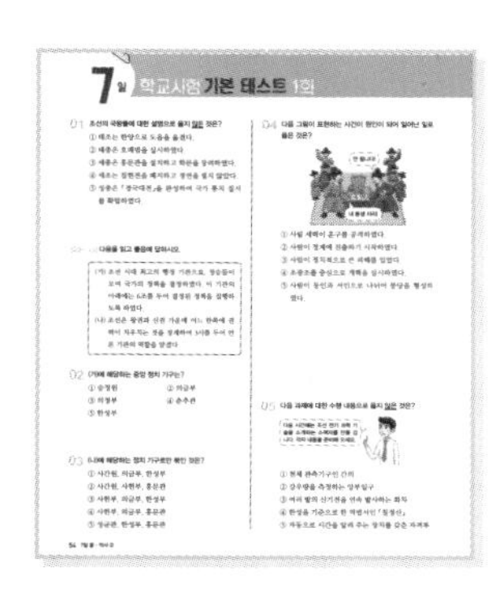

학교 시험 기본 테스트
시험 문제에 가까운 예상 문제를 풀며 실전에 대비해 보세요.

틈틈이·짬짬이 공부하기

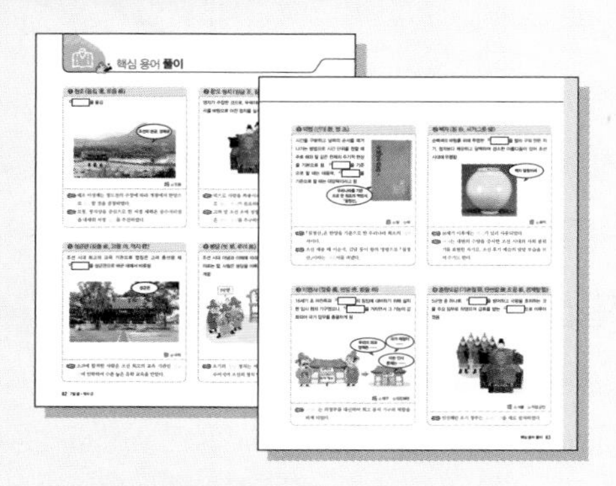

과목별 필수 용어를 담은 핵심 용어를 보며 중요 개념을 익혀 보세요.

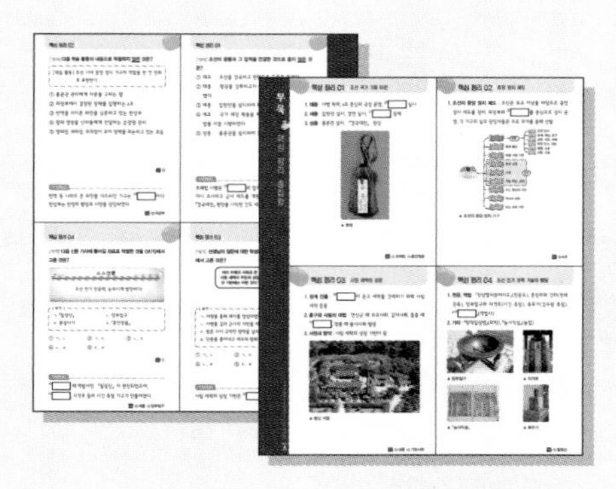

핵심 정리 총집합 카드를 휴대하며 이동하는 중이나 시험 직전에 활용해 보세요.

7일 끝 중학 역사❷

차례

6일

7일

1일 조선의 성립과 발전

생각 열기

• 조선의 성립

Quiz

성종 때 조선의 기본 법전인 「❶ ＿＿＿＿」을 완성하여 유교 중심의 통치 질서를 확립하였다.

답 ❶ 경국대전

공부할 내용

1. 조선의 건국과 통치 체제의 정비
2. 조선의 대외 관계
3. 사림 세력과 정치 변화
4. 과학 기술과 예술의 발달

• 조선의 통치 체제 정비

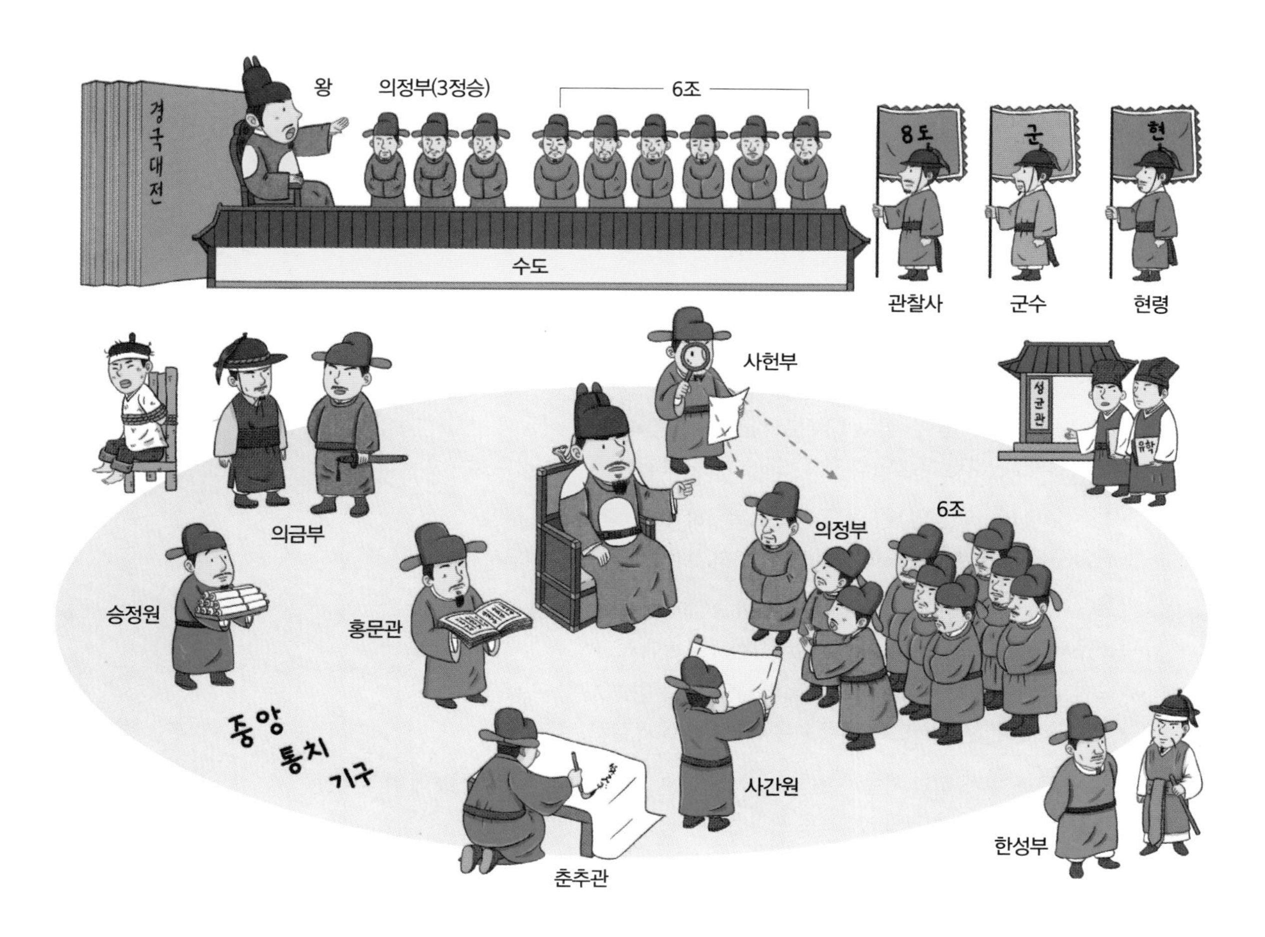

Quiz

조선은 ❷ [ ] 와 6조 중심의 중앙 정치 기구를, ❸ [ ] 와 군·현의 지방 행정 조직을 갖추었다.

답 ❷ 의정부 ❸ 8도

교과서 핵심 정리 ①

개념 1 조선의 건국과 국가 기틀 마련

1. 건국 과정 ❶ [ ] 회군 → 과전법 실시 → 조선 건국(1392) → 한양 천도

2. 국가 기틀의 마련

태종	사병 혁파, 6조 중심의 국정 운영, ❷ [ ] 실시 (16세 이상의 남자에게 일종의 신분증인 호패를 가지고 다니도록 한 것)
세종	의정부의 권한 강화, 집현전 설치, 경연 실시, 훈민정음 창제 (경연: 왕과 신하가 모여 유교 경전과 역사를 공부하고 국가 정책을 논의하였던 제도)
세조	의정부의 권한 약화, 집현전 및 경연 폐지, 군사 제도 개편
성종	홍문관 설치, 경연 부활, 『경국대전』 완성 (세조 때 편찬되기 시작해서 성종 때 완성된 조선의 기본 법전)

예 위화도 회군으로 정치권력을 잡은 이성계와 신진 사대부 세력은 1392년 조선을 건국하였다.

❶ 위화도
❷ 호패법

개념 2 통치 체제의 정비

중앙	• 의정부(정책 심의 결정)와 6조(정책 집행) • 3사(언론기능): 사헌부(관리의 비리 감찰), 사간원(국왕의 잘못 간언), ❸ [ ](국왕에 정책 조언) • 왕권 강화: 승정원(국왕 비서 기관), 의금부(국왕 직속 사법 기구)
지방	• 전국을 8도로 나누고 각 도에 관찰사 파견 • 8도 아래 부·목·군·현 설치, 대부분의 군현에 수령(지방의 행정·사법·군사 총괄) 파견 • ❹ [ ]: 지방 양반들의 자치 기구 → 수령 보좌, 향리의 비리 감찰
군사	• 16~60세 미만의 양인 남자는 군인으로 복무하거나 군인의 비용 부담 • 중앙군(5위), 지방군(각 도에 병영·수영 설치, 병마절도사·수군절도사 파견)
교통·통신	• ❺ [ ]: 국경 지대의 위급한 상황을 중앙에 신속하게 전달 • 조운제: 세금으로 걷은 곡식(세곡)을 강, 바다를 통해 운송
교육	• 유교: 서당(기초적인 유학 교육) → 4부 학당(수도), 향교(지방) → 성균관 • 기술: 외국어, 천문학, 의학, 법학 등은 해당 관청에서 실시
관리 등용	• 과거: 문과, 무과, 잡과 시행 → 원칙적 ❻ [ ] 이상 응시, 실제로 신분에 따라 제한 • 과거 이외에 음서, 천거의 방법으로 관리 등용

예 새로운 국가 조선은 성리학을 통치 이념으로 삼아 체제를 정비하였다.

❸ 홍문관
❹ 유향소
❺ 봉수제
❻ 양인

개념 3 조선 전기의 대외 관계

사대	• 명: 명의 선진 문물 수입을 통한 경제적·문화적 실리 추구
교린	• 여진: 강경책(세종 때 ❼ [ ] 개척), 회유책(국경 지대에 무역소 설치, 제한적 교역 허용) (압록강 근처의 4군은 최윤덕이, 두만강 근처의 6진은 김종서가 각각 개척하였음) • 일본: 강경책(세종 때 쓰시마섬 토벌), 회유책(3포를 개항하여 제한적인 교역 허용)

예 사대교린이란 큰 나라를 받들어 섬기고 이웃 나라와는 화평하게 지내는 것을 말한다.

❼ 4군 6진

기초 확인 문제

정답과 해설 64쪽

1 다음 물음에 답하시오.

(1) 이성계가 요동으로 향하던 중 군대를 돌려 우왕과 최영을 몰아내고 정권을 장악한 사건은? ( )

(2) 이성계와 신진 사대부 세력이 신진 사대부의 경제적 기반을 마련하기 위해 실시한 토지 제도는? ( )

(3) 공신과 왕자들의 사병을 혁파하고 호패법을 실시한 왕은? ( )

(4) 세조 때 편찬하기 시작하여 성종 때 완성된 조선의 기본 법전은? ( )

2 각 기구의 역할을 바르게 연결하시오.

(1) 의정부 • • ㉠ 정책 집행
(2) 6조 • • ㉡ 왕의 잘못을 간언
(3) 사간원 • • ㉢ 관리들의 비리 감찰
(4) 사헌부 • • ㉣ 3정승의 합의로 국정 총괄

3 다음 자료를 보고 ㉠, ㉡에 들어갈 알맞은 말을 쓰시오.

구분	고려 지방 행정	조선 지방 행정
행정 구역	5도, 양계	(㉠)
지방관 파견	주현에만 파견	군현 대부분에 파견
특수 행정 구역	향·부곡·소 존재	일반 군현에 통합
(㉡)의 지위	지방의 실질적인 행정 담당	수령의 업무 보좌

㉠ : ( ) ㉡ : ( )

4 다음 괄호 안의 내용 중 알맞은 말을 골라 ○표 하시오.

(1) 조선 정부는 국경 지대의 위급한 상황을 중앙에 신속하게 알리기 위해 (봉수제, 조운 제도)를 운영하였다.

(2) (향교, 4부 학당)은/는 조선 시대 지방에 세워져 유교 경전을 교육하였다.

(3) 조선의 과거 시험에서 (무과, 승과)는 시행되지 않았다.

(4) 조선은 명에는 (사대, 교린)하며 실리를 추구하고, 여진과 일본 등에는 (사대, 교린) 정책을 취하여 회유와 토벌을 병행하였다.

5 다음 자료를 보고 ㉠, ㉡에 들어갈 알맞은 말을 쓰시오.

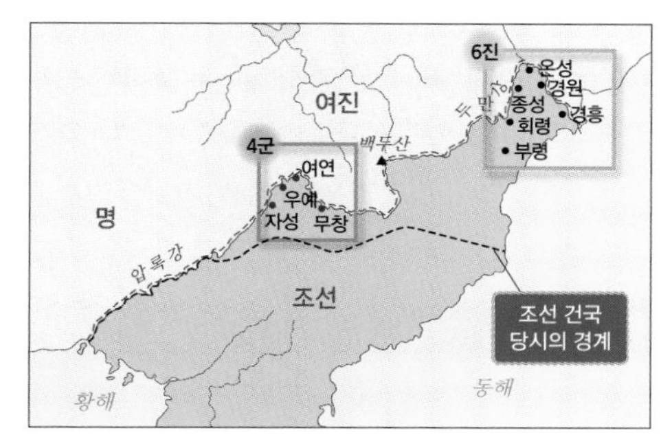

세종은 압록강 지역에는 최윤덕을 보내 여진을 토벌하고 (㉠)을/를 설치하였으며, 두만강 지역에는 김종서를 보내 여진을 몰아내고 (㉡)을/를 설치하도록 하였다. 4군 6진의 개척으로 국경이 압록강과 두만강으로 확정된 후에는 이 지역의 개발과 방어를 위해 남쪽 지방의 백성을 이주시키기도 하였다.

㉠ : ( ) ㉡ : ( )

1일 교과서 **핵심 정리 ②**

개념 4 사림 세력과 정치 변화

1. **훈구 세력의 권력 독점** ❶ [ ] 즉위에 공을 세운 세력(훈구 세력)이 고위 관직을 차지하고 넓은 토지와 많은 노비 소유
2. **사림 세력의 성장** 성종이 훈구 세력을 견제하기 위해 사림 세력(고려말 정몽주, 길재 등의 학문적 전통을 이어받은 지방의 유학자들) 등용 → 주로 ❷ [ ] 의 관리로 임명
3. **훈구와 사림의 대립** 연산군 때 무오사화, 갑자사화 → 중종 때 ❸ [ ] 의 개혁(현량과 실시, 위훈 삭제 등)에 훈구 세력이 반발(기묘사화) → 명종 때 을사사화
4. **서원의 설립과 향약의 보급** 사림 세력의 성장 기반이 됨 → 성리학적 질서의 확산
5. **붕당의 형성** 선조 때 사림 세력이 중앙 정치의 주도권 장악 → 사림 세력 분열 → 이조 전랑 임명 문제를 둘러싸고 갈등 심화 → 동인과 ❹ [ ] 으로 나뉘어 붕당 형성
6. **붕당 정치의 전개** 건전한 비판과 상호 견제가 이루어짐. 동인은 이후 남인과 북인으로 분열, 서인은 인조반정 이후 정치의 주도권 차지

예 성종은 훈구 세력의 권력 독점을 견제하기 위해 사림 세력을 등용하기 시작하였다.

개념 5 유교 윤리의 보급과 훈민정음

1. **유교 윤리의 보급과 사회 변화** 각자의 지위에 맞는 역할과 윤리 강조, 유교 예법에 따른 관혼상제 의례 시행, 장자 및 친가 중심의 가족 질서 확립
2. **훈민정음의 창제** 세종이 과학적·독창적인 28자의 소리글자인 ❺ [ ] 창제(1443)·반포(1446) → 국문학 발전의 계기, 민족 문화 발전의 토대 마련

예 훈민정음 창제 이후 백성들은 자기 생각을 글로 표현할 수 있게 되었다.

개념 6 과학 기술과 예술의 발달

과학 기술	조선 전기의 예술
• 천문·역법: 국왕의 권위와 연결되고 농사에 도움을 주었기 때문에 중시됨. → 「천상열차분야지도」(태조 때 만든 천문도), 혼천의·간의(천체 관측), 앙부일구·자격루(시간 측정), 『❻ [ ] 』(한성을 기준으로 천체의 움직임을 관측한 역법서) • 의학: 『향약집성방』, 『의방유취』 • 농업: 『농사직설』, 측우기 • 무기: 신기전, 화차 개발	• 특징: 양반 중심의 문화 발달 • 그림: 강희안 「고사관수도」, 안견 「몽유도원도」, 사군자화 등 • 자기: 조선 초 ❼ [ ] 유행 → 16세기 이후 백자 유행 • 음악: 세종 때 종묘제례악 완성, 성종 때 『악학궤범』 편찬 • 문학: 서거정 『동문선』, 김시습 『금오신화』, 정철 『관동별곡』

예 조선은 백성의 생활을 안정시키고 국력을 강화하고자 과학 기술의 발전에 힘썼다.

❶ 세조
❷ 3사
❸ 조광조
❹ 서인
❺ 훈민정음
❻ 칠정산
❼ 분청사기

기초 확인 문제

정답과 해설 64쪽

6 다음 물음에 답하시오.

(1) 세조의 즉위에 도움을 준 공신들이 이룬 정치 세력은? (　　　　　　　)

(2) 사림 세력이 훈구 세력이나 외척에게 정치적 탄압을 받아 화를 입었던 사건을 가리키는 말은? (　　　　　　　)

(3) 중종 때 등용되어 현량과 실시, 위훈 삭제 등을 주장한 사림 세력의 대표적 인물은? (　　　　　　　)

(4) 정권을 잡은 사림이 학문적·정치적 입장에 따라 형성한 집단은? (　　　　　　　)

7 다음 괄호 안의 내용 중 알맞은 말을 골라 ○표 하시오.

(1) 중앙 정계에 진출한 사림은 주로 (3사, 6조)의 관리로 임명되어 훈구 세력의 비리를 비판하고 개혁을 주장하였다.

(2) 정권을 잡은 사림은 (영의정, 이조 전랑)을 임명하는 문제를 두고 대립하다 동인과 서인으로 나뉘었다.

(3) 사림은 (서원, 향약)에서 덕망 높은 유학자의 제사를 지내고 성리학을 연구하며 양반 자제들을 교육하였다.

8 서로 관련 있는 것끼리 바르게 연결하시오.

(1) 『칠정산』 •	• ㉠ 의학 백과사전
(2) 『농사직설』 •	• ㉡ 세종 때 만든 역법서
(3) 『의방유취』 •	• ㉢ 우리 풍토에 맞는 농법서

9 다음 자료를 보고 ㉠~㉢에 들어갈 알맞은 말을 쓰시오.

세종 때 만들어진 과학 기구들이다. (가)는 해의 그림자를 보며 시간을 측정한 (㉠)(이)다. (나)는 천체 관측기구인 (㉡)(이)고, (다)는 장영실 등이 발명한 물시계인 (㉢)(이)다.

㉠ : (　　　　　) ㉡ : (　　　　　) ㉢ : (　　　　　)

10 다음 자료를 보고 ㉠, ㉡에 들어갈 알맞은 말을 쓰시오.

◀ 「몽유도원도」

◀ 분청사기 철화 어문 병

◀ 백자 철화 끈무늬 병

조선 시대 전기에는 유교 윤리를 바탕으로 한 (㉠) 중심의 문화가 발달하였다. 양반 사대부의 정신세계를 표현한 그림이 유행하였으며, 양반 사대부의 취향에 맞는 분청사기와 (㉡) 이/가 제작되었다.

㉠ : (　　　　　　　) ㉡ : (　　　　　　　)

1일 내신 기출 베스트

대표 예제 1

(가)에 들어갈 내용으로 적절한 것은?

위화도 회군 ➡ (가) ➡ 조선의 개창

① 요동 정벌 ② 한양 천도
③ 강화도 천도 ④ 과전법 실시
⑤ 『경국대전』 반포

개념 가이드

❶ [　　　]는 위화도에서 군대를 돌려 정권을 장악하고 신진 사대부의 경제적 기반을 마련한 후 ❷ [　　　]을 개창하였다.

답 ❶ 이성계 ❷ 조선

대표 예제 2

다음은 조선의 중앙 정치 기구이다. (가)~(다)에 해당하는 정치 기구의 명칭을 쓰시오.

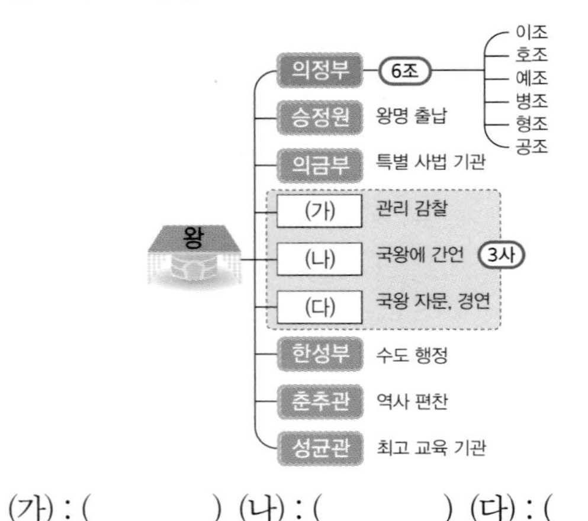

(가) : (　　　) (나) : (　　　) (다) : (　　　)

개념 가이드

❸ [　　　]는 사헌부, 사간원, 홍문관으로 구성되었다. 3사는 권력의 독점과 부정을 방지하는 역할을 하였다.

답 ❸ 3사

대표 예제 3

(가)에 들어갈 내용으로 옳지 <u>않은</u> 것은?

① 승과는 시행되지 않았다.
② 문과, 무과, 잡과가 시행되었다.
③ 양인 이상이면 과거에 응시할 수 있었다.
④ 고려에 비해 음서의 혜택을 받는 대상이 확대되었다.
⑤ 과거를 통하지 않으면 고위 관직에 오르기 어려웠다.

개념 가이드

조선은 관리 등용 제도로 음서나 천거도 운영하였으나 ❹ [　　　]를 통하지 않으면 고위 관직에 오르기 어려웠다.

답 ❹ 과거

대표 예제 4

다음 자료의 빈칸 ㉠에 들어갈 내용을 쓰시오.

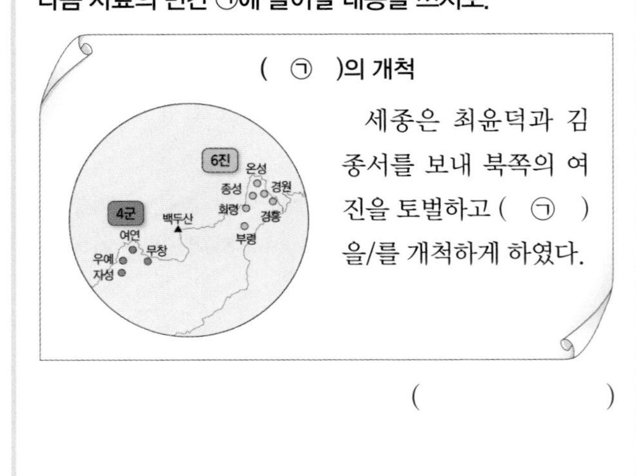

(　　　　　)

개념 가이드

조선은 ❺ [　　　]을 토벌하기 위해 최윤덕과 ❻ [　　　]를 보내 4군 6진을 설치하였다.

답 ❺ 여진 ❻ 김종서

대표 예제 5

다음 대화에서 옳지 않은 말을 한 사람은?

훈구와 사림에 대해 말해 줘.

- 도윤: 훈구는 세조의 즉위에 도움을 준 공신들이야.
- 설희: 훈구는 주로 3사의 관리로 활동하였어.
- 건우: 사림은 성종 때 정계 진출을 시작했어.
- 영지: 사림의 대표 인물로 조광조가 있어.

① 없음 ② 도윤 ③ 설희 ④ 건우 ⑤ 영지

개념 가이드

❼ [　　　]은 고려 말 조선 건국에 협력하지 않은 정몽주, 길재의 학통을 계승한 사람들로 성종 때부터 주로 ❽ [　　　]의 관리로 정계에 진출하였다.

답 ❼ 사림 ❽ 3사

대표 예제 6

다음 자료에 대한 설명으로 옳은 것은?

향약의 4대 덕목

- 좋은 일은 서로 권한다. • 예의로 서로 교제한다.
- 허물은 서로 경계한다. • 어려운 일은 서로 돕는다.

① 서원에 다니는 사람들이 지킨 규칙이다.
② 도교 의식을 치르기 위해 만든 덕목이다.
③ 향촌 주민들이 지켜야 할 자치 규약이다.
④ 유학자의 제사를 지낼 때 지켜야 할 점이다.
⑤ 훈구 세력의 향촌 지배력 강화에 기여하였다.

개념 가이드

향약은 향촌에서 마을 주민들이 지켜야 했던 자치 규약으로, ❾ [　　　]이 보급하여 향촌 내 지배력을 강화하였다.

답 ❾ 사림

대표 예제 7

㉠에 들어갈 책명으로 옳은 것은?

(우리)나라의 말씀이 중국과 달라 문자와 서로 통하지 않는다. 이런 이유로, 백성이 말하고자 하는 바가 있어도 마침내 제 뜻을 펴지 못하는 사람이 많다. 내 이를 가엾게 여겨 새로 스물여덟 글자를 만드니 모든 사람들이 쉽게 익혀 날마다 씀에 편안하게 할 따름이니라. -『 ㉠ 』해례본 -

① 경국대전 ② 농사직설 ③ 훈민정음
④ 국조오례의 ⑤ 향약집성방

개념 가이드

❿ [　　　]은 백성을 교화하고, 백성이 스스로 자신의 생각을 글로 표현할 수 있게 하기 위해 누구나 쉽게 배울 수 있는 28자의 소리글자인 훈민정음을 창제하였다.

답 ❿ 세종

대표 예제 8

선생님의 질문에 대한 대답으로 가장 적절한 것은?

- 백자
- 분청사기
- 사군자화

이를 통해 알 수 있는 조선 전기 문화의 특징은 무엇일까요?

① 고려양 유행 ② 몽골풍 유행
③ 귀족 문화 발달 ④ 서민 문화 발달
⑤ 양반 중심 문화 발달

개념 가이드

조선 전기에는 ⓫ [　　　]의 영향으로 외적인 화려함보다는 내면의 수양을 중시하는 분위기가 반영된 문화가 발달하였다.

답 ⓫ 성리학

2일 왜란·호란의 발발과 영향, 조선 후기의 정치 변동

생각 열기

• 양 난 이후 조세 제도의 개편

Quiz

양 난 이후 조선 정부는 전세를 ❶ ______으로, 공납을 ❷ ______으로, 군역을 균역법으로 개편하였다.

답 ❶ 영정법 ❷ 대동법

공부할 내용

1. 왜란·호란의 발발과 영향
2. 조선 후기 통치 체제의 변화
3. 붕당 정치의 전개와 변질
4. 탕평 정치와 세도 정치

• 조선 후기의 정치 변동

Quiz

세도 정치 시기에는 탐관오리들의 농민 수탈이 강화되어 ❸ [ ] 의 문란이 심해졌다.

답 ❸ 삼정

2일 교과서 **핵심 정리 ①**

개념 1 왜란·호란의 발발과 영향

1. 왜란의 전개 일본의 조선 침략(임진왜란) → 한성 함락 → 선조 의주 피란 → 수군과 의병의 활약, 명의 지원군 파견 → 휴전 협상 결렬 → 일본의 재침략(정유재란) → 도요토미 히데요시 사망으로 일본군 철수

이순신이 이끄는 수군의 승리로 일본군의 보급로가 차단되었고, 곽재우, 고경명 등이 이끈 의병은 향토 지리에 익숙한 점을 이용하여 일본군에 맞섬

2. 왜란의 영향과 동아시아의 정세 변화

조선	인구 감소, 국가 재정 악화, 신분 질서 동요
일본	❶ (　　　) 막부 수립 → 조선과 국교 재개, 일본의 요청으로 통신사 파견
중국	명 쇠퇴 → 여진이 ❷ (　　　) 건국

3. 광해군의 중립 외교 후금이 명 위협 → 명이 조선에 군사 지원 요청 → 광해군이 명에 군대 파견, 상황에 따라 대처하도록 지시 → 서인의 반발 → ❸ (　　　) → 서인 집권

4. 호란의 전개 서인의 친명배금 정책 → 후금의 침략(정묘호란) → 후금이 국호를 청으로 바꿈 → 청이 조선에 군신 관계 요구(주화론과 척화론 대립) → 조선의 거부 → 청 태종의 침략(병자호란) → 조선의 항복(삼전도의 굴욕, 청과 군신 관계 체결) → 효종 때 ❹ (　　　) 운동(청을 정벌하여 치욕을 씻자는 것) 추진

예 왜란은 동아시아 국제 정세에도 영향을 주었고, 연이은 호란으로 조선의 정치 구조는 변화하였다.

개념 2 통치 체제의 변화

1. 비변사의 기능 강화 국방 문제를 다루는 임시 회의 기구로 설치(16세기) → 임진왜란 이후 최고 정치 기구가 됨 → ❺ (　　　)와 6조의 기능 축소, 왕권 약화

2. 군사 제도의 변화 중앙군(5군영), 지방군(속오군)

중앙군	5군영 체제 완성 → 훈련도감, 어영청, 총융청, 수어청, 금위영
지방군	❻ (　　　) 편성 → 생업에 종사하다가 유사시 전투 병력화

3. 조세 제도의 개편

영정법(전세)	풍흉에 관계없이 토지 1결당 4두 징수
대동법(공납)	• 배경: 방납의 폐단 심화(공납을 대신 납부하고 과도한 대가를 챙김) • 기존에 집집마다 토산물 징수 → 토지를 기준으로 쌀, 옷감, 동전 징수 • 결과: ❼ (　　　) 등장(상품 화폐 경제 발전), 농민 부담 감소
균역법(군역)	• 배경: 군포 징수 과정의 폐단 발생, 농민의 군포 부담 증가 • 1년에 1필 납부(줄어든 군포 수입은 결작미와 선무군관포 등으로 보충)

예 양 난 이후 인구와 경작지가 감소하고 조세 수입이 감소하자 조선 정부는 국가 재정을 확보하고 농민 부담을 덜어 주기 위해 조세 제도를 개편하였다.

❶ 에도
❷ 후금
❸ 인조반정
❹ 북벌
❺ 의정부
❻ 속오군
❼ 공인

기초 확인 문제

정답과 해설 65쪽

1 다음 괄호 안의 내용 중 알맞은 말을 골라 ○표 하시오.

(1) 왜란 당시 (강홍립, 이순신)은 조선의 수군을 이끌며 불리했던 전쟁 양상을 바꾸었다.

(2) 왜란 이후 일본에서는 도쿠가와 이에야스가 (에도, 가마쿠라) 막부를 수립하였다.

(3) 왜란 이후 중국에서는 (명, 후금)이 쇠퇴하고 여진이 성장하여 (명, 후금)이 건국되었다.

(4) 광해군이 명과 후금 사이에서 (중립 외교, 친명배금)을/를 펼친 결과 조선은 후금과의 충돌을 피할 수 있었다.

(5) 후금이 국호를 청으로 바꾸고 조선을 침략하여 (병자호란, 정묘호란)이 발발하였다.

2 다음 자료를 보고 ㉠, ㉡에 들어갈 알맞은 말을 쓰시오.

> **윤집의 척화론**
> 화의로 백성과 나라를 망치기가 …… 오늘날과 같이 심한 적이 없었습니다. 중국(명)은 우리나라에 있어서 곧 부모요, …… 차라리 나라가 없어질지라도 의리는 저버릴 수 없습니다.
>
> **최명길의 주화론**
> 자기의 힘을 헤아리지 않고 …… 오랑캐들의 노여움을 도발하여, 마침내 백성이 도탄에 빠지고 종묘와 사직에 제사를 지내지 못하게 된다면 그 허물이 이보다 클 수 있겠습니까?

(㉠)은/는 청에 맞서 싸우자는 입장으로, 명에 대한 의리와 성리학적 명분을 강조하였다. (㉡)은/는 현실적인 상황을 고려하여 청과의 충돌을 피하고 화의하자는 입장이다.

㉠ : ( ) ㉡ : ( )

3 서로 관련 있는 것끼리 바르게 연결하시오.

(1) 광해군 •		• ㉠ 북벌론
(2) 인조 •		• ㉡ 중립 외교
(3) 효종 •		• ㉢ 친명배금 정책

4 다음 자료를 보고 ㉠, ㉡에 들어갈 알맞은 말을 쓰시오.

> 요즈음 큰일이건 작은 일이건 비변사에서 모두 다룹니다. 의정부는 한갓 이름뿐이고 6조는 할 일을 모두 빼앗기고 말았습니다. 이름은 변방 방비(비변)를 위해서라고 하면서 과거나 비빈 간택까지도 모두 여기서 처리합니다.

(㉠)은/는 왜란 때 군사 문제뿐만 아니라 외교, 재정, 인사 등을 다루는 최고 정치 기구의 역할을 하게 되었고, 전란이 끝난 뒤에도 (㉡)을/를 대신하여 국정을 총괄하였다.

㉠ : ( ) ㉡ : ( )

5 다음 빈칸에 들어갈 알맞은 말을 쓰시오.

(1) 지방군은 임진왜란을 거치면서 양반에서 노비까지 모든 신분으로 구성된 ( )(으)로 편성되었다.

(2) 인조는 풍흉에 관계없이 전세를 토지 1결당 4두로 고정하는 ( )을/를 시행하였다.

(3) 광해군 때 공납은 토지를 기준으로 쌀, 옷감, 동전을 내는 ( )을/를 시행하기 시작하였다.

(4) 영조는 백성의 부담이 컸던 군포를 1필로 줄이는 ( )을/를 시행하였다.

2일 교과서 **핵심 정리 ②**

개념 3 붕당 정치의 전개와 변질

전개	선조	사림 세력의 정권 장악 → 동인과 서인으로 분열(붕당 정치 시작)
	광해군	❶ ______의 주도로 정국 운영
	인조	인조반정으로 북인 몰락 → 서인이 정국 주도, 남인 참여 → 상대 붕당의 존재 인정, 공론 형성
	현종	❷ ______을 거치며 붕당 간의 대립 심화(서인 ⇔ 남인)

⬇

변질	숙종	• 환국: 하나의 붕당이 모든 권력 독차지, 상대 붕당에 대한 가혹한 탄압 • 서인이 노론과 소론으로 나뉨

예 붕당의 형성에는 정치적 입장의 차이와 지역적 차이, 학문적 경향이 영향을 미쳤다.

개념 4 탕평 정치의 실시

영조	탕평책	서원 정리, 이조 전랑의 권한 축소, 탕평파 육성, 탕평비 건립
	개혁 정치	균역법 실시, 신문고 부활, 노비종모법 시행, 『속대전』 편찬
정조	탕평책	노론뿐만 아니라 소론과 남인까지 등용
	개혁 정치	❸ ______ 개편, 초계 문신제 실시, 장용영 설치, 수원 ❹ ______ 건설, 자유로운 상업 활동 보장, 『대전통편』 편찬

- 노비종모법: 아버지가 노비여도 어머니가 양민이면 자식이 어머니의 신분을 따르도록 한 법 → 세금을 내는 양민의 수를 늘림
- 수원 화성: 정약용이 서양의 과학 기술을 이용해 만든 거중기가 화성을 쌓는 데 이용되어 비용과 시간을 줄일 수 있었음
- 초계 문신제: 젊고 유능한 관리를 선발하여 재교육 → 개혁 세력으로 육성
- 규장각: 본래 왕실 도서관이었으나 정책 개발과 중요 정보 수집까지 담당하게 되었음

예 영조와 정조는 붕당 정치의 폐해를 바로잡고 왕권을 강화하고자 탕평 정치를 시행하였다.

개념 5 세도 정치의 전개

1. **세도 정치의 전개** 순조, 헌종, 철종의 3대 60여 년간 안동 김씨와 풍양 조씨 등 몇몇의 유력 가문이 권력 독점 → ❺ ______를 비롯한 주요 관직 장악
2. **세도 정치의 폐단** 왕권 약화, 정치 기강 문란(❻ ______ 성행, 과거 시험의 부정 운영), ❼ ______의 문란
3. **삼정의 문란 내용**

전정	정해진 양보다 몇 배 이상을 거두어들임
군정	군역에 해당하지 않는 이들에게도 군포 징수
환곡	강제 대여, 겨 섞기, 이자의 고리대화 → 삼정 중 폐해가 가장 극심

- 고리대: 돈이나 재물 등을 빌려준 대가로 높은 이자를 받는 것

예 세도 정치 시기에는 탐관오리들의 농민 수탈이 강화되어 삼정의 문란이 심해졌다.

❶ 북인 ❷ 예송 ❸ 규장각 ❹ 화성 ❺ 비변사 ❻ 매관매직 ❼ 삼정

기초 확인 문제

정답과 해설 65쪽

6 다음 빈칸에 들어갈 알맞은 말을 쓰시오.

(1) 광해군 때 정권을 차지하였던 (　　　　　　) 은/는 서인이 주도한 인조반정으로 몰락하였다.

(2) 효종 때에는 자의 대비의 복상 문제를 둘러싸고 (　　　　　　) 논쟁이 일어났다.

(3) 숙종 때에는 정국을 주도하는 붕당이 급격히 교체되는 (　　　　　　)이/가 여러 차례 발생하였다.

(4) 숙종 때 서인은 상대 붕당에 대한 처리 문제를 둘러싸고 (　　　　　　)와/과 소론으로 나뉘었다.

7 다음 자료를 보고 ㉠에 공통으로 들어갈 알맞은 말을 쓰시오.

두루 사귀고 치우치지 않는 것은 군자의 공평무사한 마음이요, 치우쳐서 두루 사귀지 못하는 것은 소인의 사사로운 마음이다.

> 붕당의 폐단이 요즈음보다 심한 적이 없었다. 처음에는 사문(유교)에 소란을 일으키더니, 지금은 한쪽 사람을 모조리 역적으로 몰고 있다. …… 근래에 들어 그 사람을 임용할 때 모두 같은 붕당의 사람들만 등용하고자 한다. …… 관리의 임용을 담당하는 부서에서는 탕평의 정신을 받들어 사람들을 거두어 쓰라.
>
> -「영조실록」-

영조는 붕당 정치의 폐해를 바로잡고 왕권을 강화하고자 (㉠) 정치를 시행하였다. 그러나 영조의 (㉠)책이 붕당 정치의 폐단을 근본적으로 해결한 것은 아니었다. 붕당 간의 다툼이 강력한 왕권에 눌려 겉으로 드러나지 않았을 뿐이다.

㉠ : (　　　　　　)

8 다음 괄호 안의 내용 중 알맞은 말을 골라 ○표 하시오.

(1) (영조, 정조)는 붕당의 근거지인 서원을 대폭 정리하고, 이조 전랑의 인사 권한을 약화하였다.

(2) (영조, 정조)는 친위 부대인 장용영을 설치하여 왕권을 뒷받침하는 군사적 기반을 강화하였다.

(3) 정조는 본래 왕실 도서관이었던 (규장각, 홍문관)을 정책 자문 기구로 삼아 인재를 양성하였다.

9 다음 자료를 보고 ㉠, ㉡에 들어갈 알맞은 말을 쓰시오.

▲ 수원 화성 장안문

▲ 거중기

정조는 수원에 (㉠)을/를 건설하고 정치적·군사적 기능을 부여하여 자신의 정치적 이상을 실현할 수 있는 상징적인 도시로 만들고자 하였다. 화성을 축조하는 과정에는 정약용이 서양의 과학 기술을 이용해 만든 (㉡)을/를 사용하였다.

㉠ : (　　　　　　) ㉡ : (　　　　　　)

10 다음 물음에 답하시오.

(1) 왕실과 혼인 관계를 맺은 일부 가문이 정권을 장악하는 정치 형태는? (　　　　　　)

(2) 굶주린 백성에게 약간의 이자를 받고 곡식을 빌려주는 구호 제도는? (　　　　　　)

(3) 세도 정치기 탐관오리들의 수탈로 인한 전정, 군정, 환곡의 폐단을 이르는 말은?

(　　　　　　)

2일 내신 기출 베스트

대표 예제 1

다음과 같이 역사 보고서를 작성할 때, 보고서 내용으로 적절하지 않은 것은?

> 〈역사 보고서 작성 안내〉
> 주제: 임진왜란이 조선에 미친 영향

① 신분 질서의 강화
② 수많은 문화재의 소실
③ 포로로 끌려간 조선 기술자들
④ 막대한 인명 피해와 국가 재정의 악화
⑤ 농경지의 황폐화와 백성 생활의 어려움

개념 가이드

임진왜란 중 노비 문서가 불에 타고 무공을 세워 신분이 상승한 천민이 나타나는 등 ❶ [   ] 질서가 동요하기 시작하였다.

답 ❶ 신분

대표 예제 2

다음 대화와 관련하여 일어난 역사적 사실은?

① 병자호란　② 인조반정　③ 임진왜란
④ 정유재란　⑤ 중종반정

개념 가이드

광해군의 ❷ [   ] 외교와 비윤리적 행동을 비판하던 서인은 인조반정을 일으켜 광해군과 ❸ [   ] 정권을 몰아내고 인조를 왕으로 추대하였다.

답 ❷ 중립 ❸ 북인

대표 예제 3

다음 설명의 밑줄 친 부분에 해당하는 주장은?

① 북벌론　② 북학론　③ 주화론
④ 척화론　⑤ 역성혁명론

개념 가이드

청이 조선을 침략하자 조선에서는 청과 화의하자는 ❹ [   ]과 청에 맞서 싸우자는 ❺ [   ]으로 의견이 나뉘었다.

답 ❹ 주화론 ❺ 척화론

대표 예제 4

다음 자료의 ㉠~㉢에 들어갈 제도의 명칭을 쓰시오.

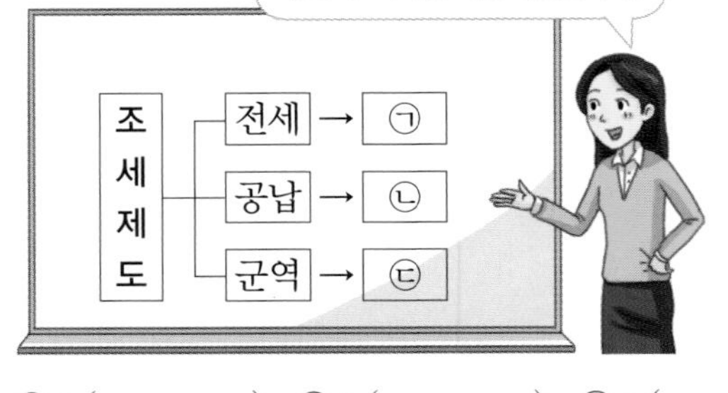

㉠ : (　　　)　㉡ : (　　　)　㉢ : (　　　)

개념 가이드

전세는 토지 1결당 4두를 내도록 바뀌었고, ❻ [   ]은 토지를 기준으로 쌀, 옷감, 동전을 내도록 바뀌었으며, 군역은 군포를 1필로 줄이는 방향으로 바뀌었다.

답 ❻ 공납

대표 예제 5

다음 도표의 ㉠~㉢에 들어갈 붕당을 쓰시오.

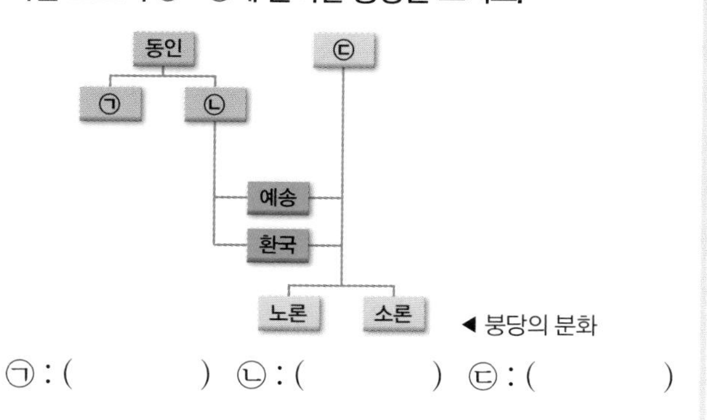

◀ 붕당의 분화

㉠ : (　　　　) ㉡ : (　　　　) ㉢ : (　　　　)

개념 가이드

❼ [　　　　]은 북인과 남인으로 나뉘었다. 북인은 광해군 때 정권을 차지하였다가 인조반정으로 몰락하였고, 남인은 서인과 경쟁하였으나 예송과 환국을 거치면서 중앙 정계에서 밀려났다.

답 ❼ 동인

대표 예제 6

다음 비석을 세운 왕의 업적으로 옳지 않은 것은?

> 두루 사귀고 치우치지 않는 것은 군자의 공평무사한 마음이요, 치우쳐서 두루 사귀지 못하는 것은 소인의 사사로운 마음이다.

① 신문고 부활
② 장용영 설치
③ 『속대전』 편찬
④ 균역법 실시
⑤ 이조 전랑의 권한 축소

개념 가이드

영조는 붕당 정치의 폐단을 일깨우기 위해 ❽ [　　　　]를 세우고 탕평책을 본격적으로 추진하였다.

답 ❽ 탕평비

대표 예제 7

다음 건축물을 세운 왕의 업적으로 옳은 것을 〈보기〉에서 모두 고르면?

▲ 수원 화성

보기
ㄱ. 규장각 개편
ㄴ. 장용영 설치
ㄷ. 탕평비 건립
ㄹ. 『대전통편』 편찬

① ㄱ, ㄷ
② ㄴ, ㄷ
③ ㄱ, ㄴ, ㄹ
④ ㄴ, ㄷ, ㄹ
⑤ ㄱ, ㄴ, ㄷ, ㄹ

개념 가이드

정조도 붕당 정치의 폐해를 바로잡고 왕권을 강화하기 위한 ❾ [　　　　] 정치를 시행하여 ❿ [　　　　]의 뜻을 이었다.

답 ❾ 탕평 ❿ 영조

대표 예제 8

다음 대화에서 옳지 않은 말을 한 사람은?

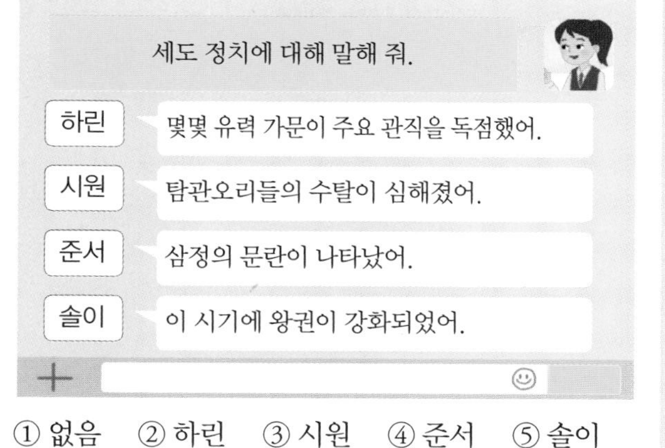

① 없음 ② 하린 ③ 시원 ④ 준서 ⑤ 솔이

개념 가이드

순조, 헌종, 철종의 3대 60여 년 동안 왕실과 혼인 관계를 맺은 안동 김씨 등 몇몇 외척 가문이 권력을 독점하는 ⓫ [　　　　]가 이루어졌다.

답 ⓫ 세도 정치

2일

3일 조선 후기의 사회 변화와 문화의 새로운 경향

생각 열기

• 조선 후기의 사회 변화

Quiz

조선 후기에는 상품 화폐 경제의 발달로 ❶ [ ] 중심의 신분 제도가 흔들리기 시작하였다.

답 ❶ 양반

공부할 내용

1. 조선 후기 사회 변동과 농민 봉기
2. 새로운 사상과 학문의 유행
3. 조선 후기 예술과 서민 문화의 발달

• 문화의 새로운 경향

Quiz

조선 후기의 사회 문제를 해결하기 위해 등장한 새로운 사회 개혁론을 ❷ ______ 이라고 한다.

답 ❷ 실학

3일 교과서 핵심 정리 ①

개념 1 조선 후기 경제와 사회 변동

1. 상품 화폐 경제의 발달

농업	❶ [ ]의 전국 확대 → 농업 생산량 증가, 일부 농민은 부농으로 성장
상업	공인의 활동, 장시의 발달, 사상의 성장, 무역의 발달, 화폐 유통의 확대 (상평통보가 전국적으로 유통됨)
수공업 · 광업	민영 수공업 발달 → 광물의 수요 증가 → 민간인에게 광산 채굴 허용

2. 신분제의 변동 법제상 ❷ [ ] → 조선 후기에 상민과 천민의 수 감소, 양반의 수 증가

(실제로는 양반, 중인, 상민, 천민으로 나뉨) (양반 중심 신분제 동요)

양반	상당수의 양반이 중앙 정치에서 밀려나 향반이나 잔반으로 전락
중인	서얼(문과 응시와 중요 관직 진출의 제한 철폐 요구), 기술직 중인(신분 상승 추구)
상민	일부 부유한 농민이나 상인은 공명첩 구입, 납속, 족보 위조 → 양반으로 신분 상승
천민	• 노비는 납속·군공 등을 통해 신분 상승을 꾀하거나, 도망하여 노비 신분에서 벗어남 • 영조 때 노비종모법 시행, 순조 때 6만 6천여 명의 공노비 해방

예) 정조 때 유득공, 박제가 등 서얼 출신이 규장각 검서관으로 등용되기도 하였다.

개념 2 농민 봉기

구분	홍경래의 난(1811)	임술 농민 봉기(1862)
원인	서북 지역(평안도 지역)에 대한 차별, 세도 정권의 수탈	삼정의 문란, 탐관오리의 수탈
전개	몰락 양반 ❸ [ ]의 주도로 평안도 지역의 백성들이 가산에서 봉기 → 청천강 이북 지역을 대부분 장악	경상 우병사 백낙신의 수탈 → 몰락 양반 유계춘을 중심으로 진주에서 봉기 → 봉기가 전국으로 확산
정부의 대응	관군 파견 → 봉기군이 전주성에서 패배하면서 5개월 만에 진압됨	민심 수습을 위해 관리 파견, ❹ [ ] 설치 → 큰 성과를 거두지 못함
의의	이후 농민 봉기에 큰 영향	농민의 사회의식 성장의 계기

예) 홍경래의 난 이후에도 삼정의 문란은 해결되지 않았고 백성의 불만은 전국적인 봉기로 이어졌다.

개념 3 교류를 통한 새로운 문물의 전래

통신사	에도 막부의 요청으로 조선은 일본에 ❺ [ ] 파견 – 일본은 조선의 선진 학문과 기술 수용, 일본의 문물(고구마 등)이 조선에 전해지기도 함
연행사	조선은 청에 ❻ [ ] 파견 → 청의 학자, 서양 선교사들과 교류
서학의 수용	• 중국을 오가던 사신을 통해 17세기 초부터 서학 수용 • 사신들은 「곤여만국전도」와 화포, 천리경, 자명종 등을 들여옴

예) 연행사는 청에 와 있던 서양 선교사로부터 천주교와 서양 과학 기술을 수용하였다.

❶ 모내기법
❷ 양천제
❸ 홍경래
❹ 삼정이정청
❺ 통신사
❻ 연행사

기초 확인 문제

정답과 해설 67쪽

1 다음 괄호 안의 내용 중 알맞은 말을 골라 ○표 하시오.

(1) 양 난 이후 (모내기법, 상평통보)이/가 전국적으로 확산되어 농업 생산량이 증가하였다.

(2) 대동법의 실시로 왕실과 관청에 필요한 물품을 공급하기 위해 (공인, 잔반)이/가 등장하였다.

(3) 조선 후기에는 한강을 무대로 하여 세곡을 운반하는 (경강상인, 송상)이 성장하였다.

(4) 조선 후기에는 상품 유통이 활성화되면서 (금난전권, 장시)이/가 전국적으로 확대되었다.

(5) 조선 후기 신분제의 변화로 양반의 수는 (늘고, 줄고) 상민과 천민의 수는 (늘었다, 줄었다).

2 다음 자료를 보고 ㉠에 들어갈 알맞은 말을 쓰시오.

관직 받는 사람의 이름을 쓰는 곳이 비워져 있는 관직(명예직) 임명장이다. 양 난 이후 정부는 부족한 국가 재정을 보충하기 위해 부유층으로부터 돈이나 곡식을 받고 (㉠)을/를 팔았다.

㉠ : (　　　　　　)

3 다음 빈칸에 들어갈 알맞은 말을 쓰시오.

(1) (　　　　　　)들은 집단 상소 운동을 벌여 중요 관직 진출 제한 철폐를 요구하였다.

(2) 정조 때 유득공, 박제가 등 (　　　　　　) 출신이 규장각 검서관으로 등용되기도 하였다.

(3) 노비의 수가 감소하여 노비제의 운용이 어려워지자 순조는 (　　　　　　)을/를 해방하여 군역 대상자를 확보하고자 하였다.

4 다음 물음에 답하시오.

(1) 1811년 세도 정권의 수탈과 평안도 지역 차별에 반대하며 봉기를 일으킨 인물은?

(　　　　　　)

(2) 1862년 몰락 양반 유계춘을 중심으로 농민들이 봉기한 지역은? (　　　　　　)

(3) 진주 농민 봉기를 시작으로 1862년에 전국에서 일어난 농민 봉기를 일컫는 말은?

(　　　　　　)

5 다음 설명이 맞으면 ○표를, 틀리면 ×표를 하시오.

(1) 일본은 임진왜란 이후부터 19세기 초까지 조선에 통신사를 파견하였다. (　　)

(2) 연행사는 조선 후기에 청에 보낸 사신으로, 청의 발달한 문물을 조선에 소개하였다. (　　)

(3) 조선 후기에 청으로부터 고구마 등 새로운 작물이 도입되었다. (　　)

3일

교과서 핵심 정리 ②

개념 4 새로운 사상과 학문의 유행

1. 새로운 종교의 대두

천주교	• 17세기에 ❶ ☐ 으로 수용 → 18세기 후반 신앙으로 받아들임 • 평등사상과 내세 사상, 유교적 제사 의식 거부, 신분 질서 부정 → 정부의 탄압
동학	❷ ☐ 가 창시(1860), 평등사상과 인내천·시천주·후천 개벽 사상 주장 → 정부의 탄압

(인내천: '사람이 곧 하늘'이라는 뜻)

2. 실학과 국학의 발달

실학	농업 중심 개혁론	• 토지 제도 개혁, 자영농 육성 주장 • 유형원(균전론), 이익(한전론), 정약용(여전론)
	상공업 중심 개혁론	• 상공업 진흥, 청과의 교류를 통한 선진 문물 수용 주장 • 유수원(직업의 평등 주장), 홍대용(기술 혁신과 문벌 제도 폐지), 박지원(수레, 선박, 화폐의 사용 강조), ❸ ☐ (『북학의』 저술, 청과의 교역 확대, 소비를 통한 생산 증대 주장)
국학		• 역사: 안정복 『동사강목』, 유득공 『발해고』 • 지리: 이중환 『택리지』, 정상기 「동국지도」, 김정호 「❹ ☐ 」

예) 양 난 이후 나타난 문제를 해결하기 위해 새로운 경향의 사회 개혁론이 등장하였다.

개념 5 조선 후기 예술의 발달

한문학	정약용(삼정의 문란을 폭로하는 한시), 박지원(『양반전』, 『허생전』)
회화	• ❺ ☐ : 우리나라의 자연을 사실적으로 그림(정선 「금강전도」, 「인왕제색도」) • 풍속화: 김홍도(서민의 일상생활을 그림), 신윤복(주로 양반층의 풍류를 그림) • 민화: 이름이 알려지지 않은 화가가 그림, 복을 바라는 의미로 생활 공간 장식
글씨	❻ ☐ (추사체), 이광사(동국 진체)
공예	백자 널리 사용됨, 청화 백자 유행

예) 조선 후기에는 우리 고유의 정서와 자연을 표현하려는 움직임이 나타났다.

개념 6 조선 후기 사회 변화와 서민 문화의 발달

1. **가족 제도의 변화** 성리학적 생활 규범 정착 → ❼ ☐ 중심의 가족 제도 강화

(혼인 후 여자가 곧바로 남자 집에서 생활하는 풍습 정착, 족보에 부계의 자손을 중심으로 수록, 상속에서 큰아들 우대, 큰아들이 제사를 지내야 한다는 인식 확산)

2. **서민 문화의 발달** 서민의 경제력 향상, 서당 보급과 한글 사용이 발달 배경 → 한글 소설(『홍길동전』, 『춘향전』, 『심청전』, 『흥부전』 등), 사설시조(형식에 구애받지 않고 길게 풀어쓴 시조 → 서민들의 감정 자유롭게 표현), 판소리(「춘향가」, 「심청가」, 「흥부가」, 「적벽가」, 「수궁가」 등), 탈춤(해학과 풍자로 양반 사회 비판)

예) 한글 소설 수요가 증가하면서 책을 전문적으로 빌려주는 가게도 등장하였다.

❶ 서학
❷ 최제우
❸ 박제가
❹ 대동여지도
❺ 진경 산수화
❻ 김정희
❼ 부계

6 다음 빈칸에 들어갈 알맞은 말을 쓰시오.

(1) 조선 후기 (　　　　　　　)은/는 유교적 제사 의식을 거부한 사건을 계기로 탄압을 받았다.

(2) 동학은 '사람이 곧 하늘'이라는 (　　　　　　　) 사상을 바탕으로 하였다.

(3) 유형원, 이익, 정약용은 (　　　　　　　) 중심 개혁론을 주장한 대표적인 실학자이다.

(4) 상공업 중심 개혁론을 주장한 실학자들은 청의 문물을 수용할 것을 주장하여 (　　　　　　　) (이)라고 불렸다.

7 서로 관련 있는 것끼리 바르게 연결하시오.

(1) 김정호 •　　　　• ㉠ 동학 창시

(2) 박제가 •　　　　• ㉡ 여전론 주장

(3) 정약용 •　　　　• ㉢『북학의』 저술

(4) 최제우 •　　　　• ㉣「대동여지도」 제작

8 다음 물음에 답하시오.

(1) 주로 양반의 생활 모습과 남녀의 애정 등을 소재로 풍속화를 그린 조선 후기의 화가는?
(　　　　　　　)

(2) 조선 후기에 유행한 자기로, 흰 바탕 위에 푸른색으로 그림을 그린 것은? (　　　　　　　)

(3) 김정희가 우리나라와 중국 명필의 글씨체를 두루 연구하여 독창적으로 만들어 낸 서체는?
(　　　　　　　)

9 다음 자료를 보고 ㉠~㉢에 들어갈 알맞은 말을 쓰시오.

▲ 진경 산수화(정선 「인왕제색도」)

▲ 민화(「까치 호랑이」)

▲ 풍속화(김홍도 「씨름」)

> 조선 후기에는 우리나라의 자연을 직접 보고 그리는 (㉠)이/가 등장하였다. 당시 사람들의 삶의 모습을 생생하게 담은 (㉡)도 유행하였는데, 대표적인 화가로는 김홍도, 신윤복 등이 있다. (㉢)은/는 건강과 장수 등을 바라는 서민들의 정서를 담은 작품이 많았다.

㉠ : (　　　　) ㉡ : (　　　　) ㉢ : (　　　　)

10 다음 괄호 안의 내용 중 알맞은 말을 골라 ○표 하시오.

(1) 조선 후기에는 성리학적 질서가 확산되면서 (모계, 부계) 중심의 가족 제도가 강화되었다.

(2) 조선 후기에는 (장남, 장녀)에게 거의 모든 재산을 물려주는 일이 일반화되었다.

(3) 조선 후기 문학에서는 『춘향전』, 『홍길동전』 등의 (사설시조, 한글 소설)이/가 크게 유행하였다.

(4) (판소리, 탈춤)은/는 소리꾼이 북 장단에 맞추어 노래와 말로 이야기를 풀어 가는 것이다.

3일 내신 기출 베스트

대표 예제 1

다음 강의에서 다룰 내용으로 적절하지 않은 것은?

조선 후기
농업과 상공업의 변화

① 공인의 활동 ② 모내기법 전국 보급
③ 민영 수공업의 발달 ④ 장시의 전국적 확대
⑤ 정부의 금난전권 강화

개념 가이드

조선 후기에는 ❶ ☐의 보급으로 농업 생산량이 증가하였고, 상업의 발달로 장시도 널리 퍼졌다. 답 ❶ 모내기법

대표 예제 2

다음 설명에 해당하는 것은?

( )

개념 가이드

조선 후기에는 ❷ ☐ 중심의 신분 제도가 흔들리기 시작하여 양반 신분을 사고팔기도 하였다. 답 ❷ 양반

대표 예제 3

제시된 자료와 관련된 사건으로 옳은 것은?

> 조정에서는 서쪽 땅을 버림이 더러운 흙과 다름없다. 권세 있는 집의 노비들도 보면 평안도 놈이라 일컫는다. …… 지금 나이 어린 임금이 위에 있어서 권신배의 간악한 짓이 날로 심해져 …… 이곳 평안도에서 병사를 일으켜 백성을 구하고자 한다. -『패림』-

① 정유재란 ② 홍경래의 난
③ 임술 농민 봉기 ④ 진주 농민 봉기
⑤ 망이·망소이의 난

개념 가이드

1811년에 일어난 ❸ ☐의 난은 탐관오리의 수탈과 평안도 지역에 대한 차별에 항거하여 일어났다. 답 ❸ 홍경래

대표 예제 4

다음 대화에서 옳지 않은 말을 한 사람은?

연행사에 대해 말해 줘.

태훈	연경에 간 사신이라는 의미로 연행사라고 했어.
설아	서양 과학 기술을 수용하는 통로가 되었어.
민수	고구마가 전래되는 통로가 되었어.
지현	청에 조공을 바치고 답례품을 받아왔어.

① 없음 ② 태훈 ③ 설아 ④ 민수 ⑤ 지현

개념 가이드

조선 후기에 ❹ ☐에 보낸 사신은 연행사, 에도 막부의 요청으로 일본에 보낸 사신은 통신사이다. 답 ❹ 청

대표 예제 5

다음 ㉠, ㉡에 들어갈 종교를 바르게 연결한 것은?

	㉠	㉡		㉠	㉡
①	동학	유교	②	불교	동학
③	천주교	불교	④	천주교	유교
⑤	천주교	동학			

개념 가이드

서학(천주교)으로 대표되는 서양 세력을 경계하는 의미에서 최제우는 ❺ [ ]을 창시하였다.

답 ❺ 동학

대표 예제 6

선생님의 질문에 적절한 답은?

- 유형원
- 이익
- 정약용

다음 인물들의 공통점은 무엇일까요?

① 인내천 사상 주장
② 토지 제도 개혁에 관심
③ 상공업의 발전 주장
④ 청의 선진 문물 수용 주장
⑤ 양반 중심 신분 질서 부정

개념 가이드

조선 후기의 사회 문제를 해결하기 위해 새로운 경향의 학문과 사회 개혁론인 ❻ [ ]이 등장하였다.

답 ❻ 실학

대표 예제 7

다음과 같은 주제로 역사 보고서를 작성할 때, 보고서 내용으로 적절한 것은?

〈 역사 보고서 〉

주제: 조선 후기 가족 제도

① 집안의 제사를 자녀가 돌아가면서 지냈다.
② 아들이 없으면 양자를 들이는 것이 일반적이었다.
③ 아들과 딸이 균등하게 재산을 나누어 상속하였다.
④ 족보에 남녀 구별 없이 태어난 순서대로 기재하였다.
⑤ 혼인 후 남자가 여자 집에서 생활하는 경우가 많았다.

개념 가이드

조선 후기에는 ❼ [ ]이 일상생활에까지 영향을 미치면서 ❽ [ ] 중심의 가족 제도가 강화되었다.

답 ❼ 성리학 ❽ 부계

대표 예제 8

다음과 같은 예술 문화가 유행한 시기에 볼 수 있는 모습으로 적절하지 않은 것은?

① 『홍길동전』 등장
② 상감청자의 유행
③ 사설시조 짓는 서민
④ 소설 읽어 주는 이야기꾼
⑤ 한글 소설을 빌려주는 가게

개념 가이드

조선 후기에는 탈춤, 판소리, 한글 소설, 사설시조와 같은 ❾ [ ] 문화가 유행하였다.

답 ❾ 서민

3일

4일 국민 국가의 수립

생각 열기

• 국민 국가 수립 운동

Quiz

흥선 대원군은 두 차례 양요를 겪은 후 ❶ [   ] 를 세워 통상 수교 거부 정책을 확고히 하였다.

답 ❶ 척화비

공부할 내용

1. 국민 국가 수립 운동
2. 일제의 국권 침탈과 국권 수호 운동
3. 3·1 운동과 대한민국 임시 정부
4. 민족 운동의 전개와 대한민국 정부 수립

• 일제의 식민 통치와 민족 운동의 전개

Quiz

일제는 1910년대 무단 통치, 1920년대 ❷ ＿＿＿＿ 에 이어 1930년대 이후에는 민족 말살 통치를 실시하였다.

답 ❷ 문화 통치

교과서 핵심 정리 ①

개념 1 국민 국가 수립 운동의 전개

1. 국민 국가 수립 운동

구분	내용		
흥선 대원군의 집권	• 통치 체제 정비: 왕권 강화와 민생 안정 도모 • 통상 수교 거부 정책: 병인양요(프랑스)와 신미양요(미국)에서 외세를 물리친 후 전국에 척화비를 세우고(1871) 통상 수교 거부 의지를 널리 알림		
강화도 조약 (1876) (배경: 고종의 집권 이후 통상 개화론 대두)	일본의 ❶ ( ) 도발 → 일본과 통상 조약 체결(내용: 3개 항구 개항, 일본의 해안 측량권 인정, 영사 재판권 인정) → 최초의 근대적 조약, 불평등 조약임		
위정척사 운동	보수 유생층 중심, 문호 개방과 서양 문물 수용에 반대		정부의 개화 정책에 반발함
임오군란 (1882)	❷ ( )과의 차별 대우에 구식 군인이 반발 → 청 군대의 개입으로 진압 → 조선에 대한 청의 간섭 심화		
갑신정변 (1884)	청의 내정 간섭 심화와 정부의 소극적 개화 정책에 반발 → ❸ ( )을 중심으로 한 급진 개화파가 정변을 일으킴 → 개혁 정강(인민 평등권, 근대적 정치 제도 등 주장) 발표 → 청군의 개입으로 3일 만에 실패		
동학 농민 운동	고부 농민 봉기 → 전주성 점령 → 전주 화약 체결과 집강소 설치(폐정 개혁안 추진) → 청일 전쟁 → 농민군 재봉기 → 우금치 전투 패배, 전봉준 체포		
갑오개혁과 을미개혁	갑오개혁	군국기무처 설치, 홍범 14조 반포, 신분제 폐지, 과거제 폐지	
	을미개혁	을미사변(일본의 명성 황후 시해) 이후 ❹ ( ) 실시, 태양력 사용 등	
	아관 파천	고종이 러시아 공사관으로 거처를 옮김 → 열강의 이권 침탈	
독립 협회	서재필과 개화파 관료들이 설립. 독립문 건립, ❺ ( )(열강의 이권 침탈 비판), 관민 공동회(헌의 6조 채택, 근대적 의회 설립 추진)		
대한 제국	아관 파천 이후 1년 만에 고종 환궁 → 대한 제국 수립(1897), 대한국 국제 제정 → ❻ ( )(구본신참의 원칙, 군사권 강화, 지계 발급)		

└ 대한 제국은 칙령 제41호를 통해 울릉도를 군으로 승격하고 독도를 관할하도록 하였음

2. 일제의 국권 침탈과 국권 수호 운동의 전개

구분	내용	
일제의 국권 침탈 과정	한일 의정서(1904) → 을사늑약(1905, 외교권 박탈, 통감부 설치) → 고종 강제 퇴위(1907) → 일본, 대한 제국의 국권 강탈(1910) └ 헤이그에서 열린 만국 평화 회의에 특사를 파견하여 을사늑약의 부당성 알리고자 했으나, 일제가 이 사건을 빌미로 고종을 강제 퇴위시킴	
항일 의병 운동	을미의병	을미사변과 단발령 시행에 반발 → 양반 유생층 중심 투쟁
	❼ ( )	을사늑약 체결에 반발 → 평민 의병장(신돌석) 활약
	정미의병	고종의 강제 퇴위, 군대 해산에 반발 → 다양한 계층 참여
애국 계몽 운동	• 의미: 을사늑약 전후로 민족의 실력을 키워 국권을 회복하려고 한 운동 • 단체: 헌정 연구회(입헌 의회 제도 수립 운동 전개), 신민회(양기탁, 안창호, 이승훈 등이 조직, 국권 회복과 공화정 체제의 근대 국민 국가 수립 추구) └ (신민회) 대성 학교, 오산 학교 등 설립	

예 19세기 후반 조선은 외세의 침략에 대항하며 근대적인 국민 국가를 수립해야 할 과제를 안고 있었다.

❶ 운요호 사건
❷ 별기군
❸ 김옥균
❹ 단발령
❺ 만민 공동회
❻ 광무개혁
❼ 을사의병

기초 확인 문제

정답과 해설 68쪽

1 다음 괄호 안의 내용 중 알맞은 말을 골라 ○표 하시오.

(1) 흥선 대원군은 집권 후 (개화, 통상 수교 거부) 정책을 펼쳤다.

(2) 김옥균 등은 (임오군란, 갑신정변)을 통해 문벌을 폐지하고 인민 평등권을 제정하고자 하였다.

(3) 전주성을 점령한 동학 농민군은 (집강소, 군국기무처)를 설치하고 폐정 개혁을 추진하였다.

(4) (갑오개혁, 을미개혁)의 결과 신분제가 폐지되고 근대적 내각 제도가 수립되었다.

(5) (갑오개혁, 을미개혁)의 결과 단발령이 실시되고 태양력을 사용하게 되었다.

2 다음 자료를 보고 ㉠, ㉡에 들어갈 알맞은 말을 쓰시오.

> **강화도 조약**
>
> 제1조 조선은 자주국이며, 일본과 대등한 권리를 가진다.
>
> 제4조 조선은 부산 외에 두 곳의 항구를 개항하고 일본인이 와서 통상하도록 허가한다.
>
> 제7조 조선국 해안을 일본국 항해자가 자유로이 측량하도록 허가한다.
>
> 제10조 일본국 인민이 조선국 항구에서 죄를 지은 사건은 모두 일본국 관원이 심판한다.

> 조선은 일본과 (㉠)을/를 맺어 문호를 개방하였다. 이 조약은 조선이 외국과 맺은 최초의 근대적 조약이었으나, 영사 재판권과 해안 측량권 등을 허용한 (㉡) 조약이었다.

㉠ : ( ) ㉡ : ( )

3 다음 빈칸에 들어갈 알맞은 말을 쓰시오.

(1) 을미사변 이후 신변의 위협을 느낀 고종은 러시아 공사관으로 거처를 옮기는 ( ) 을/를 단행하였다.

(2) 독립 협회는 민중이 중심이되 정부 관리들까지 참여한 ( )을/를 열어 헌의 6조를 고종에게 건의하였다.

(3) 고종은 대한 제국을 선포하고 행정, 군사, 외교권 등이 모두 황제에게 있음을 규정한 일종의 헌법인 ( )을/를 반포하였다.

(4) 대한 제국은 칙령 제41호를 통해 울릉도를 군으로 승격하고 ( )을/를 관할하도록 하였다.

4 서로 관련 있는 것끼리 바르게 연결하시오.

(1) 을미의병 •	• ㉠ 평민 의병장 활약
(2) 을사의병 •	• ㉡ 단발령 시행 반발
(3) 정미의병 •	• ㉢ 해산 군인의 합류

5 다음 물음에 답하시오.

(1) 을사늑약으로 대한 제국의 외교권을 박탈한 일제가 대한 제국의 내정 간섭을 위해 설치한 것은?
( )

(2) 고종의 강제 퇴위와 대한 제국 군대 해산에 반발하여 일어난 항일 의병 운동은?
( )

(3) 을사늑약 전후로 민족의 실력을 키워 국권을 회복하려고 한 운동을 일컫는 말은?
( )

(4) 안창호, 양기탁, 이승훈 등이 조직하였으며, 공화정 수립을 목표로 한 애국 계몽 단체는?
( )

교과서 핵심 정리 ②

개념 2 3·1 운동과 대한민국 임시 정부의 수립

식민 통치	❶ [ ] : 조선 총독부 설치, 헌병 경찰을 이용한 강압 통치
3·1 운동 (1919)	• 배경: 윌슨의 ❷ [ ], 2·8 독립 선언, 반일 감정 고조 등 • 영향: 대한민국 임시 정부 수립, 일제의 식민 통치 방식 변화(무단 통치 → 기만적인 '문화 통치'), 중국의 5·4 운동 등 다른 나라의 민족 운동에 영향
대한민국 임시 정부	• 각지의 임시 정부를 상하이의 대한민국 임시 정부로 통합 • 삼권 분립, 민주 공화제(대통령에 이승만 선출), 연통제와 교통국 운영

예 3·1 운동 이후 독립운동을 조직적으로 전개하고자 각 지역에 임시 정부가 수립되었다.

개념 3 민족 운동의 전개와 대한민국 정부 수립

1. 민족 운동의 전개

1920년대	식민 통치	❸ [ ] : 친일 세력 양성, 민족 분열 정책
	국내	• 실력 양성 운동: 물산 장려 운동(구호: '내 살림 내 것으로'), 민립 대학 설립 운동 • 학생 운동: 6·10 만세 운동(1926, 순종의 장례식을 계기로 계획됨), 광주 학생 항일 운동(1929) • 신간회: 비타협적 민족주의 계열과 사회주의 계열의 민족 협동 전선(광주 학생 항일 운동을 지원함)
	국외	• ❹ [ ] (1919): 김원봉이 조직, 김익상·김상옥·나석주 의거 • 봉오동 전투(홍범도)와 청산리 대첩(김좌진, 홍범도)의 승리 → 3부(참의부·정의부·신민부, 자치 정부 성격) 성립
1930년대 이후	식민 통치	민족 말살 정책: 한국인의 민족의식 말살
	무장 독립 투쟁	• 한인 애국단: ❺ [ ] 가 조직, 이봉창·윤봉길 의거 • 만주 지역: 한국 독립군(지청천), 조선 혁명군(양세봉) • 중국 관내(중일 전쟁 발발 이후): 조선 의용대(김원봉), 한국 광복군(대한민국 임시 정부)(미국과 함께 국내 진공 작전 계획(실행 전 광복))

2. 8·15 광복과 대한민국 정부 수립

광복 이후	• 조선 건국 준비 위원회(국내에서 여운형 등이 조직) 조직됨, 미군과 소련군이 38도선 경계로 진주 • 통일 정부 수립 노력: 모스크바 3국 외상 회의의 결과에 대한 국내 반응이 우익(신탁 통치 반대 운동)과 좌익(모스크바 3국 외상 회의 결정 지지)으로 나뉨 → 미소 공동 위원회 결렬(미소 공동 위원회가 결렬되자 남한에서 이승만을 중심으로 단독 정부 수립론이 제기됨) → 좌우 합작 운동(❻ [ ], 김규식) 실패 → 한반도 문제 유엔(UN) 상정 → 남한만의 우선 선거 실시 결정 → 남한만의 단독 정부 수립 반대 움직임(남북 협상, 제주 4·3 사건)
대한민국 정부 수립	❼ [ ] (남한만의 총선거, 우리나라 최초의 민주 선거) → 제헌 국회 구성 → 헌법 공포 → 대한민국 정부 수립(초대 대통령 이승만)

예 3·1 운동 이후 국내의 항일 운동 세력은 민족주의 계열과 사회주의 계열로 나뉘었다.

❶ 무단 통치
❷ 민족 자결주의
❸ 문화 통치
❹ 의열단
❺ 김구
❻ 여운형
❼ 5·10 총선거

기초 확인 문제

정답과 해설 68쪽

6 다음 괄호 안의 내용 중 알맞은 말을 골라 ○표 하시오.

(1) 대한 제국의 국권을 강탈한 일제는 조선 (총독부, 통감부)를 설치하고 헌병 경찰을 이용한 무단 통치를 실시하였다.

(2) 3·1 운동 이후 일제는 이른바 (무단 통치, 문화 통치)로 통치 방식을 바꾸었다.

(3) (을사늑약, 3·1 운동)을 계기로 대한민국 임시 정부가 수립되었다.

(4) 대한민국 임시 정부는 (민주 공화제, 입헌 군주제)를 채택하였다.

7 다음 빈칸에 들어갈 알맞은 말을 쓰시오.

(1) 3·1 운동은 제1차 세계 대전 이후 미국의 윌슨이 제창한 (　　　　　　)의 영향을 받았다.

(2) 1926년 4월 순종의 장례식을 계기로 계획된 (　　　　　　)은/는 민족주의자와 사회주의자가 연대하는 계기가 되었다.

(3) 비타협적 민족주의 계열과 사회주의 세력이 연대하여 조직한 (　　　　　　)은/는 광주 학생 항일 운동을 지원하기도 하였다.

(4) 김원봉의 주도로 1919년에 결성된 무장 투쟁 단체인 (　　　　　　)은/는 식민 통치 기관 폭파 등 의거 활동을 전개하였다.

(5) 1920년대 만주 지역에서 김좌진, 홍범도 등이 이끄는 독립군 부대가 일본군에 큰 승리를 거둔 전투는 (　　　　　　)(이)다.

8 다음 물음에 답하시오.

(1) 중일 전쟁이 일어나자 김원봉이 중국 관내에서 조직한 독립군 부대는? (　　　　　　)

(2) 대한민국 임시 정부가 충칭으로 옮긴 후 창설한 독립군 부대는? (　　　　　　)

(3) 1945년 일본이 항복하자 국내에서 여운형 등이 건국을 준비하며 조직한 단체는? (　　　　　　)

(4) 미소 공동 위원회의 설치와 우리나라에 대한 최대 5년간의 신탁 통치를 결정한 국제회의는? (　　　　　　)

9 서로 관련 있는 것끼리 바르게 연결하시오.

(1) 김구 •　　　　• ㉠ 좌우 합작 운동
(2) 여운형 •　　　　• ㉡ 남북 협상 시도
(3) 이승만 •　　　　• ㉢ 단독 정부 수립 주장

10 다음 자료를 보고 ㉠, ㉡에 들어갈 알맞은 말을 쓰시오.

나는 통일된 조국을 건설하려다가 38도선을 베고 쓰러질지언정 일신의 구차한 안일을 취하여 단독 정부를 세우는 데에는 협력하지 아니하겠다.

◀ 38도선을 넘는 김구

> 국제 연합(UN)에서 남한만의 단독 선거가 결정되자, (　㉠　)와/과 김규식은 분단을 막기 위해 북한의 지도자들을 만나 (　㉡　)을/를 벌였으나 성과를 거두지는 못하였다.

㉠ : (　　　　　　) ㉡ : (　　　　　　)

4일 내신 기출 베스트

대표 예제 1

다음 대화의 밑줄 친 말에 해당하는 사건은?

① 병인박해 ② 병인양요
③ 신미양요 ④ 운요호 사건
⑤ 제너럴 셔먼호 사건

개념 가이드

❶ [ ] 은 두 차례의 양요를 겪은 후 ❷ [ ] 를 세워 통상 수교 거부 정책을 확고히 하였다.

답 ❶ 흥선 대원군 ❷ 척화비

대표 예제 2

밑줄 친 '개혁안'의 내용으로 옳은 것은?

▲ 군국기무처 회의 모습

군국기무처는 갑오개혁 당시 개혁을 추진하기 위해 설치된 기구로, 약 210건의 개혁안을 의결하였다.

① 신분제 폐지 ② 단발령 시행
③ 공화정 도입 ④ 집강소 설치
⑤ 금난전권 폐지

개념 가이드

군국기무처는 ❸ [ ] 당시 설치된 기구로 과거제 폐지, 개국 기년 사용 등 개혁 정책을 추진하였다.

답 ❸ 갑오개혁

대표 예제 3

(가) 시기에 일어난 사건으로 옳은 것은?

아관 파천 ➡ (가) ➡ 대한 제국 수립

① 대한국 국제가 반포되었다.
② 구식 군인들이 임오군란을 일으켰다.
③ 동학 농민군이 일본에 맞서 봉기하였다.
④ 서재필 등 개화파가 독립 협회를 창립하였다.
⑤ 근대적 토지 소유 문서인 지계가 발급되었다.

개념 가이드

❹ [ ] 이후 열강의 이권 침탈이 가속화되자 ❺ [ ] 등 개화파 세력이 결집하여 독립 협회를 창립하고 열강의 이권 침탈에 저항하였다.

답 ❹ 아관 파천 ❺ 서재필

대표 예제 4

(가) 단체는 무엇인가?

① 의열단 ② 신민회 ③ 독립 협회
④ 한인 애국단 ⑤ 헌정 연구회

개념 가이드

양기탁, 안창호, 이승훈 등이 주도한 애국 계몽 단체인 신민회는 ❻ [ ] 체제의 근대 국민 국가 수립을 추구하였다.

답 ❻ 공화정

대표 예제 5

다음 설명에 해당하는 것은?

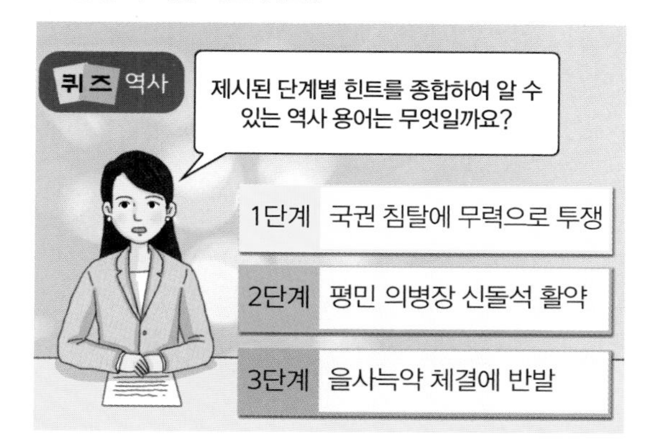

① 을미의병 ② 을사의병 ③ 동학 농민 운동
④ 정미의병 ⑤ 애국 계몽 운동

개념 가이드

을미의병은 일본의 명성 황후 시해와 단발령에 저항하며 일어났고, ❼ [ ] 은 고종의 강제 퇴위와 대한 제국 군대 해산에 항거한 것이었다.

답 ❼ 정미의병

대표 예제 6

밑줄 친 (가)~(라) 중 옳은 설명을 모두 고른 것은?

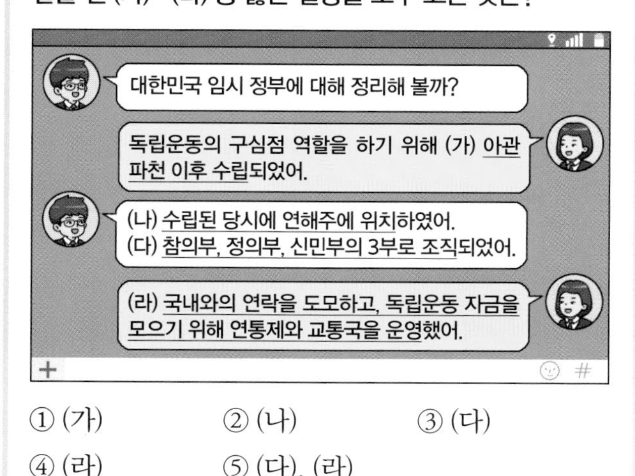

① (가) ② (나) ③ (다)
④ (라) ⑤ (다), (라)

개념 가이드

대한민국 임시 정부는 ❽ [ ] 이후 독립운동의 구심점 역할을 하기 위해 수립되었다.

답 ❽ 3·1 운동

대표 예제 7

밑줄 친 '항일 운동'의 명칭을 쓰시오.

▲ 공판에 회부된 항일 운동 참가자의 모습

1929년 통학 열차에서 일본인 중학생이 한국인 여학생을 희롱한 사건을 계기로 한·일 학생 간 충돌이 발생하였다. 사건 이후 경찰이 한국 학생들을 일방적으로 탄압하자 학생들은 대규모 항일 운동을 전개하였다.

( )

개념 가이드

3·1 운동 이후 일어난 항일 운동 중에서 민족주의와 사회주의가 연대한 ❾ [ ] 과 식민지 차별 교육 철폐를 주장하며 일어난 ❿ [ ] 이 있다.

답 ❾ 6·10 만세 운동 ❿ 광주 학생 항일 운동

대표 예제 8

사건이 일어난 순서대로 카드를 배열한 것으로 옳은 것은?

1번 카드	2번 카드	3번 카드	4번 카드
남북 협상	5·10 총선거	좌우 합작 운동	모스크바 3국 외상 회의

① 1번 – 3번 – 4번 – 2번
② 3번 – 2번 – 1번 – 4번
③ 3번 – 4번 – 2번 – 1번
④ 4번 – 2번 – 1번 – 3번
⑤ 4번 – 3번 – 1번 – 2번

개념 가이드

모스크바 3국 외상 회의 이후 그 결과를 두고 좌우의 대립이 심해지고 ⓫ [ ] 도 결렬되자 여운형과 김규식은 좌우 합작 운동을 벌였으나 실패하였다.

답 ⓫ 미소 공동 위원회

4일

5일 자본주의와 사회 변화, 민주주의의 발전, 평화 통일을 위한 노력

생각 열기

• 민주주의의 발전

4 · 19 혁명

유신 반대 민주화 운동

5 · 18 민주화 운동

6월 민주 항쟁

Quiz

6월 민주 항쟁으로 대통령 ❶ [   ] 를 쟁취함으로써 민주주의가 확장될 수 있었다.

답 ❶ 직선제

공부할 내용

1. 자본주의 경제의 발달
2. 경제 성장에 따른 사회 변화
3. 민주주의의 발전
4. 평화 통일을 위한 노력

• 평화 통일을 위한 노력

Quiz

1970년대 남북한은 ❷ [ ] 을 발표하여 자주·평화·민족 대단결의 3대 통일 원칙에 합의하였다.

답 ❷ 7·4 남북 공동 성명

교과서 핵심 정리 ①

개념 1 자본주의와 사회 변화

1. 개항과 식민지 경제

구분		내용
개항 이후 경제 침탈		강화도 조약으로 3개 항구 개항, 해안 측량권 허용, 일본으로의 쌀 유출로 쌀값 폭등, ❶ (　　) 이후 러시아 등 열강의 이권 침탈 심화 (열강이 최혜국 대우를 앞세워 이권을 요구함)
경제적 구국 운동의 전개		• ❷ (　　)의 활동: 일제의 황무지 개간권 요구 저지 • 국채 보상 운동: 국민 성금을 모아 나라 빚을 갚고자 함
일제의 식민지 경제 정책	1910년대	• ❸ (　　): 소유권만 인정(많은 소작농이 경작권 상실) → 지주의 법적 권한 강화 • 회사령(회사 설립 시 총독부의 허가 받도록 함), 광업령 실시
	1920년대	• 산미 증식 계획(증산량보다 많은 양의 쌀을 일본으로 가져감), 회사령 폐지 및 관세 철폐(일본 기업·상품 진출 쉬워짐)
	1930년대 이후	• 식민지 공업화: 한반도의 병참 기지화 • 인적·물적 수탈: ❹ (　　) 제정(1938)

2. 국가 주도 경제 성장

시기	내용	
1950년대	미국 원조 → 농산물 가격 하락, 삼백 산업(미국 원조 물자를 토대로 한 제분, 제당, 면방직 산업을 말함) 발달	〈부작용〉 산업 부문 개발 불균형, 해외 의존도 심화, 농민과 노동자의 희생 등
1960년대	제1·2차 경제 개발 5개년 계획: ❺ (　　) 육성	
1970년대	제3·4차 경제 개발 5개년 계획: 중화학 공업 육성	
1980년대	3저 호황으로 고도 성장 지속	
신자유주의와 세계화	• 김영삼 정부: 시장 개방 확대, 경제 협력 개발 기구(OECD) 가입 • ❻ (　　)(1997) → 국제 통화 기금(IMF)에 구제 금융 요청	

3. 경제 성장에 따른 사회 변화, 대중문화의 발달

시기	내용
1960~1970년대	산업 구조의 변화 → 도시 문제(공업 중심 산업 구조로 바뀌어 도시로 인구가 몰리자 주택·교통·도시 빈민 문제 등 발생), 노동 문제(❼ (　　)의 분신)
1980년대	제3차 산업 비중 증가, 교육·의료 등 발달
1990년대 이후	도시 재개발 사업, 청년 실업, 비정규직 문제
대중문화의 발달	다양한 대중 매체 보급 → 영화, 드라마, 음악, 스포츠 등 대중문화 발달

예 우리나라는 일제의 경제적 수탈과 6·25 전쟁이라는 어려움을 극복하고 급속한 경제 발전을 이루었다.

개념 2 민주주의의 발전

1. 헌법의 탄생

구분	내용
대한민국 임시 정부 헌법	민주 공화제 원칙 구체화(대한민국 임시 헌장에서 민주 공화제 천명)
제헌 헌법	• 주권 재민과 삼권 분립을 전제로 한 민주 공화국 지향 • 3·1 운동의 정신과 대한민국 임시 정부의 정통성 계승

❶ 아관 파천
❷ 보안회
❸ 토지 조사 사업
❹ 국가 총동원법
❺ 경공업
❻ 외환 위기
❼ 전태일

기초 확인 문제

정답과 해설 70쪽

1 다음 빈칸에 들어갈 알맞은 말을 쓰시오.

(1) 러일 전쟁 당시 일제가 황무지 개간권을 요구하자 (　　　　　　)은/는 반대 운동을 벌여 막아 냈다.

(2) 모금을 통해 일본에 진 나라 빚을 갚기 위해 1907년 (　　　　　　)이/가 전개되었다.

(3) 일제는 근대적 토지 소유권을 확립한다는 명목으로 (　　　　　　)을/를 추진하였다.

(4) 일제가 일본 내에서 부족해진 쌀을 보충하고자 한반도에서 (　　　　　　)을/를 실시하였다.

(5) 일제는 전시 상황에서 인적·물적 자원을 수탈하기 위해 1938년 (　　　　　　)을/를 제정하였다.

2 다음 자료를 보고 ㉠, ㉡에 들어갈 알맞은 말을 쓰시오.

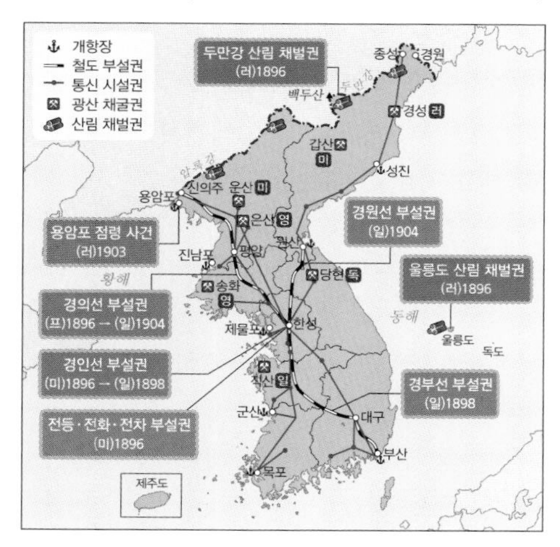

▲ 아관 파천 이후 열강의 이권 침탈

> (　㉠　) 이후 여러 이권을 러시아에 주자, 최혜국 대우 규정을 앞세운 다른 나라도 이권을 요구하면서 열강의 이권 침탈이 본격화되었다. (　㉡　)(이)란, 어떤 나라와 조약을 맺을 때 그 나라에 가장 유리한 조항이 이미 조약을 체결한 나라에도 부여되는 규정이다.

㉠ : (　　　　　　) ㉡ : (　　　　　　)

3 다음 자료를 보고 ㉠, ㉡에 들어갈 알맞은 말을 쓰시오.

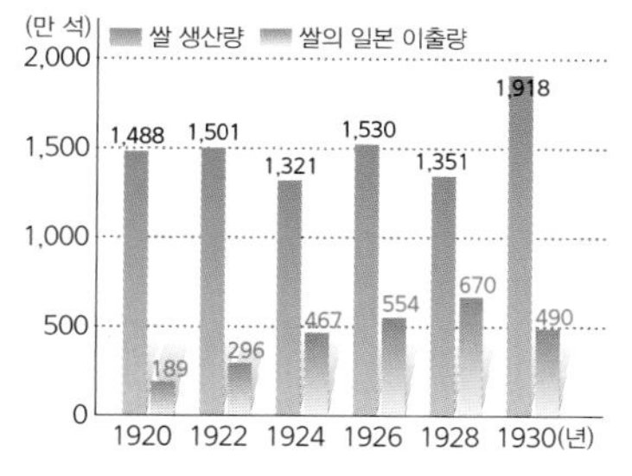

▲ 산미 증식 계획 당시 쌀 생산량과 일본으로의 유출량

> 일제는 1920~1934년에 걸쳐 (　㉠　)을/를 추진하였다. 이로써 쌀 생산량은 다소 증가했지만, 일제는 증산된 쌀보다 더 많은 쌀을 (　㉡　)(으)로 가져갔다. 그 결과 한국인의 1인당 쌀 소비량은 오히려 줄어들었으며, 수리 조합비 등 쌀 증산 비용이 전가됨으로써 농민의 생활은 더욱 어려워졌다.

㉠ : (　　　　　　) ㉡ : (　　　　　　)

4 서로 관련 있는 것끼리 바르게 연결하시오.

(1) 1950년대 •	• ㉠ 3저 호황
(2) 1960년대 •	• ㉡ 삼백 산업
(3) 1970년대 •	• ㉢ 경공업 육성
(4) 1980년대 •	• ㉣ 중화학 공업 육성

5 다음 괄호 안의 내용 중 알맞은 말을 골라 ○표 하시오.

(1) 김영삼 정부 시기에 신자유주의 정책을 폈으나, 무역 수지 적자 등으로 1997년에 (외환 위기, 3저 호황)을/를 맞았다.

(2) 박정희 시기 열악한 노동 환경에 저항한 (새마을 운동, 전태일 분신) 사건이 발생하였다.

(3) 대한민국 임시 정부 헌법은 주권 재민과 삼권 분립의 (민주 공화제, 입헌 군주제)를 원칙으로 하였다.

5일

교과서 핵심 정리 ②

2. 민주주의의 발전

이승만의 독재 정치	• 헌법 개정: 발췌 개헌(1952), ❶ [ ] 개헌(1954) • 독재 정치: 진보당 사건, 국가 보안법 개정, 경향신문 폐간
4·19 혁명	• 배경: 이승만 정부의 독재 정치, ❷ [ ] • 전개: 부정 선거 규탄 시위 → 시위 중 고등학생 김주열 사망 → 4월 19일 전국 대규모 시위 → 이승만 하야 • 의의: 최초로 시민들의 힘으로 정권 교체, 민주주의 발전 토대
장면 정부	• 장면 내각: 내각 책임제 개헌 이후 수립, 민주주의 발전 • 5·16 군사 정변: 박정희 등 군인 주도 → 국가 재건 최고 회의 조직, 중앙정보부 신설
박정희 정부	• 한·일 국교 정상화, 베트남 파병, 3선 개헌 • ❸ [ ](1972): 종신 집권을 위한 장기 독재 체제 • 유신 반대 민주화 운동: 1백만 인 헌법 개정 청원 운동, 부마 항쟁
5·18 민주화 운동	• 배경: 박정희 피살(10·26 사태) 후 전두환 등 신군부 세력의 권력 장악(❹ [ ]) • 전개: 비상계엄령 확대 → 5월 18일 광주에서 학생 시위 → 폭력적인 시위 진압, 발포 → 시민군 조직 → 계엄군의 시민군 진압
전두환 정부	7년 단임제·간선제로 헌법 개정, 언론 통제 및 민주화 요구 탄압, 선심성 정책 실시 (선심성 정책: 국민의 환심을 사기 위한 의도로 기획한 정책)
6월 민주 항쟁	• 배경: 대통령 ❺ [ ] 요구, 박종철 고문치사 사건 • 전개: 국민의 직선제 개헌 요구에도 불구하고 4·13 호헌 조치 발표 → 6월 대규모 시위 전개 → 6·29 민주화 선언(대통령 직선제 수용) • 이후의 정부: 노태우 → 김영삼 → 김대중 → 노무현 → 이명박 → 박근혜 → 문재인

예 우리나라는 시민들의 참여와 노력으로 민주화를 이루었다.

개념 3 평화 통일을 위한 노력

6·25 전쟁 (1950~1953)	전개	북한군 남침 → 유엔군 참전 → 중국군 개입 → 국군과 유엔군 후퇴(서울 재함락, 1·4 후퇴) → 전선 교착과 정전 협정
	영향	인명 피해, 남북한 독재 강화, 분단 고착화
남북한의 통일 노력	1970년대	❻ [ ](1972, 남북한이 최초로 자주·평화·민족적 대단결의 통일 원칙에 합의)
	1990년대	남북 기본 합의서 채택(1991), 남북한 유엔 동시 가입(1991)
	2000년대 이후 남북 정상 회담	• 김대중 정부: 6·15 남북 공동 선언(2000) • ❼ [ ] 정부: 10·4 남북 공동 선언(2007) • 문재인 정부: 4·27 판문점 선언(2018)

예 분단국가인 우리나라는 평화 통일을 위한 노력으로 대북 화해 협력 정책을 꾸준히 추진해 왔다.

❶ 사사오입
❷ 3·15 부정 선거
❸ 유신 헌법
❹ 12·12 사태
❺ 직선제
❻ 7·4 남북 공동 성명
❼ 노무현

기초 확인 문제

정답과 해설 70쪽

6 다음 빈칸에 들어갈 알맞은 말을 쓰시오.

(1) 이승만 정부는 (　　　　　　) 개헌을 통해 대통령 직선제로 헌법을 바꾸었다.

(2) (　　　　　　) 당시 사전 투표, 3~9인조 공개 투표 등의 부정이 일어났고 이는 4·19 혁명의 배경이 되었다.

(3) 4·19 혁명의 결과 내각 책임제 개헌이 이루어지고 (　　　　　　) 내각이 들어섰다.

(4) 1961년 박정희를 중심으로 한 일부 군인들이 (　　　　　　)을/를 일으켜 장면 내각을 무너뜨리고 정권을 장악하였다.

7 다음 물음에 답하시오.

(1) 박정희 정부가 경제 개발에 필요한 자금을 마련하기 위해 추진한 정책 두 가지는?

(　　　　　　), (　　　　　　)

(2) 1972년 대통령에게 긴급 조치권 등의 막강한 권한을 부여하고 종신 집권이 가능하도록 규정한 헌법은? (　　　　　　)

(3) 1979년 부산과 마산을 중심으로 전개된 유신 체제 반대 시위는? (　　　　　　)

(4) 박정희 정부가 무너진 후 전두환을 비롯한 신군부 세력이 쿠데타를 일으켜 정권을 장악한 사건은?

(　　　　　　)

8 서로 관련 있는 것끼리 바르게 연결하시오.

(1) 5·18 민주화 운동 •　　　• ㉠ 6·29 민주화 선언

　　　　　　　　　　　　• ㉡ 신군부 퇴진 요구

(2) 6월 민주 항쟁 •　　　　• ㉢ 광주 시민군 결성

　　　　　　　　　　　　• ㉣ 박종철 고문치사 사건

9 다음 자료를 보고 ㉠에 들어갈 알맞은 말을 쓰시오.

> **7·4 남북 공동 성명(1972)**
>
> 첫째, 통일은 외세에 의존하거나 외세의 간섭을 받음이 없이 자주적으로 해결하여야 한다.
>
> 둘째, 통일은 서로 상대방을 반대하는 무력행사에 의거하지 않고, 평화적으로 실현하여야 한다.
>
> 셋째, 사상과 이념, 제도의 차이를 초월하여 우선 하나의 민족으로서 민족적 대단결을 도모하여야 한다.

> 1970년대 냉전 체제가 완화되는 분위기 속에서 1972년 7월 4일에 남북한이 최초로 자주·(㉠)·민족 대단결이라는 3대 통일 원칙에 합의하였다.

㉠ : (　　　　　　)

10 다음 괄호 안의 내용 중 알맞은 말을 골라 ○표 하시오.

(1) 국군과 유엔군은 (1·4 후퇴, 인천 상륙 작전)에 성공하여 서울을 되찾고 압록강까지 진격하였다.

(2) 6·25 전쟁 이후 남북한 양쪽은 분단 상황을 이용하여 (독재, 평화 민주) 체제를 강화하였다.

(3) 노태우 정부 시기에 (남북 기본 합의서, 6·15 남북 공동 선언)을/를 채택하였다.

(4) 분단 이후 최초로 (노태우 정부, 김대중 정부)에서 남북 정상 회담을 개최하였다.

(5) 노무현 정부는 제2차 남북 정상 회담을 개최하여 (10·4 남북 공동 선언, 4·27 판문점 선언)을 발표하였다.

5일

5일 내신 기출 베스트

대표 예제 1

다음 상황이 나타난 시기로 옳은 것은?

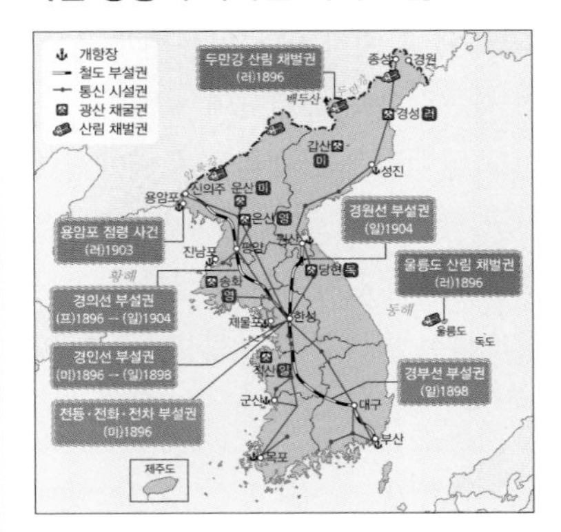

① 강화도 조약 직후　② 임오군란 시기
③ 청일 전쟁 이전　④ 아관 파천 이후
⑤ 일제의 국권 강탈 이후

개념 가이드

❶ [　　　] 이후 러시아를 비롯한 열강이 ❷ [　　　] 대우를 빌미로 각종 이권을 침탈하였다. 답 ❶ 아관 파천 ❷ 최혜국

대표 예제 2

가상의 포털 검색창의 (가)에 들어갈 용어로 옳은 것은?

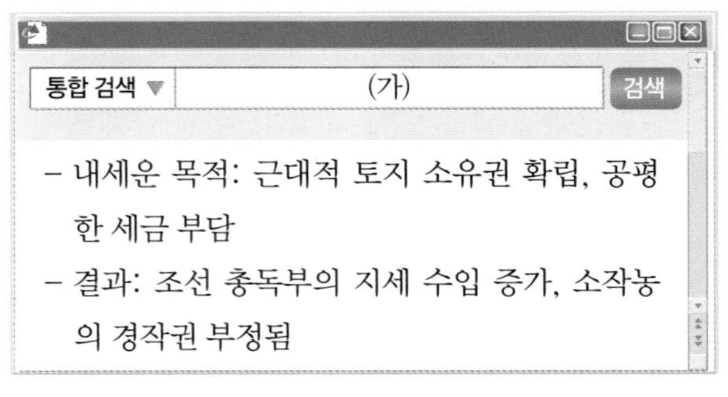

① 회사령　② 국가 총동원령　③ 산미 증식 계획
④ 삼림령　⑤ 토지 조사 사업

개념 가이드

1910년대에 실시된 토지 조사 사업으로 ❸ [　　　] 소유의 토지와 지세 수입이 증가하였다. 답 ❸ 조선 총독부

대표 예제 3

다음 퀴즈의 정답으로 옳은 것은?

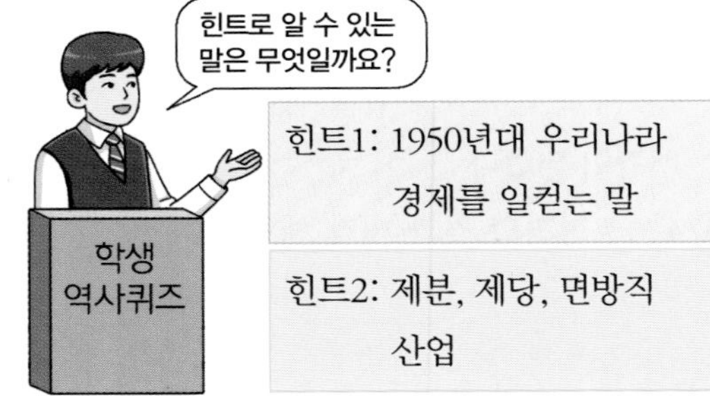

① 3저 호황　② 외환 위기
③ 삼백 산업 발달　④ 경부 고속 국도 개통
⑤ 경제 개발 5개년 계획

개념 가이드

1950년 이승만 정부 시기에는 ❹ [　　　]의 원조 물품을 기반으로 한 제분, 제당, 면방직의 ❺ [　　　]이 발달하였다. 답 ❹ 미국 ❺ 삼백 산업

대표 예제 4

(가)에 해당하는 역사 용어는?

역사 용어 카드
(가)
• 배경: 방만한 기업 경영, 무역 수지 적자 • 경과: 외국 투자자의 자금 회수로 경제 위기 → 국제 통화 기금(IMF)의 구제 금융 지원을 받음

① 3저 호황　② 외환 위기
③ 삼백 산업　④ 자유 무역 협정
⑤ 경제 개발 5개년 계획

개념 가이드

기업 경영과 금융의 부실이 드러나자 외국 투자자가 자금을 회수하면서 1997년에 ❻ [　　　]를 맞았다. 답 ❻ 외환 위기

대표 예제 5

다음 대화에서 옳지 않은 말을 한 사람은?

4·19 혁명에 대해 말해 줘.

소윤: 이승만 정부의 독재 정치에 항거하였어.

라온: 3·15 부정 선거가 계기가 되었지.

민수: 그 결과 대통령 직선제 개헌이 이루어졌어.

세희: 이후 장면 내각이 수립되었어.

① 소윤 ② 라온 ③ 민수 ④ 세희 ⑤ 없음

개념 가이드

4·19 혁명의 결과로 이승만은 대통령직에서 물러났으며, ❼ [ ] 로 개헌이 이루어져 장면 내각이 수립되었다.

답 ❼ 내각 책임제

대표 예제 6

(가)의 내용으로 옳은 것은?

박종철 고문치사 사건
⇩
6월 민주 항쟁
⇩
(가) 선언

① 내각 책임제 추진 ② 삼청 교육대 설립
③ 이승만 대통령 하야 ④ 대통령 직선제 개헌
⑤ 야간 통행금지 해제

개념 가이드

6월 민주 항쟁의 결과 당시 여당 대표 노태우는 ❽ [ ] 선언으로 대통령 직선제를 수용한다고 발표하였다.

답 ❽ 6·29 민주화

대표 예제 7

다음 질문에 따라 카드를 배열한 것으로 옳은 것은?

1번 카드	2번 카드	3번 카드	4번 카드
북한군 남침	중국군 개입	인천 상륙 작전	정전 협정 체결

6·25 전쟁 중 있었던 사건들입니다. 일어난 순서대로 카드를 배열해 볼까요?

① 1번 – 2번 – 3번 – 4번
② 1번 – 3번 – 2번 – 4번
③ 2번 – 3번 – 4번 – 1번
④ 3번 – 2번 – 1번 – 4번
⑤ 3번 – 2번 – 4번 – 1번

개념 가이드

북한군의 남침으로 시작된 ❾ [ ] 에서 국군은 인천 상륙 작전으로 북진하였다가 1·4 후퇴로 다시 밀려났다.

답 ❾ 6·25 전쟁

대표 예제 8

다음 퀴즈의 정답으로 옳은 것은?

이 남북 합의문은 무엇일까요?

힌트1: 남북한이 최초로 통일 원칙 합의

힌트2: 자주, 평화, 민족 대단결

① 남북 기본 합의서 ② 4·27 판문점 선언
③ 7·4 남북 공동 성명 ④ 10·4 남북 공동 선언
⑤ 6·15 남북 공동 선언

개념 가이드

1970년대에 냉전 체제가 완화되면서 남북한 당국은 3대 통일 원칙에 합의한 ❿ [ ] 을 발표하였다.

답 ❿ 7·4 남북 공동 성명

5일

6일 누구나 100점 테스트 1회

01 태종의 업적에 해당하는 것을 〈보기〉에서 고른 것은?

보기
ㄱ. 집현전을 설치하였다.
ㄴ. 호패법을 시행하였다.
ㄷ. 공신과 왕자들의 사병을 없앴다.
ㄹ. 홍문관을 설치하고 경연을 활성화했다.

① ㄱ, ㄴ ② ㄱ, ㄹ ③ ㄴ, ㄷ
④ ㄴ, ㄹ ⑤ ㄷ, ㄹ

02 다음 퀴즈의 정답은?

〈역사 퀴즈〉
- 1단계: 조선의 기본 법전
- 2단계: 6개의 법전으로 구성
- 3단계: 유교 중심의 국가 통치 질서 확립

다음 힌트를 종합하여 알 수 있는 조선 시대의 문화유산은 무엇일까요?

① 『직지』 ② 『경국대전』 ③ 『제왕운기』
④ 『훈요 10조』 ⑤ 『조선왕조실록』

03 조선 전기 군사 및 통신 제도에 대한 설명으로 옳은 것은?

① 각 도에는 주현군과 주진군이 주둔하였다.
② 조운을 통해 국경 지대의 위급 상황을 전달하였다.
③ 중앙군인 2군 6위는 한양과 국경 지역을 방어하였다.
④ 병마절도사와 수군절도사가 육군과 수군을 지휘하였다.
⑤ 군역은 16세 이상 60세 미만의 모든 남성에게 부과되었다.

04 다음 ㉠, ㉡에 들어갈 내용을 바르게 연결한 것은?

사림이 성장하여 정권을 잡을 수 있었던 까닭은 무엇일까?

[㉠]와/과 [㉡]을/를 기반으로 향촌에서 세력을 키웠기 때문이야.

	㉠	㉡		㉠	㉡
①	사화	서원	②	서원	사화
③	서원	향약	④	향약	3사
⑤	향약	사화			

05 ㉠~㉤에 들어갈 말을 바르게 연결한 것은?

〈조선 전기의 편찬 사업〉
1. 지리서인 [㉠]
2. 조선의 통치 규범을 담은 [㉡]
3. 국가 행사의 의례를 정리한 [㉢]
4. 태종 때 만들어진 세계 지도인 [㉣]
5. 고조선부터 고려 말까지의 역사를 정리한 [㉤]

① ㉠ – 『동국통감』
② ㉡ – 『국조오례의』
③ ㉢ – 『경국대전』
④ ㉣ – 「혼일강리역대국도지도」
⑤ ㉤ – 『삼강행실도』

06 (가)에 들어갈 내용으로 옳은 것은?

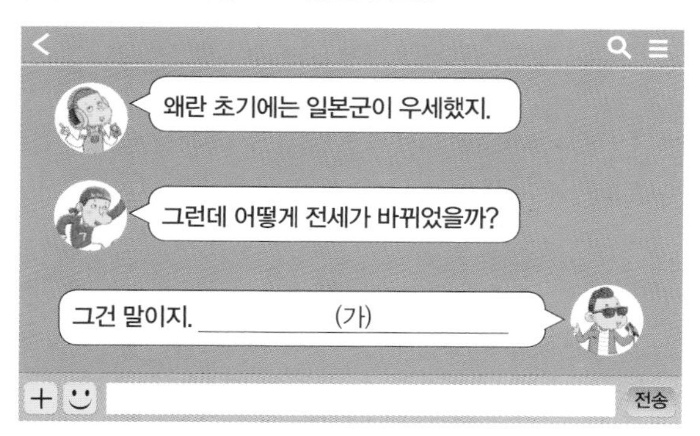

① 삼별초가 끝까지 항전해서 그래.
② 척화파와 주화파가 대립해서 그래.
③ 광해군이 중립 외교를 실시해서 그래.
④ 이성계가 위화도에서 회군을 해서 그래.
⑤ 조선 수군의 승리로 일본군의 보급로가 차단돼서 그래.

07 (가)~(마) 중 다음과 같은 대화가 이루어진 시기는?

	(가)		(나)		(다)		(라)		(마)	
선조 즉위		광해군 즉위		인조 즉위		현종 즉위		숙종 즉위		영조 즉위

효종 임금께서 둘째 아들로 왕위를 이으셨으니, 일반 사대부와 마찬가지로 대비께서 1년 동안 상복을 입으시면 됩니다.

효종 임금께서 왕위를 계승하였으니, 큰아들이나 다름없습니다. 일반 사대부와 예법을 같이 할 수는 없지요. 대비께서는 3년간 상복을 입으셔야 합니다.

① (가) ② (나) ③ (다)
④ (라) ⑤ (마)

08 (가)에 들어갈 정치 기구로 적절한 것은?

요즈음 큰일이건 작은 일이건 (가) 에서 모두 다룹니다. 의정부는 한갓 이름뿐이고 6조는 할 일을 모두 빼앗기고 말았습니다. 이름은 변방 방비를 위해서라고 하면서 과거나 비빈 간택까지도 모두 여기서 처리합니다. -『효종실록』-

① 3사 ② 규장각 ③ 어영청
④ 비변사 ⑤ 훈련도감

09 다음 건축물을 세운 왕의 업적으로 옳지 않은 것은?

◀ 수원 화성

① 환국 실시 ② 장용영 설치
③『대전통편』 편찬 ④ 초계 문신제 실시
⑤ 적극적인 탕평책 실시

10 ㉠에 들어갈 알맞은 말은?

㉠ 은/는 본래 식량이 모자라는 봄에 관청의 곡식을 빌려주고 가을에 약간의 이자를 붙여 돌려받던 제도였다. 그러나 세도 정치 시기에 탐관오리들이 높은 이자를 붙여 거두어 가 백성들의 원성을 샀다.

① 전정 ② 군정 ③ 방납
④ 공납 ⑤ 환곡

6일 누구나 100점 테스트 2회

01 다음과 같은 대화가 이루어진 당시에 볼 수 있는 모습으로 옳지 않은 것은?

① 곡식으로 공명첩을 사들인 부농
② 생계를 위해 일거리를 찾는 잔반
③ 관직 제한 철폐를 요구하는 서얼
④ 신분 상승 운동을 전개하는 기술관
⑤ 사화로 관직에서 쫓겨난 사림 학자

02 (가) 사절단에 대한 설명으로 옳은 것을 〈보기〉에서 고른 것은?

보기
ㄱ. 쇼군의 요청에 따라 파견하였다.
ㄴ. 고구마가 전래되는 통로가 되었다.
ㄷ. 서양의 과학 기술을 수용하는 통로가 되었다.
ㄹ. 연경에 간 사신이라는 의미로 '연행사'라고 불렸다.

① ㄱ, ㄴ ② ㄱ, ㄷ ③ ㄴ, ㄷ
④ ㄴ, ㄹ ⑤ ㄷ, ㄹ

03 (가)에 들어갈 인물로 옳은 것은?

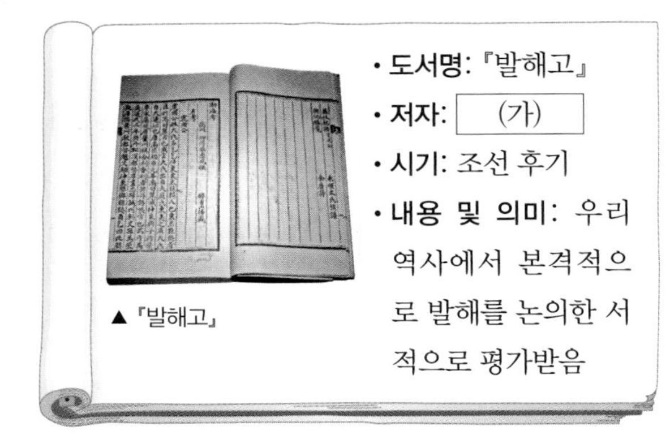

① 허준 ② 박제가 ③ 유득공
④ 이덕무 ⑤ 조광조

04 다음은 조선 후기 가족 제도의 변화를 정리한 표이다. 표의 내용 중 옳지 않은 것은?

	구분	내용
①	제사	장남이 제사를 지냄
②	양자	아들이 없으면 양자를 들임
③	상속	여자는 상속 대상에서 제외함
④	족보	태어난 순서대로 족보에 기재함
⑤	혼인	여자가 곧바로 남자 집에서 생활함

05 밑줄 친 '자기'를 가리켜 부르는 명칭은?

조선 후기 자기 공예에서는 흰 바탕 위에 푸른 색으로 그림을 그린 형태의 자기가 유행하였다. 주로 제기와 문방구 등 생활용품으로 많이 제작되었다.

① 순백자 ② 순청자
③ 분청사기 ④ 상감청자
⑤ 청화 백자

06 다음 조약에 대한 옳은 설명을 〈보기〉에서 고른 것은?

제1조 조선은 자주국이며, 일본과 대등한 권리를 가진다.
제4조 조선은 부산 외에 두 곳의 항구를 개항하고 일본인이 와서 통상하도록 허가한다.
제7조 조선국 해안을 일본국 항해자가 자유로이 측량하도록 허가한다.
제10조 일본국 인민이 조선국 항구에서 죄를 지은 사건은 모두 일본국 관원이 심판한다.

보기
ㄱ. 흥선 대원군 집권 당시 체결되었다.
ㄴ. 조선이 체결한 최초의 근대적 조약이다.
ㄷ. 제1조의 내용으로 보아 이 조약은 평등한 조약이다.
ㄹ. 제10조의 영사 재판권 조항은 조선에 불리한 내용이다.

① ㄱ, ㄴ ② ㄱ, ㄷ ③ ㄴ, ㄷ
④ ㄴ, ㄹ ⑤ ㄷ, ㄹ

07 밑줄 친 '개혁'과 관련 있는 내용으로 옳은 것을 〈보기〉에서 고른 것은?

이곳에서 대한 제국의 황제 즉위식을 거행한 고종은 연호를 광무로 정하고 개혁을 실시하였다.

보기
ㄱ. 지계 발급 ㄴ. 태양력 채택
ㄷ. 신분 제도 폐지 ㄹ. 구본신참의 원칙

① ㄱ, ㄴ ② ㄱ, ㄹ ③ ㄴ, ㄷ
④ ㄴ, ㄹ ⑤ ㄷ, ㄹ

08 다음 내용에 해당하는 독립군 부대는?

- 충칭의 대한민국 임시 정부가 창설
- 태평양 전쟁 당시 일본에 선전 포고
- 국내 진공 작전 추진

( )

09 다음 가상 일기의 ㉠~㉤ 중 옳지 않은 것은?

1948년 7월 17일
오늘 우리나라 헌법이 공포되었다. ㉠ 헌법을 만든 제헌 국회는 ㉡ 지난 5월 10일 남북한 전체에서 치러진 민주적인 선거를 통해 구성되었다. ㉢ 제헌 국회에서 우리나라 이름을 '대한민국'으로 정했다는데 국민이 주인인 나라라는 느낌이 들어서 마음에 든다. 내가 ㉣ 민주 공화국에 살고 있다니 정말 기쁘다. ㉤ 대통령은 국회에서 간접 선거로 뽑는다는데 누가 대통령이 될지 기대된다.

① ㉠ ② ㉡ ③ ㉢ ④ ㉣ ⑤ ㉤

10 다음 그래프에서 알 수 있는 사실로 가장 적절한 것은?

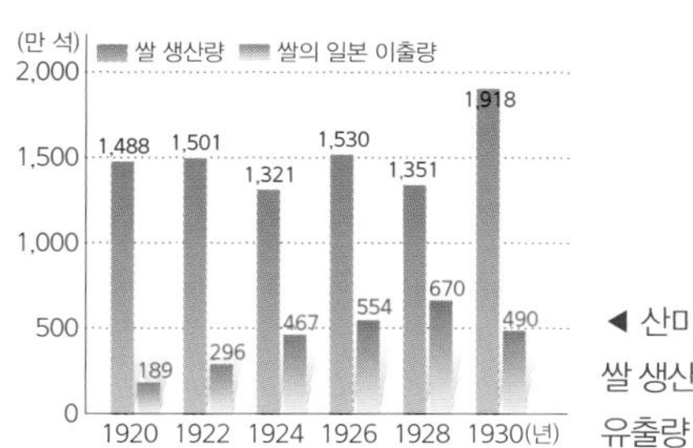

◀ 산미 증식 계획 당시 쌀 생산량과 일본으로의 유출량

① 한국의 식량 사정이 나아졌다.
② 쌀 생산량은 지속적으로 감소하였다.
③ 일제가 한반도를 병참 기지로 만들었다.
④ 조선 총독부의 지세 수입이 크게 늘었다.
⑤ 일제가 증산량보다 많은 양의 쌀을 수탈하였다.

6일

6일 서술형·사고력 테스트

01 다음 신분증을 가지고 다니게 한 제도를 쓰고, 이 제도를 실시한 목적을 서술하시오.

이것은 조선 시대에 16세 이상의 모든 남자가 가지고 다녔던 일종의 신분증이다.

02 다음의 가상 대화를 보고 물음에 답하시오.

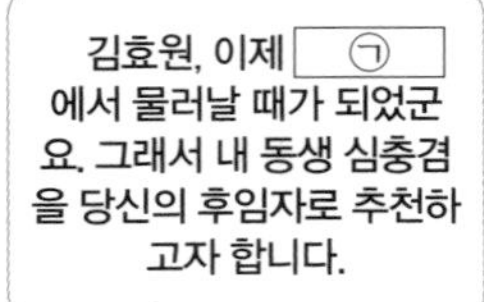

(1) ㉠에 공통으로 들어갈 관직의 명칭을 쓰시오.

(2) 위의 대화가 계기가 되어 일어난 결과를 서술하시오.

03 조선에서 다음과 같은 천문학이 발달하게 된 이유를 서술하시오.

▲ **간의** 별의 위치를 측정하는 기구

◀ **천상열차분야지도** 별자리를 새긴 천문도

04 다음은 학생이 작성한 답사 보고서이다. 이를 보고 물음에 답하시오.

(1) ㉠에 들어갈 전쟁을 쓰시오.

(2) ㉠ 전쟁 이후 효종이 실시한 청에 대한 정책의 내용을 서술하시오.

05 ㉠에 공통으로 들어갈 말을 쓰고, ㉠ 정치 시기에 나타난 폐단을 서술하시오.

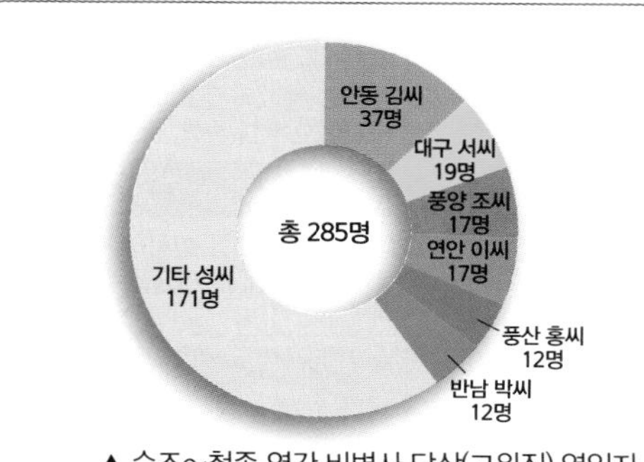

▲ 순조~철종 연간 비변사 당상(고위직) 역임자

[㉠] 정치 시기에는 안동 김씨 등 6개의 [㉠] 가문이 고위직에 해당하는 비변사 당상을 대략 40% 정도 차지하였다.

06 조선 후기 신분제의 변동 속에서 사진의 문서가 어떤 용도로 쓰였는지 서술하시오.

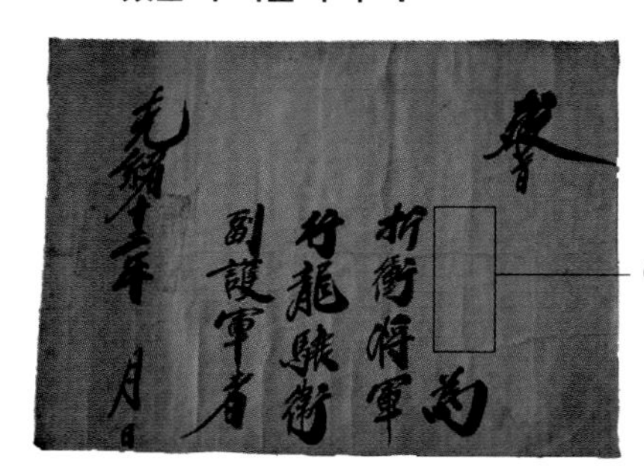

07 밑줄 친 '조약'의 명칭을 쓰고, 이 조약이 체결되자 고종이 취한 조치를 서술하시오.

왼쪽 그림은 일본군의 칼이 고종을 겨누고 있는 상황에서 을사오적이 조약에 서명하고 있고, 이토 히로부미를 비롯한 일본 대신들은 이 상황을 즐기고 있는 모습을 표현한 것이다.

08 밑줄 친 ㉠, ㉡ 운동의 배경을 각각 서술하시오.

○○호 **한국사 신문** ○○○○년 ○○월 ○○일

국민의 힘으로 국가적 위기를 이겨 내자!

– ㉠ 국채 보상 운동과 ㉡ 금 모으기 운동 –

1997년에 시작된 금 모으기 운동은 국가의 빚을 국민들의 성금으로 갚자는 운동이었다. 90년 전인 1907년 대한 제국 말에도 유사한 운동이 있었다. 대구의 서상돈 등 상인이 중심이 되어 벌인 국채 보상 운동이다. 이 운동 역시 국가의 빚을 갚기 위해 국민이 모금 운동을 벌인 것으로, 국가의 경제적 위기 때마다 국민의 힘으로 극복하고자 했던 닮은꼴 역사인 것이다.

[09~10] 다음 퍼즐을 완성하시오.

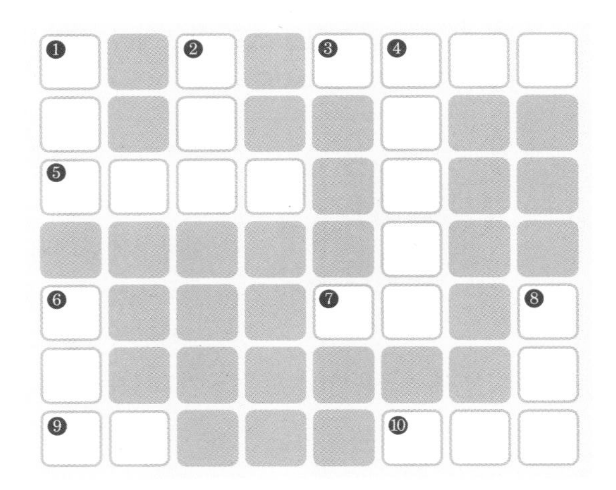

09 가로 퍼즐을 완성해 보자.

❸ 조선의 통치 규범을 담은 최고 법전
❺ 조광조의 개혁 정치에 대한 훈구 세력의 반발로 일어난 사화
❼ 세종 때 천체의 위치를 측정하기 위해 만든 천문 관측 기구
❾ 사림 세력이 덕망 높은 유학자의 제사를 지내고 양반 자제를 교육하기도 한 곳
❿ 조선 최고의 국립 교육 기관

10 세로 퍼즐을 완성해 보자.

❶ 강우량을 측정하기 위해 세종 때 만든 기구
❷ 임진왜란 이후 에도 막부의 요청으로 조선에서 일본으로 파견한 외교 사절단
❹ 국가 행사에 필요한 예법을 정리한 서적
❻ 세종 때 여진을 몰아내고 두만강 유역에 6진을 설치한 인물
❽ 국왕의 정치 자문을 맡은 중앙 정치 기구

11 천재 중학교 학생들이 흥선 대원군의 정치에 대해 온라인으로 토론하였다.

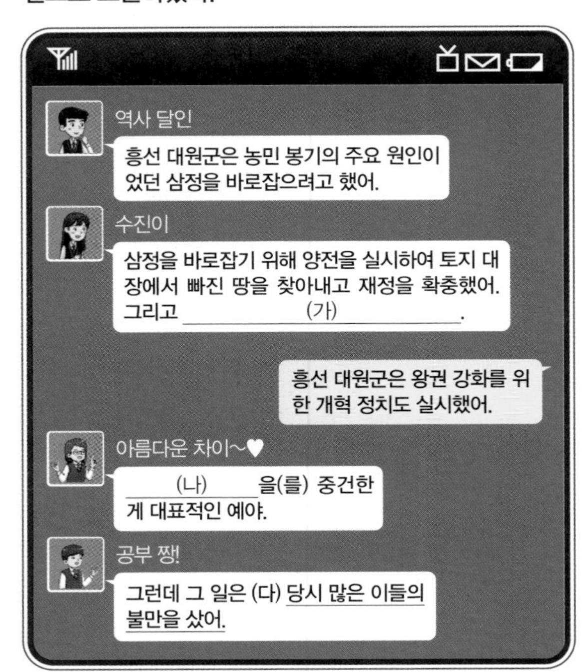

(1) (가)에 들어갈 개혁 정치의 내용을 두 가지 서술하시오.

(2) (나)에 들어갈 내용을 쓰시오.

(3) (다)와 같은 모습이 나타난 이유를 두 가지 서술하시오.

12 역사 수업 시간에 다음 자료들을 가지고 일제의 식민 통치에 대한 연표를 만들려고 한다.

(1) 다음 ㉠, ㉢에 들어갈 통치 방법을 쓰고, ㉡, ㉣에 들어갈 관련 자료를 위의 (가)~(바)에서 찾아 기호를 쓰시오.

1910년대	㉠ ________ 통치 실시 관련 자료 : ㉡ ________

⬇

1920년대	㉢ ________ 통치 실시 관련 자료 : ㉣ ________

(2) 1910년대와 1920년대 일제의 식민 통치가 바뀌게 된 까닭을 ㉠, ㉢에 들어갈 단어를 포함하여 서술하시오.

13 우리나라 민주주의 발전 과정을 담은 그림이다. 그림의 길을 따라가며 (가)~(다)를 채우시오.

(1) (가)에 들어갈 내용을 서술하시오.

(2) (나)에 들어갈 내용을 쓰시오.

(3) (다)에 들어갈 내용을 쓰시오.

6일

7일 학교시험 기본 테스트 1회

01 조선의 국왕들에 대한 설명으로 옳지 않은 것은?

① 태조는 한양으로 도읍을 옮겼다.
② 태종은 호패법을 실시하였다.
③ 세종은 홍문관을 설치하고 학문을 장려하였다.
④ 세조는 집현전을 폐지하고 경연을 열지 않았다.
⑤ 성종은 『경국대전』을 완성하여 국가 통치 질서를 확립하였다.

[02~03] 다음을 읽고 물음에 답하시오.

> (가) 조선 시대 최고의 행정 기관으로, 정승들이 모여 국가의 정책을 결정하였다. 이 기관의 아래에는 6조를 두어 결정된 정책을 집행하도록 하였다.
> (나) 조선은 왕권과 신권 가운데 어느 한쪽에 권력이 치우치는 것을 경계하여 3사를 두어 언론 기관의 역할을 맡겼다.

02 (가)에 해당하는 중앙 정치 기구는?

① 승정원　② 의금부
③ 의정부　④ 춘추관
⑤ 한성부

03 (나)에 해당하는 정치 기구로만 묶인 것은?

① 사간원, 의금부, 한성부
② 사간원, 사헌부, 홍문관
③ 사헌부, 의금부, 한성부
④ 사헌부, 의금부, 홍문관
⑤ 성균관, 한성부, 홍문관

04 다음 그림이 표현하는 사건이 원인이 되어 일어난 일로 옳은 것은?

① 사림 세력이 훈구를 공격하였다.
② 사림이 정계에 진출하기 시작하였다.
③ 사림이 정치적으로 큰 피해를 입었다.
④ 조광조를 중심으로 개혁을 실시하였다.
⑤ 사림이 동인과 서인으로 나뉘어 붕당을 형성하였다.

05 다음 과제에 대한 수행 내용으로 옳지 않은 것은?

다음 시간에는 조선 전기 과학 기술을 소개하는 소책자를 만들 겁니다. 각자 내용을 준비해 오세요.

① 천체 관측기구인 간의
② 강우량을 측정하는 앙부일구
③ 여러 발의 신기전을 연속 발사하는 화차
④ 한성을 기준으로 한 역법서인 『칠정산』
⑤ 자동으로 시간을 알려 주는 장치를 갖춘 자격루

06 (가)에 들어갈 내용으로 가장 적절한 것은?

① 통신사 파견
② 휴전 회담 결렬 후 정유재란 발발
③ 청 태종이 군대를 이끌고 조선 침략
④ 명의 지원군이 도착하면서 전세 역전
⑤ 조선인 포로를 데려온 후 일본과 국교 회복

07 영조가 다음과 같은 문제를 해결하기 위해 실시했던 정책을 〈보기〉에서 고른 것은?

붕당의 폐단이 요즘보다 심한 적이 없었다. 근래에 와서 인재 임용이 붕당에 들어 있는 사람으로만 이루어지고 조정의 대신들이 서로 공격하니 공론이 막힌다. 이러면 나라가 장차 어찌 되겠는가?

보기
ㄱ. 붕당과 관계없이 인재를 고루 등용하였다.
ㄴ. 초계문신제를 실시하여 개혁 세력을 키웠다.
ㄷ. 자신의 정책을 지지하는 탕평파를 육성하였다.
ㄹ. 왕실과 혼인 관계를 맺은 일부 가문이 주요 관직을 독점하도록 했다.

① ㄱ, ㄴ ② ㄱ, ㄷ ③ ㄴ, ㄷ
④ ㄴ, ㄹ ⑤ ㄷ, ㄹ

08 다음 자료에서 설명하는 사건으로 옳은 것은?

현종 때 효종과 효종의 비가 각각 돌아가시자 효종의 새어머니인 자의 대비가 상복을 몇 년 동안 입어야 하는지를 두고 서인과 남인이 대립한 사건

① 예송 ② 사화 ③ 붕당
④ 북벌 ⑤ 환국

09 다음은 세도 정치기의 모습을 담은 그림이다. (가), (나)에 해당하는 삼정의 문란 내용을 쓰시오.

(가): ( )의 문란
(나): ( )의 문란

10 (가)에 들어갈 용어로 옳은 것은?

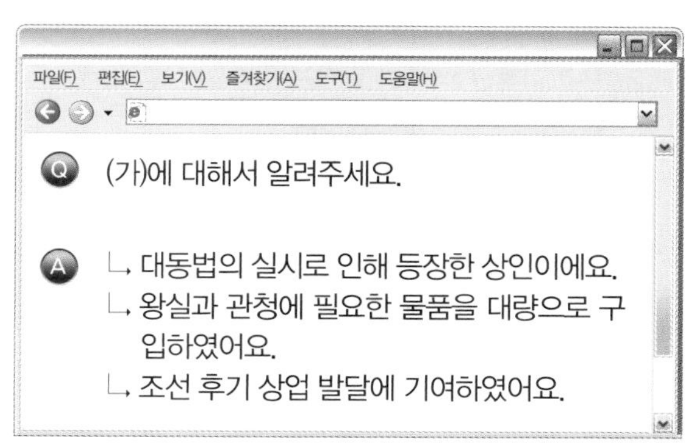

① 공인 ② 내상 ③ 만상
④ 송상 ⑤ 경강 상인

11 다음 수업의 주제로 가장 적절한 것은?

① 농민의 봉기 ② 삼정의 문란
③ 신분제의 변동 ④ 모내기법의 보급
⑤ 상품 화폐 경제의 발달

12 천주교에 대한 설명으로 옳은 것은?

① 연등회와 팔관회를 개최하였다.
② 『삼강행실도』 편찬의 배경이 되었다.
③ 경주 지방의 몰락 양반이 창시하였다.
④ 유교적 제사 의식을 거부하여 탄압받았다.
⑤ '사람이 곧 하늘이다.'라는 사상을 강조하였다.

13 (가) 인물과 관련된 설명으로 옳은 것은?

① 지전설 주장 ② 북학파의 일원
③ 『발해고』 저술 ④ 시헌력 도입 건의
⑤ 토지 제도 개혁 주장

14 다음 그림에 대한 설명으로 옳은 것을 〈보기〉에서 고른 것은?

보기
ㄱ. 정선의 작품이다.
ㄴ. 조선 전기에 많이 그려졌다.
ㄷ. 진경산수화의 대표적인 사례이다.
ㄹ. 서민들의 소박한 소망을 담고 있다.

① ㄱ, ㄴ ② ㄱ, ㄷ ③ ㄴ, ㄷ
④ ㄴ, ㄹ ⑤ ㄷ, ㄹ

15 다음 인물들에 대한 설명으로 옳은 것은?

▲ 갑신정변을 주도한 인물들

① 위정척사 사상을 가지고 있었다.
② 차별 대우에 저항한 구식 군인들이다.
③ 지배층의 수탈에 저항한 동학교도이다.
④ 흥선 대원군의 통상 수교 거부 정책을 지지하였다.
⑤ 급진적인 방식으로 근대 국가를 수립하고자 하였다.

16 밑줄 친 (가)~(마) 중 독립 협회에 대한 설명으로 옳지 않은 것은?

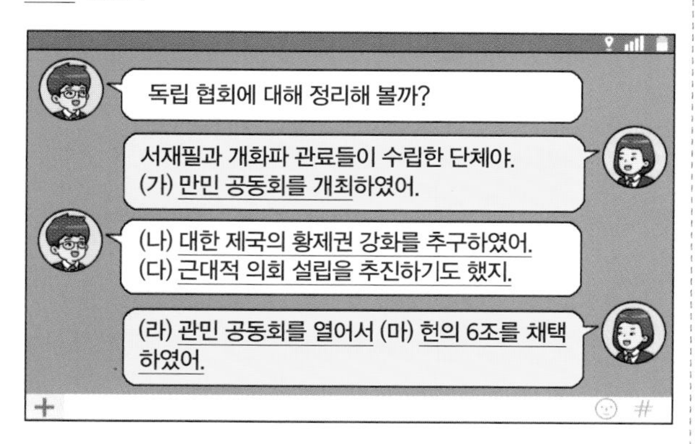

① (가) ② (나) ③ (다) ④ (가) ⑤ (마)

17 다음 자료를 활용한 탐구 활동의 주제로 가장 적절한 것은?

> 대한 제국 칙령 제41호
> 제1조 울릉도를 울도로 개칭해서 강원도에 부속시키고, 도감을 군수로 개정하여 관제에 편입하며 군의 등급을 5등으로 한다.
> 제2조 군청의 위치는 태하동으로 정하고, 구역은 울릉전도와 죽도, 석도를 관할한다.

① 갑오개혁의 내용과 지향점
② 강화도 조약의 체결과 개항
③ 우리나라 고유의 영토, 독도
④ 대한 제국이 지향한 정치 체제
⑤ 제너럴 셔먼호 사건과 신미양요

18 신문에 보도된 사건을 일컫는 말은?

IMF구제금융 공식 요청
林부총리, 어젯밤 긴급회견
200억달러 이르면 수

① 문호 개방 ② 삼백 산업 ③ 3저 호황
④ 석유 파동 ⑤ 외환 위기

19 다음 대화의 사건이 끼친 영향으로 옳은 것을 〈보기〉에서 고른 것은?

농민, 학생, 노동자 등 전 민족이 참여한 운동이었어.

일제의 통치 방식을 변화시키고 중국의 5·4 운동 등 다른 나라의 민족 운동에도 영향을 끼쳤지.

> 보기
> ㄱ. 고종이 강제 퇴위되었다.
> ㄴ. 일제가 문화 통치를 실시하였다.
> ㄷ. 대한민국 임시 정부가 수립되었다.
> ㄹ. 윌슨이 민족 자결주의를 제창하였다.

① ㄱ, ㄴ ② ㄱ, ㄹ ③ ㄴ, ㄷ
④ ㄴ, ㄹ ⑤ ㄷ, ㄹ

20 다음 사건이 일어난 배경으로 옳은 것은?

▲ 38도선을 넘어가는 김규와 김규식 일행

김구와 김규식 등은 38도선을 넘어 평양에서 열린 남북 지도자 연석회의에 참여하였다.

① 신탁 통치안이 발표되었다.
② 대한민국 정부가 수립되었다.
③ 좌우 합작 위원회가 결성되었다.
④ 미소 공동 위원회가 구성되었다.
⑤ 남한만의 단독 선거가 결정되었다.

7일 학교시험 **기본 테스트** 2회

01 다음과 같은 주제로 역사 보고서를 작성할 때, 보고서 내용으로 적절한 것을 〈보기〉에서 고른 것은?

〈역사 보고서〉

주제: 과전법

보기
ㄱ. 세조의 왕권 강화 정책
ㄴ. 신진 사대부의 경제적 기반
ㄷ. 태종의 국가 재정 강화를 위한 정책
ㄹ. 관료의 등급에 따라 경기 일대의 토지 분배

① ㄱ, ㄴ ② ㄱ, ㄹ ③ ㄴ, ㄷ
④ ㄴ, ㄹ ⑤ ㄷ, ㄹ

02 학생이 떠올린 정치 기구의 공통된 역할은?

① 중요 정책 결정 ② 왕권 강화에 기여
③ 결정된 정책 집행 ④ 권력의 독점 방지
⑤ 향리의 비리 감찰과 백성 교화

03 조선의 지방 행정 제도에 대한 설명으로 옳은 것은?

① 각 도에 안찰사를 파견하여 수령을 감독했다.
② 수령은 지방 행정·사법·군사 업무를 총괄했다.
③ 유향소는 수령의 지시로 행정 실무를 담당했다.
④ 향리는 수령을 돕고 유교 원리로 백성을 교화했다.
⑤ 전국을 8도로 나누고 중요한 군현에만 관리를 파견했다.

04 (가)에 들어갈 수 있는 내용을 〈보기〉에서 고른 것은?

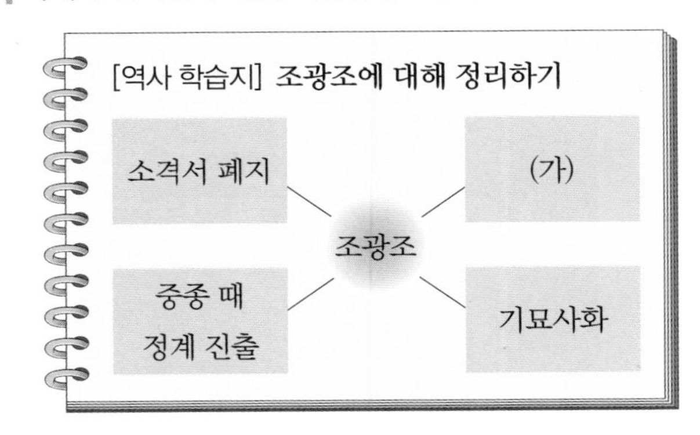

보기
ㄱ. 위훈 삭제 ㄴ. 호패법 실시
ㄷ. 현량과 실시 ㄹ. 백운동 서원 설립

① ㄱ, ㄴ ② ㄱ, ㄷ ③ ㄴ, ㄷ
④ ㄴ, ㄹ ⑤ ㄷ, ㄹ

05 선생님의 질문에 적절한 답은?

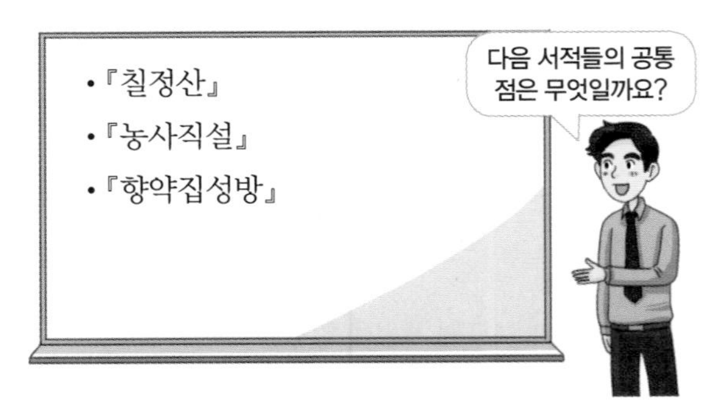

① 우리 실정에 맞게 제작되었다.
② 중국의 선진 문물을 정리하였다.
③ 조선 건국의 정당성을 강조하였다.
④ 백성들이 실천해야 할 유교 윤리를 제시하였다.
⑤ 국가의 통치 이념인 불교의 교리를 보급하고자 하였다.

06 (가) 시기에 있었던 역사적 사실로 옳지 않은 것은?

임진왜란	(가)	병자호란

① 후금과 조선이 형제 관계를 맺었다.
② 조선이 일본에 통신사를 파견하였다.
③ 도쿠가와 이에야스가 에도 막부를 세웠다.
④ 광해군이 명과 후금 사이에서 중립 외교를 펼쳤다.
⑤ 북인이 광해군을 몰아내고 인조를 왕으로 세웠다.

07 균역법에 대한 옳은 설명을 〈보기〉에서 모두 고른 것은?

보기
ㄱ. 영조 때부터 시행되었다.
ㄴ. 군포 부담을 1년에 1필로 줄여 주었다.
ㄷ. 대동법의 시행에 따른 조세 수입을 보충하였다.
ㄹ. 군포 수입 보충을 위해 결작미를 거두는 배경이 되었다.

① ㄱ, ㄴ　② ㄱ, ㄷ　③ ㄴ, ㄷ
④ ㄱ, ㄴ, ㄹ　⑤ ㄴ, ㄷ, ㄹ

08 ㉠, ㉡에 들어갈 내용을 바르게 연결한 것은?

정조가 죽은 뒤 [㉠]이/가 어린 나이로 왕위에 오르자 그의 장인인 김조순을 중심으로 한 안동 김씨 세력이 권력을 장악하면서 세도 정치가 시작되었다. 세도 가문은 국정 최고 기구인 [㉡]을/를 장악하고, 주요 관직을 차지하여 정권을 독점하였다.

	㉠	㉡
①	순조	비변사
②	헌종	비변사
③	순조	3사
④	헌종	의정부
⑤	철종	3사

09 밑줄 친 '이 국왕'의 재위 기간에 활동했던 사람들의 모습으로 옳은 것은?

사진은 수원 화성 건축에 사용된 거중기이다. 정약용이 서양의 과학 기술을 이용해 만든 거중기는 이 국왕 시기 화성을 쌓는 데 이용되었다.

①『속대전』을 편찬하는 관리
② 탕평비 건립을 수행하는 관리
③ 규장각의 관리로 등용된 서얼
④『동의보감』을 집필하고 있는 학자
⑤ 남한산성에서 청군에 맞서는 군인

10 그림에 나타난 농법에 대해 잘못 말한 학생은?

▲ 김홍도의 「누숙경직도」

① 이 농법의 보급으로 농업 생산량이 증가했어.
② 이 농법은 조선 후기에 전국적으로 보급되었어.
③ 이 농법이 보급되면서 잡초를 제거하는 일손을 덜게 되었어.
④ 이 농법을 잘 활용한 농민은 경작지를 크게 늘려 부농으로 성장하였어.
⑤ 이 농법은 볍씨를 논에 바로 파종하는 방식으로, 쌀과 보리를 이모작하기에는 어려움이 있었어.

7일

학교시험 기본 테스트 2회

11 다음 화폐가 발행된 시기의 경제 모습으로 옳은 것은?

▲ 상평통보

① 장시가 전국적으로 확대되었다.
② 솔빈부의 말이 중국에 수출되었다.
③ 벽란도가 국제 무역항으로 성장하였다.
④ 울산항이 국제 무역항으로 번영하였다.
⑤ 청해진을 설치하여 해상 교역을 주도하였다.

12 다음 대화에서 옳지 않은 말을 한 학생은?

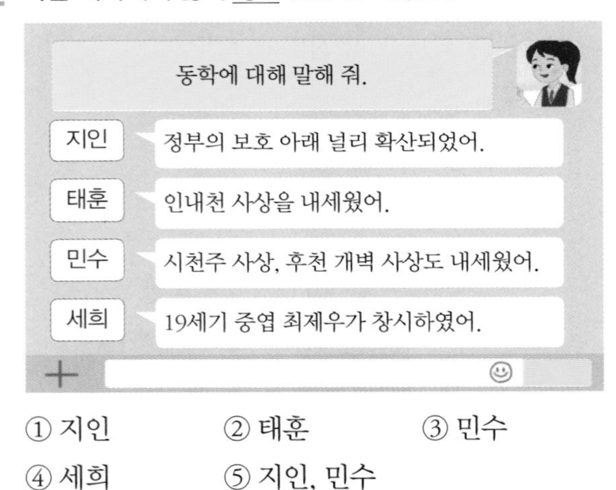

① 지인 ② 태훈 ③ 민수
④ 세희 ⑤ 지인, 민수

13 민화에 대한 설명으로 옳은 것은?

① 건강, 장수 등 소망을 기원하였다.
② 성리학적 질서 확산에 기여하였다.
③ 양반의 생활 모습을 소재로 그려졌다.
④ 서양 선교사들을 통해 조선에 전래되었다.
⑤ 우리나라의 경치를 사실적으로 표현하였다.

14 다음 자료와 관련 있는 실학의 학파에 대한 설명으로 옳은 것을 〈보기〉에서 모두 고른 것은?

> 재물은 비유하자면 샘과 같은 것이다. 우물물은 퍼내면 차고 버려두면 말라 버린다. 그러므로 비단옷을 입지 않아서 나라에 비단 짜는 사람이 없게 되면 여공이 쇠퇴하며, …… 수공업자가 기술을 익히지 않으면 기예가 사라진다.
>
> – 박제가, 『북학의』 –

보기
ㄱ. 유수원, 홍대용, 박지원 등이 해당한다.
ㄴ. 토지 제도를 개혁하고 자영농을 육성할 것을 주장하였다.
ㄷ. 청의 선진 문물을 배우자고 주장하여 북학파라고도 불렸다.
ㄹ. 상공업의 진흥과 기술 개발을 통해 부국강병을 이루고자 하였다.

① ㄱ, ㄷ ② ㄴ, ㄹ ③ ㄱ, ㄴ, ㄷ
④ ㄱ, ㄷ, ㄹ ⑤ ㄴ, ㄷ, ㄹ

15 다음 인물이 집권했던 시기에 나타난 정책이나 사건으로 옳은 것을 〈보기〉에서 고른 것은?

보기
ㄱ. 일본과 불평등 조약을 체결하였다.
ㄴ. 서양 열강의 통상 요구를 거부하였다.
ㄷ. 미국을 비롯한 서양 열강과 수교하였다.
ㄹ. 프랑스 군대와 강화도에서 전쟁을 벌였다.

① ㄱ, ㄴ ② ㄱ, ㄷ ③ ㄴ, ㄷ
④ ㄴ, ㄹ ⑤ ㄷ, ㄹ

16 (가)에 들어갈 내용으로 옳은 것은?

동학 농민군은 전주 화약을 체결한 이후 일종의 자치기구인 (가) 을/를 설치하였다. (가) 은/는 폐정 개혁을 실시하였다.

① 중방 ② 우정국 ③ 집강소
④ 군국기무처 ⑤ 통리기무아문

[17~18] 다음 글을 읽고 물음에 답하시오.

일제의 탄압을 피해 러시아로 넘어갔던 독립군은 다시 만주로 돌아와 세 개의 독립군 정부를 수립하였다. 그러나 1931년 일제가 만주를 점령한 이후, 만주에서 활동하던 독립군 부대는 중국 관내로 이동하였다. 1919년 만주에서 (가) 을/를 조직했던 김원봉은 1938년 (나) 을/를 창설하고 항일 무장 투쟁을 전개하였다.

17 밑줄 친 '독립군 정부'에 대한 설명으로 옳은 것은?
① 독립 공채를 발행하였다.
② 조선 건국 준비 위원회로 발전하였다.
③ 참의부, 정의부, 신민부로 구성되었다.
④ 국가 수립을 위한 건국 강령을 발표하였다.
⑤ 임시 의정원이 입법부의 역할을 담당하였다.

18 (가), (나)에 들어갈 단체의 명칭을 바르게 짝지은 것은?

	(가)	(나)
①	의열단	한국 광복군
②	의열단	조선 의용군
③	의열단	조선 의용대
④	한인 애국단	한국 광복군
⑤	한인 애국단	조선 의용대

19 (가)에 들어갈 내용으로 적절한 것을 〈보기〉에서 모두 고른 것은?

○○○○ ○○ ○○ 회의
일시: 1945년 12월 16 ~ 26일
장소: 러시아 모스크바
참석자: 미국·소련·영국 외무 장관
안건: 한반도 문제 협의
결정 내용: (가)

보기
ㄱ. 미·소 공동 위원회 설치
ㄴ. 민주주의 임시 정부 수립
ㄷ. 최고 5년간 신탁 통치 실시
ㄹ. 남북한 인구 비례에 의한 총선거

① ㄱ, ㄴ ② ㄱ, ㄷ ③ ㄴ, ㄷ
④ ㄱ, ㄴ, ㄷ ⑤ ㄴ, ㄷ, ㄹ

20 (가)~(마) 시기 대한민국의 경제 상황으로 옳은 것은?

광복	(가)	5·16 군사 정변	(나)	유신 헌법 공포	(다)	10·26 사태	(라)	노태우 대통령 취임	(마)	한일 월드컵 개최

① (가) – 중화학 공업이 발달하였다.
② (나) – 경공업 위주로 산업을 육성하였다.
③ (다) – 미국의 경제 원조로 식량난을 해결하였다.
④ (라) – 외환 위기로 IMF에 구제 금융을 요청하였다.
⑤ (마) – 경부 고속 국도가 개통되는 등 사회 간접 자본이 확충되었다.

memo

7일 끝

정답과 해설

정답과 해설

1일 조선의 성립과 발전

기초 확인 문제 | 9, 11쪽

1 (1) 위화도 회군 (2) 과전법 (3) 태종 (4) 경국대전 **2** (1) ㉣ (2) ㉠ (3) ㉡ (4) ㉢ **3** ㉠ 8도 ㉡ 향리 **4** (1) 봉수제 (2) 향교 (3) 승과 (4) 사대, 교린 **5** ㉠ 4군 ㉡ 6진 **6** (1) 훈구 (2) 사화 (3) 조광조 (4) 붕당 **7** (1) 3사 (2) 이조 전랑 (3) 서원 **8** (1) ㉡ (2) ㉢ (3) ㉠ **9** ㉠ 양부일구 ㉡ 간의 ㉢ 자격루 **10** ㉠ 양반 ㉡ 백자

내신 기출 베스트 | 12~13쪽

1 ④ **2** (가) 사헌부 (나) 사간원 (다) 홍문관 **3** ④ **4** 4군 6진 **5** ③ **6** ③ **7** ③ **8** ⑤

1 조선 건국 과정

요동 정벌에 반대하던 이성계는 위화도에서 회군하여 정권을 장악하였다. 이후 과전법을 실시하여 신진 사대부의 경제적 기반을 마련하고, 반대파 세력을 제거한 후 조선을 개창하였다.

> **더 알아보기** 조선의 건국
> 명이 철령 이북의 땅 요구 → 우왕, 최영이 요동 정벌 추진 → 이성계가 요동으로 출병 → 위화도 회군(1388) → 이성계가 우왕과 최영 제거, 정치적 실권 장악 → 과전법 실시(1391) → 이성계를 왕으로 추대하고 조선 건국(1392) → 한양 천도(1394)

2 조선의 중앙 정치 기구

중앙 정치는 정승들이 모여 정책을 결정하는 의정부와 결정된 정책을 집행하는 6조를 중심으로 운영하였다. 또한 왕과 신하 가운데 어느 한쪽에 권력이 치우치는 것을 경계하여 3사를 두고 언론 기관의 역할을 맡겼다. 3사에는 관리 감찰을 맡은 사헌부, 간쟁을 맡은 사간원, 국왕 자문과 경연을 맡은 홍문관이 있다.

자료 분석

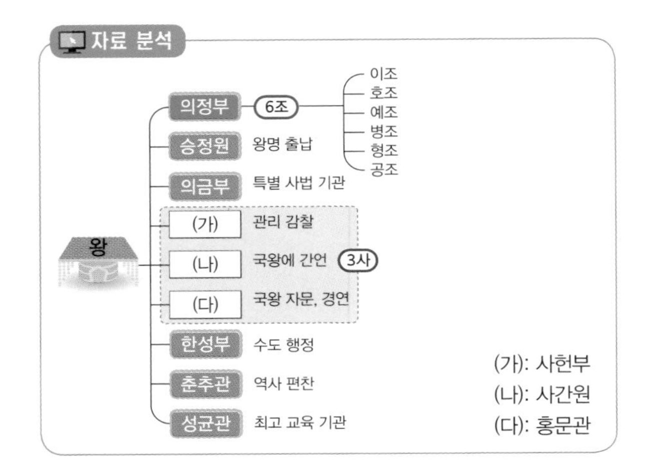

3 조선의 관리 등용 제도

조선은 관리 등용 제도로 과거를 시행하였다. 음서나 천거도 운영하였으나, 과거를 거치지 않고서는 고위 관직에 오르기 어려웠다.

오답 피하기 ④ 고려에 비해 음서의 혜택을 받는 대상이 줄어들었다.

4 4군 6진의 개척

조선은 여진에 대한 강경책의 일환으로 최윤덕(4군)과 김종서(6진)를 보내 북쪽의 여진을 몰아내고 4군 6진을 설치하였다.

5 훈구와 사림

사림은 고려 말 조선 건국에 협력하지 않은 정몽주, 길재의 학통을 계승한 사람들이다. 성종 때부터 주로 3사의 관리로 정계에 진출하였다.

오답 피하기 ③ 주로 3사의 관리로 활동한 세력은 훈구가 아닌 사림이다.

6 사림의 세력 기반, 향약

사림이 성장하여 정권을 잡을 수 있었던 까닭은 서원과 향약을 기반으로 향촌에서 세력을 키워 나갔기 때문이었다. 사림은 백성들에게 향약을 보급하여 풍속을 교화하고 향촌에서의 지배력을 강화하였다. 향약은 향촌에서 마을 주민들이 지켜야 할 자치 규약으로, 어려울 때 서로 돕던 공동체 조직의 풍습에 유교 윤리가 더해진 것

이었다. 사림은 군현이나 마을 단위로 향약을 운영하며 향촌 사회에 유교 덕목을 보급하고 사회 질서를 유지하였다.

7 훈민정음의 창제

㉠은 훈민정음이다. 세종은 백성을 교화하고, 백성이 스스로 자신의 생각을 글로 표현할 수 있게 하기 위해 누구나 쉽게 배울 수 있는 28자의 소리 글자인 훈민정음을 창제하였다. 훈민정음의 창제는 국문학 발전의 계기가 되었으며, 민족 문화 발전의 바탕이 되었다.

선택지 바로 보기

① 경국대전 (×) → 조선 시대 통치의 기본 법전
② 농사직설 (×) → 우리나라의 풍토에 맞는 농사법을 정리한 책
③ 훈민정음 (○)
④ 국조오례의 (×) → 국가 행사에 필요한 예법을 정리한 책
⑤ 향약집성방 (×) → 우리나라의 약재를 활용한 질병 치료법을 제시한 책

8 조선 전기 문화의 특징

조선 전기에는 성리학의 영향으로 고려 시대와 다른 기풍의 자기와 그림이 발전하였다. 분청사기는 고려청자의 제작 전통을 계승하였지만, 점차 독자적인 양식으로 발전하였다. 또한 성리학이 발달하면서 외적인 화려함보다 내면의 수양을 중시하였고, 이러한 분위기가 반영된 소박한 느낌의 순백색 백자가 인기를 끌었다. 또한 군자의 인품을 식물에 비유한 사군자화가 유행하였다.

더 알아보기 조선 전기 예술의 발달

특징	유교 윤리를 바탕으로 한 양반 중심의 문화 발달
그림	• 강희안의 「고사관수도」: 선비의 여유로운 모습을 그림 • 안견의 「몽유도원도」: 안평 대군이 꿈에서 본 무릉도원을 화원인 안견에게 설명하여 그리게 한 그림, 현실 세계와 이상 세계를 조화롭게 표현함 • 사군자화: 매화, 난초, 국화, 대나무를 소재로 한 그림으로, 선비의 지조를 표현함(예 「묵죽도」)
자기	조선 초 분청사기 유행 → 16세기 이후 백자 유행(소박하고 검소한 느낌, 내면의 수양을 중시하는 분위기 반영)

2일 왜란·호란의 발발과 영향, 조선 후기의 정치 변동

기초 확인 문제 | 17, 19쪽

1 (1) 이순신 (2) 에도 (3) 명, 후금 (4) 중립 외교 (5) 병자호란 2 ㉠ 척화론 ㉡ 주화론 3 (1) ㉡ (2) ㉢ (3) ㉠ 4 ㉠ 비변사 ㉡ 의정부 5 (1) 속오군 (2) 영정법 (3) 대동법 (4) 균역법 6 (1) 북인 (2) 예송 (3) 환국 (4) 노론 7 ㉠ 탕평 8 (1) 영조 (2) 정조 (3) 규장각 9 ㉠ 화성 ㉡ 거중기 10 (1) 세도 정치 (2) 환곡 (3) 삼정의 문란

내신 기출 베스트 | 20~21쪽

1 ① 2 ② 3 ③ 4 ㉠ 영정법 ㉡ 대동법 ㉢ 균역법 5 ㉠ 북인 ㉡ 남인 ㉢ 서인 6 ② 7 ③ 8 ⑤

1 임진왜란의 영향

조선은 임진왜란으로 막대한 피해를 입었다. 전쟁 중 많은 사람이 죽거나 다쳤으며, 농경지가 황폐해져 농민의 생활과 국가 재정이 어려워졌다. 또한 노비 문서 등이 불에 타고, 전쟁에서 무공을 세워 신분이 상승한 천민이 나타나는 등 신분 질서도 동요하기 시작하였다. 이와 더불어 활자, 도자기, 서적 등의 문화재를 약탈당하고, 『조선왕조실록』을 보관하던 사고, 경복궁, 불국사 등이 불에 탔다.

오답 피하기 ① 전통적인 신분 질서는 약화되었다.

더 알아보기 왜란의 영향

조선	• 인구 감소, 경작지 황폐화 • 신분 질서의 동요: 노비 문서 소실, 전쟁에서 공을 세워 신분을 상승한 상민이나 천민 등장 • 문화재 피해: 활자·도자기·서적 등 약탈, 불국사·경복궁·사고 등 불에 탐
일본	• 도쿠가와 이에야스가 에도 막부 수립 • 에도 막부가 조선에 국교 재개 요청 → 통신사 파견
중국	• 무리한 지원군 파병 등으로 명 쇠퇴 • 만주 지역에서 여진 성장 → 누르하치가 여진을 통일하여 후금 건국(1616)

2 인조반정의 배경

광해군의 중립 외교를 비판하던 서인은 광해군이 이복 동생인 영창 대군을 죽이고 인목 대비를 유폐한 것을 구실 삼아 1623년에 인조반정을 일으켜 광해군과 북인 정권을 몰아내고 인조를 왕으로 추대하였다.

3 주화론과 척화론

정묘호란 이후 후금은 세력을 확대하여 국호를 청으로 바꾸고 스스로 황제라 칭하며 조선에 군신 관계를 맺을 것을 요구하였다. 이에 조선에서는 청과 화의하자는 주화론과 청에 맞서 싸우자는 척화론으로 의견이 나뉘었다. 청과 조선의 외교적 대립이 심각해졌고, 결국 청 태종은 직접 군대를 이끌고 조선을 침략하였다(병자호란, 1636).

4 양 난 이후의 조세 제도 개편

대동법을 시행하면서 그동안 집마다 토산물을 부과하던 공물 납부 방식이 토지를 기준으로 쌀, 무명이나 베, 동전 등을 내도록 바뀌었다. 인조 때에는 영정법을 도입하여 풍년이나 흉년과 관계없이 전세를 토지 1결당 4두를 내도록 고정하였다. 영조 때에는 농민의 군역 부담을 줄여 주기 위해 1년에 2필씩 걷던 군포를 1필로 줄이는 균역법을 시행하였다. 그리고 줄어든 군포 수입을 보충하기 위해 결작미를 거두었고, 군역을 피하던 일부 부유한 상민에게 선무군관이라는 직책을 주고 매년 군포 1필을 내면서 유사시에는 군사를 지휘하게 하였다.

5 붕당의 분화

사림은 선조 때 동인과 서인으로 갈라진 이후 붕당을 이루어 정치를 운영하였다. 이후 동인은 남인과 북인으로 나뉘었는데, 광해군 때 정권을 장악한 북인은 서인이 주도한 인조반정으로 몰락하였다. 이후 서인이 우세한 가운데 남인이 참여하여 함께 공존하는 붕당 정치가 운영되었다. 그러나 현종 때 두 차례의 예송이 일어나면서 서인과 남인 사이에 갈등이 고조되기 시작하였다. 숙종 때 이르러 정국을 주도하는 붕당이 급격히 교체되는 환국이 여러 차례 발생하면서, 특정 붕당이 정권을 독점하는 현상이 나타났다. 이후 남인은 중앙 정계에서 밀려났고, 서인은 남인에 대한 처리 문제를 둘러싸고 노론과 소론으로 나뉘었다.

6 영조의 업적

영조는 자신의 정책을 지지하는 탕평파를 육성하고, 이들을 중심으로 정국을 운영하였다. 그리고 자신의 확고한 의지를 널리 알릴 수 있게 탕평비를 세웠다. 또한 영조는 민생을 안정시키고자 균역법을 시행하여 군역의 부담을 줄였다. 이와 더불어 백성의 억울함을 풀어 주고자 신문고를 다시 설치하였으며, 『속대전』과 『동국문헌비고』를 편찬하여 문물 제도를 정비하였다.

오답 피하기 ② 장용영은 정조가 친위 부대로 설치한 것이다.

7 정조의 업적

정조는 자신의 정책을 뒷받침하기 위해 규장각을 개편하고 강력한 정치 기구로 만들었다. 또한 친위 부대인 장용영을 설치하여 왕권을 뒷받침하는 군사적 기반을 강화하였다. 정조는 문물제도와 통치 규범을 정리하여 『대전통편』 등을 편찬하였다.

오답 피하기 ㄷ. 탕평비 건립은 영조가 한 일이다.

8 세도 정치

세도 정치는 19세기 전반 순조, 헌종, 철종의 3대 60여 년 동안 이어졌다. 대표적인 세도 가문이었던 안동 김씨, 풍양 조씨 등 외척 세력은 한성의 몇몇 유력 가문과 연합하여 세도 정치를 이끌었다. 이들은 비변사를 비롯한 주요 관직을 독점하였으며, 자신의 권력을 군사적으로 뒷받침할 수 있도록 5군영까지 장악하였다. 비변사의 요직을 차지한 세도 가문은 비변사의 결정이라는 공식적인 절차를 통해 권력을 휘둘렀다. 이에 따라 왕권은 위축되었다. 세도 정치 시기에는 정치 기강이 문란해져 매관매직이 성행하는 등 비리가 만연하였으며, 탐관오리들의 농민에 대한 수탈이 강화되어 삼정의 문란이 더욱 심화되었다.

오답 피하기 ⑤ 세도 정치 시기에는 비변사의 요직을 차지한 세도 가문이 권력을 휘두름에 따라 왕권은 위축되었다.

3일 조선 후기의 사회 변화와 문화의 새로운 경향

기초 확인 문제 | 25, 27쪽

1 (1) 모내기법 (2) 공인 (3) 경강상인 (4) 장시 (5) 늘고, 줄었다 2 ㉠ 공명첩 3 (1) 서얼 (2) 서얼 (3) 공노비 4 (1) 홍경래 (2) 진주 (3) 임술 농민 봉기 5 (1) × (2) ○ (3) × 6 (1) 천주교 (2) 인내천 (3) 농업 (4) 북학파 7 (1) ㉣ (2) ㉢ (3) ㉡ (4) ㉠ 8 (1) 신윤복 (2) 청화 백자 (3) 추사체 9 ㉠ 진경 산수화 ㉡ 풍속화 ㉢ 민화 10 (1) 부계 (2) 장남 (3) 한글 소설 (4) 판소리

내신 기출 베스트 | 28~29쪽

1 ⑤ 2 공명첩 3 ② 4 ④ 5 ⑤
6 ② 7 ② 8 ②

1 조선 후기 농업과 상공업의 변화

양 난 이후 모내기법(이앙법)이 전국적으로 퍼지면서 노동력이 절감되고 생산량이 많이 늘어났으며, 벼와 보리의 이모작이 가능해졌다. 조선 후기에는 상업도 크게 발달하였다. 특히 대동법의 실시로 공인의 활동이 늘어나고 정부가 육의전을 제외한 금난전권을 폐지하면서 상업은 더욱 발달하였다. 이처럼 상품 유통이 활성화되면서 장시가 전국적으로 확대되었다.

2 조선 후기 신분제의 변동

조선 후기에는 농업 생산이 증가하고 상품 화폐 경제가 발달하면서 양반 중심의 신분 제도가 흔들리기 시작하였다. 조선 정부는 전쟁 중에 부족한 자원을 확보하려고 돈이나 곡식을 바친 향리나 백성들에게 관직을 수여하는 등 일정한 혜택을 베풀었다(납속). 또한 부유층으로부터 돈이나 곡식을 받고, 그 양에 따라 명예직 임명장인 공명첩을 발급하기도 하였다. 한편, 일부 백성은 신분을 속여 양반 행세를 하거나 양반의 족보를 구매, 위조하는 자도 있었다.

3 홍경래의 난

제시된 자료는 홍경래의 격문이다. 조선 후기 평안도 지역은 청과의 무역 중심지였으며, 상공업과 광업이 크게 발달하였다. 그래서 세도 정치하에서 관리들의 수탈이 더욱 심하였다. 게다가 평안도 지역 사람들은 관직 진출 등에서 차별을 받았다. 이에 홍경래 등은 관리들의 수탈과 서북 지방 차별에 반대하며 상인과 농민, 광산 노동자들과 함께 봉기를 일으켰다.

4 연행사의 활동

청의 수도인 연경에 간 사신을 연행사라고 한다. 연행사는 청에 와 있던 서양 선교사로부터 천주교와 관련된 서적과 서양의 과학 기술을 수용하였다.

오답 피하기 ④ 고구마는 일본에 통신사로 파견되었던 조엄이 들여온 것이다.

5 천주교와 동학

천주교는 평등사상과 내세 사상 등의 교리를 바탕으로 신분제 아래에서 차별받던 중인, 평민, 천민, 여성 사이에서 빠르게 퍼져 나갔다. 조선 정부는 초기에는 천주교를 엄격하게 탄압하지 않았다. 그러나 천주교인이 유교적 제사 의식을 거부한 사건을 계기로, 천주교가 양반 중심의 신분 질서를 부정하는 것으로 간주하여 이를 탄압하기 시작하였다. 19세기 중엽 지배층의 수탈로 사회가 불안해지고 천주교가 퍼지는 가운데, 경주 지방의 몰락 양반인 최제우가 동학을 창시하였다(1860). 동학은 천주교와 서양 세력의 침투를 경계하고 사회 모순을 개혁하려는 성격을 지녔다. 조선 정부는 동학이 신분 질서를 부정하고 세상을 어지럽힌다고 하여 최제우를 처형하는 등 탄압하였다.

6 실학의 발달

양 난 이후 조선의 각종 사회 문제를 해결하기 위해 새로운 경향의 학문과 사회 개혁론이 등장하였는데, 이를 실학이라고 한다. 실학의 사회 개혁론은 크게 농업 중심 개혁론과 상공업 중심 개혁론으로 발달하였다. 유형원, 이익, 정약용 등의 학자들은 농업 문제에 주목하였다. 이들은 토지 제도를 개혁하고 자영농을 육성하여 농민

생활을 안정시켜야 한다고 주장하였다. 한편 홍대용, 박지원, 박제가 등은 청과의 교류를 통해 선진 문물을 수용할 것을 주장하여 북학파라고 불렸다. 이들은 상공업 발전과 기술 혁신에 관심을 가졌다.

선택지 바로 보기

① 인내천 사상 주장 (×) → 동학에 해당
② 토지 제도 개혁에 관심 (○)
③ 상공업의 발전 주장 (×) → 북학파에 해당
④ 청의 선진 문물 수용 주장 (×) → 북학파에 해당
⑤ 양반 중심 신분 질서 부정 (×) → 동학과 천주교에 해당

7 조선 후기 가족 제도의 변화

조선 후기에는 『주자가례』와 『소학』이 보편적으로 보급되어 성리학적인 사회 질서가 일반 백성들에게까지 확산되었다. 이로 인해 부계 중심의 가족 제도가 점차 강화되어 장남을 중심으로 제사를 지내고 재산을 상속하게 되었다. 따라서 아들이 없으면 양자를 들이는 것이 일반적이었다.

더 알아보기 조선 후기 가족 제도의 변화

혼인	혼인 후 곧바로 남자 집에서 생활하는 풍습(친영제) 정착
족보	부계의 자손을 중심으로 수록
상속	큰아들이 우대 받음
제사	큰아들이 지내야 한다는 인식 확산

8 조선 후기 서민 문화의 발달

조선 후기에는 도시의 발달과 상업의 성장으로 도시 문화가 크게 발달하였다. 그리고 지방의 장시는 상품의 교환뿐만 아니라 다양한 문화의 교류가 이루어지는 공간이었으며, 이곳에서 판소리와 탈춤이 성행하였다. 판소리는 광대가 즉흥적으로 이야기를 더하거나 뺄 수 있었고, 관중이 함께 어울릴 수 있었기에 인기가 높았다. 「춘향가」, 「심청가」, 「흥부가」, 「적벽가」, 「수궁가」 등 다섯 마당이 유명하다.

오답 피하기 ② 상감 청자가 유행한 것은 고려 시대의 사실이다.

4일 국민 국가의 수립

기초 확인 문제 | 33, 35쪽

1 (1) 통상 수교 거부 (2) 갑신정변 (3) 집강소 (4) 갑오개혁 (5) 을미개혁 **2** ㉠ 강화도 조약 ㉡ 불평등 **3** (1) 아관 파천 (2) 관민 공동회 (3) 대한국 국제 (4) 독도 **4** (1) ㉡ (2) ㉠ (3) ㉢ **5** (1) 통감부 (2) 정미의병 (3) 애국 계몽 운동 (4) 신민회 **6** (1) 총독부 (2) 문화 통치 (3) 3·1 운동 (4) 민주 공화제 **7** (1) 민족 자결주의 (2) 6·10 만세 운동 (3) 신간회 (4) 의열단 (5) 청산리 전투 **8** (1) 조선 의용대 (2) 한국 광복군 (3) 조선 건국 준비 위원회 (4) 모스크바 3국 외상 회의 **9** (1) ㉡ (2) ㉠ (3) ㉢ **10** ㉠ 김구 ㉡ 남북 협상

내신 기출 베스트 | 36~37쪽

1 ③ **2** ① **3** ④ **4** ② **5** ② **6** ④ **7** 광주 학생 항일 운동 **8** ⑤

1 흥선 대원군의 통상 수교 거부 정책

흥선 대원군은 대외적으로 서양 열강의 통상 요구를 거부하였다. 이런 상황에서 1866년 프랑스의 군대가 천주교 박해를 구실로 강화도를 침략하고 통상을 요구하였다(병인양요). 프랑스군은 외규장각 도서와 각종 문화재를 약탈해 갔다. 5년 뒤에는 미국의 군대가 제너럴셔먼호 사건을 구실로 강화도를 침략하였지만, 계속된 조선의 저항으로 결국 물러갔다(신미양요). 신미양요 직후 흥선 대원군은 전국에 척화비를 세워 통상 수교 거부 의지를 확고히 하였다.

2 갑오개혁의 개혁안

동학 농민 운동 중에 조선에 파병된 일본군은 경복궁을 무력으로 점령하였다. 이때 일본의 강요로 김홍집을 중심으로 하는 내각이 수립되어 신분제 폐지, 근대적 내각 제도의 시행 등 여러 부문의 개혁을 실시하였다(갑오개혁). 군국기무처는 갑오개혁을 추진하고자 설치한 기구

로, 약 210건의 개혁안을 의결하였다. 갑오개혁은 전통적 사회 질서를 타파하고 농민층의 개혁 요구도 일부 반영한 개혁이었다.

3 아관 파천과 대한 제국 수립 사이의 사건

을미사변 이후 신변의 위협을 느낀 고종은 러시아 공사관으로 거처를 옮겼다(아관 파천, 1896년 2월 이후 약 1년 동안 머무름). 이러한 가운데 미국에서 귀국한 서재필은 개화파 세력은 다시 결집하여 독립 협회를 창립(1896. 7.)하였다. 고종은 러시아 공사관에서 환궁한 후 황제로 즉위하여 국내외에 대한 제국의 수립을 선포하였다(1897. 10.).

선택지 바로 보기

① 대한국 국제가 반포되었다.
(×) → 대한 제국 수립 이후의 일
② 구식 군인들이 임오군란을 일으켰다.
(×) → 아관 파천 이전인 1882년의 일
③ 동학 농민군이 일본에 맞서 봉기하였다.
(×) → 아관 파천 이전인 1895년의 일
④ 서재필 등 개화파가 독립 협회를 창립하였다. (○)
⑤ 근대적 토지 소유 문서인 지계가 발급되었다.
(×) → 대한 제국 수립 이후의 일

4 애국 계몽 단체 – 신민회

자료의 사진은 1908년 신민회의 안창호가 주도하여 설립한 대성 학교이다. 신민회는 공화정을 추구하였고, 학교와 회사를 설립하여 민족의 실력을 키우고자 하였다.

5 항일 의병 운동

일제가 자행한 을미사변과 단발령 시행에 반발하여 일어난 을미의병은 유인석, 이소응 등 양반 유생들이 주도하였다. 을사늑약이 체결된 이후 일어난 을사의병 때에는 양반 유생뿐만 아니라 신돌석 같은 평민 의병장이 크게 활약하였다. 그리고 대한 제국의 군대가 해산된 이후 일어난 정미의병은 다양한 계층이 참여하였으며 군인의 합류로 화력이 강화되었다.

6 대한민국 임시 정부의 수립

3·1 운동을 전후하여 국내외 여러 지역에서 임시 정부가 수립되었다. 연해주의 한인들은 대한 국민 의회를 조직하였으며, 상하이에서도 임시 정부가 구성되었다. 국내에서도 공화정에 입각한 한성 정부 수립안이 발표되었다. 이에 자연스럽게 임시 정부를 하나로 통합하자는 논의가 일어났다. 통합 논의는 대한 국민 의회와 상하이 정부를 중심으로 진행되었다. 논의 결과, 기존의 임시 정부를 해산하고 상하이에서 새롭게 대한민국 임시 정부를 수립하기로 합의하였다. 대한민국 임시 정부는 역사상 최초로 삼권 분립에 기초한 민주 공화제를 채택하여 임시 의정원(입법), 국무원(행정), 법원(사법)을 구성하였다. 대한민국 임시 정부는 국내와의 연락을 도모하고 독립운동 자금을 모집하기 위해 연통제와 교통국을 운영하였다. 그리고 독립 공채를 발행하거나 의연금을 거두었다.

7 광주 학생 항일 운동

제시된 자료는 광주 학생 항일 운동과 관련된 내용이다. '통학 열차에서 일본인 중학생이 한국인 여학생을 희롱', '한일 학생 간 충돌' 등을 통해 해당 운동이 광주 학생 항일 운동임을 알 수 있다. 운동에서 학생들은 식민지 차별교육의 철폐와 구속 학생 석방 등을 요구하였다.

8 대한민국 정부 수립 과정

4번 카드: 모스크바 3국 외상 회의(1945. 12.) → 3번 카드: 좌우 합작 운동(1946. 7.) → 1번 카드: 남북 협상(1948. 4.) → 2번 카드: 5·10 총선거(1948. 5.) 순이다. 모스크바 3국 외상 회의 이후 그 결과를 두고 좌익과 우익의 대립이 격화되고 미소 공동 위원회도 결렬되자, 여운형과 김규식이 중심이 되어 좌우 합작 운동을 추진하였다. 이후 남한만의 단독 선거가 결정되자, 김구와 김규식은 통일 정부 수립을 위해 평양을 방문하였다(남북 협상) 그러나 협상은 성과 없이 끝났고 결국 남한만의 총선거인 5·10 총선거가 치러졌다. 5·10 총선거는 우리 역사상 최초로 만 21세 이상의 모든 국민이 투표권을 갖고 국회 의원을 선출한 선거였다.

5일 자본주의와 사회 변화, 민주주의의 발전, 평화 통일을 위한 노력

기초 확인 문제 | 41, 43쪽

1 (1) 보안회 (2) 국채 보상 운동 (3) 토지 조사 사업 (4) 산미 증식 계획 (5) 국가 총동원법 **2** ㉠ 아관 파천 ㉡ 최혜국 대우 **3** ㉠ 산미 증식 계획 ㉡ 일본 **4** (1) ㉡ (2) ㉢ (3) ㉣ (4) ㉠ **5** (1) 외환 위기 (2) 전태일 분신 (3) 민주 공화제 **6** (1) 발췌 (2) 3·15 부정 선거 (3) 장면 (4) 5·16 군사 정변 **7** (1) 한일 국교 정상화, 베트남 파병 (2) 유신 헌법 (3) 부·마 민주 항쟁 (4) 12·12 사태 **8** (1) ㉡, ㉢ (2) ㉠, ㉣ **9** ㉠ 평화 **10** (1) 인천 상륙 작전 (2) 독재 (3) 남북 기본 합의서 (4) 김대중 정부 (5) 10·4 남북 공동 선언

내신 기출 베스트 | 44~45쪽

1 ④ **2** ⑤ **3** ③ **4** ② **5** ③ **6** ④ **7** ② **8** ③

1 아관 파천 이후 열강의 이권 침탈

1896년 아관 파천 이후 러시아를 비롯한 열강은 최혜국 대우를 앞세워 철도 부설권, 광산 채굴권, 산림 채벌권 등 각종 이권을 빼앗아 갔다.

2 토지 조사 사업

대한 제국의 국권을 빼앗은 일제는 근대적 토지 소유권을 확립하고 세금 부담을 공평히 한다는 명분을 내세우고 토지 조사 사업을 시행하였다(1910~1918). 토지 조사 사업을 통해 조선 총독부는 토지 소유자가 직접 정해진 기간 내에 신고한 토지만 소유지로 인정하였다. 그 결과 조선 총독부의 토지 소유와 지세 수입이 증가하였다. 또한 지주의 권한이 강화되었고, 많은 소작농이 조상 대대로 인정받던 경작권을 잃었다.

선택지 바로 보기

① 회사령 (×) → 조선인의 경제활동을 제한하기 위해 회사 설립 시 조선 총독부의 허가를 받도록 한 법으로 1910년 공포됨
② 국가 총동원령 (×) → 일제가 전쟁에 필요한 자원을 조달하고자 1938년 제정한 법. 한국에서 각종 자원과 식량을 수탈함
③ 산미 증식 계획 (×) → 한국에서 쌀 생산을 늘려 일본으로 가져가려는 정책으로 1920년부터 추진됨
④ 삼림령 (×) → 주민들이 가지고 있던 산림 이용권을 제한한 법으로 1911년 공포됨
⑤ 토지 조사 사업 (○)

3 1950년대 삼백 산업

6·25 전쟁 이후 미국에서 제공하는 원조는 식량난을 해소하는 데 큰 도움을 주었으나, 농산물 가격의 하락을 가져와 농가에 타격을 주었다. 한편, 미국의 경제 원조의 영향으로 제분·제당·면방직 공업 등 소비재 산업이 발달하였는데 이를 '삼백 산업'이라고 한다.

4 1990년대의 경제 – 외환 위기

1990년대에 김영삼 정부는 세계화를 표방하면서 공기업 민영화, 시장 개방 확대, 경제 협력 개발 기구(OECD) 가입 등 신자유주의 정책을 추진하였다. 그러나 무역 수지 적자 등으로 1997년 말에 외환 위기를 맞았다. 기업 경영과 금융의 부실이 드러나 대외 신뢰도가 떨어지면 국외로부터 외환 차입이 어려워지게 된다. 외환 시장의 불안으로 환율 상승의 압력이 가해지는 악순환을 겪는 것을 외환 위기라고 한다.

선택지 바로 보기

① 3저 호황 (×) → 1980년대에 국제 경기가 저유가, 저금리, 저달러 상태로 돌아서면서 물가가 안정되고 우리 경제가 호황을 누린 것
② 외환 위기 (○)
③ 삼백 산업 (×) → 1950년대에 미국 경제 원조의 영향으로 발달한 제분·제당·면방직 산업을 일컫는 말
④ 자유 무역 협정 (×) → 개별 국가나 경제 공동체 각각을 대상으로 자유 무역에 관한 협정을 맺는 것. 우리나라는 유럽 연합, 미국, 칠레 등과 자유 무역 협정을 체결함
⑤ 경제 개발 5개년 계획 (×) → 1962년부터 4차례에 걸쳐 진행된 정부 주도의 경제 개발 계획

5 4·19 혁명의 배경과 결과

1960년 정·부통령 선거에서 이승만 정부가 부정 선거를 자행하자(3·15 부정 선거), 많은 학생과 시민이 격렬한 시위를 전개하였다. 4월 19일에 시작된 시위는 4월 26일 이승만이 대통령직에서 물러나면서 막을 내렸다. 이후 내각 책임제 개헌이 이루어지고, 민주당이 장면을 총리로 하는 내각을 구성하였다.

6 6월 민주 항쟁의 결과

전두환 정부는 억압적인 통치로 국민의 민주화 요구를 짓밟았다. 전두환 정부는 4월 13일, 국민의 직선제 개헌 요구마저 거부하였다. 6월 10일, 백만 명이 넘는 학생과 시민들이 민주화를 외치며 독재 정권에 맞섰고, 결국 6월 29일 당시 대통령 후보이자 여당 대표였던 노태우는 직선제 개헌을 약속하는 선언을 하였다(6·29 민주화 선언).

7 6·25 전쟁의 과정

1950년 6월 25일 북한의 남침에 국군은 맞서 싸웠으나 대규모 공세에 밀려 낙동강 전선까지 후퇴하였다. 그해 9월 국군과 유엔군의 인천 상륙 작전을 계기로 북한군은 38도선 이북으로 물러났다. 이 시기에 국군은 압록강까지 진격하였으나, 중국군의 개입으로 다시 후퇴하게 되었다. 이후 전쟁은 38도선 일대에서 치열하게 전개되었다. 결국 1953년 7월에 정전 협정을 체결하였다.

8 7·4 남북 공동 성명

1970년대에 냉전 체제가 완화되는 등 국제 정세가 변화하자 남북한 당국은 7·4 남북 공동 성명을 발표하여 3대 통일 원칙(자주·평화·민족 대단결)에 합의하였다.

더 알아보기 평화 통일을 위한 노력

1970년대	7·4 남북 공동 성명(1972, 남북한이 최초로 자주·평화·민족적 대단결의 통일 원칙에 합의)
1990년대	남북 기본 합의서 채택(1991), 남북한 유엔 동시 가입(1991)
2000년대 이후	• 김대중 정부: 6·15 남북 공동 선언(2000) • 노무현 정부: 10·4 남북 공동 선언(2007) • 문재인 정부: 4·27 판문점 선언(2018)

6일

누구나 100점 테스트 1회 | 46~47쪽

01 ③ 02 ② 03 ④ 04 ③ 05 ④ 06 ⑤
07 ④ 08 ④ 09 ① 10 ⑤

01 조선 태종의 업적

태종은 왕권을 강화하고자 공신과 왕자들이 소유하고 있던 사병을 없앴다. 또한 인구 조사를 실시하고 호패법을 시행하여 군역과 조세의 기초를 마련하였다.

02 조선의 기본 법전 『경국대전』

『경국대전』은 조선의 기본 법전으로, 중앙의 6조 체제에 맞추어 6개의 법전으로 구성되었다. 『경국대전』의 완성으로 조선은 유교 중심의 국가 통치 질서를 확립하였다.

03 조선 전기 군사 및 통신 제도

조선 시대에는 각 도에 병영과 수영을 설치하고 중앙에서 각각 병마절도사와 수군절도사를 파견하여 육군과 수군을 지휘하도록 하였다.

선택지 바로 보기

① 각 도에는 주현군과 주진군이 주둔하였다. (×) → 고려 시대
② 조운을 통해 국경 지대의 위급 상황을 전달하였다. (×) → 봉수제에 대한 설명
③ 중앙군인 2군 6위는 한양과 국경 지역을 방어하였다. (×) → 고려 시대
④ 병마절도사와 수군절도사가 육군과 수군을 지휘하였다. (○)
⑤ 군역은 16세 이상 60세 미만의 모든 남성에게 부과되었다. (×) → 군역은 16세 이상 60세 미만의 양인 남성에게만 부과됨

04 서원과 향약

네 차례의 사화에도 불구하고 사림이 성장하여 정권을 잡을 수 있었던 까닭은 서원과 향약을 기반으로 향촌에

서 세력을 키워 나갔기 때문이었다. 사림은 서원에서 덕망 높은 유학자의 제사를 지내고, 성리학을 연구하며 양반 자제들을 교육하였다. 또한 사림은 백성들에게 향약을 보급하여 풍속을 교화하고 향촌에서의 지배력을 강화하였다.

05 조선 전기의 편찬 사업

조선의 기틀이 마련되면서 각종 서적을 편찬하였다. 또한 세계 지도인 「혼일강리역대국도지도」를 제작하였다.

선택지 바로 보기

① ㉠ – 『동국통감』(×) → 『동국여지승람』
② ㉡ – 『국조오례의』(×) → 『경국대전』
③ ㉢ – 『경국대전』(×) → 『국조오례의』
④ ㉣ – 「혼일강리역대국도지도」(○)
⑤ ㉤ – 『삼강행실도』(×) → 『동국통감』

06 임진왜란의 경과

조선 수군의 제해권 장악, 의병의 조직과 활약, 명의 지원군 파병, 조선 관군의 승리 등으로 인해 왜란의 전세가 바뀌었다.

07 예송 논쟁

제시된 내용은 1차 예송에 대한 것이다. 현종 때 효종의 왕위 계승에 대한 정통성 문제를 놓고 두 차례의 예송이 일어나면서 서인과 남인 사이에 갈등이 고조되었다.

08 양 난 이후 정치 운영의 변화

제시된 자료는 『효종실록』이 출처이므로, 효종 때 즉 양 난 이후를 의미한다. 양 난 이후 의정부나 6조를 대신하여 국가의 크고 작은 일을 모두 담당했던 정치 기구는 비변사이다.

09 정조의 업적

정조는 수원에 화성을 건설하고 정치적·군사적 기능을 부여하여 자신의 정치적 이상을 실현할 수 있는 상징적인 도시로 만들고자 하였다. 또한 자신의 정책을 뒷받침하기 위해 규장각을 개편하고 강력한 정치 기구로 만들었다. 정조는 젊고 유능한 관리를 선발하여 개혁 세력으로 육성하였고(초계문신제), 친위 부대인 장용영을 설치하여 왕권을 뒷받침하는 군사적 기반을 강화하였다. 또한, 정조는 문물제도와 통치 규범을 정리하여 『대전통편』 등을 편찬하였다.

오답 피하기 ① 정국을 주도하는 붕당이 급격히 교체되는 환국이 발생한 시기는 숙종 때이다.

10 삼정의 문란

세도 정치 시기에는 탐관오리들의 농민에 대한 수탈이 강화되어 삼정의 문란이 더욱 심화되었다. 삼정 중에서도 환곡의 폐해가 가장 심하였다. 환곡은 본래 굶주린 백성에게 약간의 이자를 받고 곡식을 빌려주는 구호 제도였다. 그러나 그 이자가 관청의 경비로 사용되면서 고리대처럼 운영되어 폐해가 극심하였다. 심지어 곡식을 받지 못하고 이자만 내는 농민도 생겨났다. 삼정의 문란으로 농민의 생활은 더욱 어려워졌다.

누구나 100점 테스트 2회 | 48~49쪽

01 ⑤ 02 ⑤ 03 ③ 04 ④ 05 ⑤ 06 ④
07 ② 08 한국 광복군 09 ② 10 ⑤

01 조선 후기 신분제 변동

조선 후기에는 농업 생산이 증가하고 상품 화폐 경제가 발달하면서 양반 중심의 신분 제도가 흔들리기 시작하였다. 중앙 정치에서 밀려난 양반들은 향촌 사회에서 겨우 위세를 유지하거나, 농민의 처지와 다를 바 없는 잔반으로 몰락하였다. 게다가 조선 정부는 부유층으로부터 돈이나 곡식을 받고, 그 양에 따라 명예직 임명장인 공명첩을 발급하기도 하였다. 한편, 일부 백성은 신분을 속여 양반 행세를 하거나 양반의 족보를 구매, 위조하는 자도 있었다. 신분 변동은 중인층에서도 나타났다. 서얼들은 집단 상소 운동을 벌여 관직 진출에 제한을 없애 줄 것을 요구하였다. 또한 역관, 의관 등 기술직 중인들도 서얼들의 움직임에 자극을 받아 신분 상승 운동을 전개하였다.

오답 피하기 ⑤ 사화는 조선 전기에 있었던 일이다.

02 연행사의 활동

(가)는 연행사이다. 연행사는 조선 후기에 청에 보낸 사신을 이르는 말이다. 청의 수도인 연경(현재 베이징)에 간 사신이라는 의미로 '연행사'라고 하였다. 그들은 귀국 후 보고서나 기행문에서 청의 발달한 문물을 소개하였다. 또한 연행사는 청에 와 있던 서양 선교사로부터 천주교와 관련된 서적과 서양의 과학 기술을 수용하였다. 즉 연행사는 조선과 청의 공식적인 외교 통로이면서 선진 문물을 수용하는 창구의 기능을 하였다.

오답 피하기 ㄱ, ㄴ은 통신사에 대한 설명이다.

03 『발해고』를 저술한 유득공

『발해고』는 정조에 의해 서얼 출신임에도 규장각 검서관에 등용된 유득공이 남긴 대표적 저서이다.

04 조선 후기 가족 제도의 변화

17세기 이후 성리학이 일상생활에까지 영향을 미치면서 효와 충이 크게 강조되었다. 이에 결정적인 역할을 한 것이 『주자가례』와 『소학』의 보급이다. 이처럼 성리학적 질서가 빠르게 퍼지면서 부계 중심의 가족 제도가 점점 강화되었다. 조선 후기에는 혼인 후에 여자가 곧바로 남자 집에서 생활하는 경우가 많아졌으며, 족보 기재 방식도 변하였다. 조선 전기에는 남녀의 구별 없이 태어난 순서대로 이름을 기재했지만, 조선 후기에는 장남, 차남, 삼남, 그리고 그 뒤에 장녀, 차녀가 기록되었다. 족보뿐만 아니라 재산 상속도 크게 달라졌다. 여자가 상속 대상에서 제외되었으며, 장남이 아닌 아들은 차별받았다.

오답 피하기 ④ 조선 후기에는 장남, 차남, 삼남 등 아들을 기록한 뒤에 장녀, 차녀 등 딸을 기록하였다.

05 조선 후기의 자기 공예

자기 공예에서는 단순하고 꾸밈이 없는 백자가 널리 사용되었다. 이와 함께 흰 바탕 위에 푸른색으로 그림을 그린 다양한 형태의 청화 백자가 유행하였다. 청화 백자는 주로 제기와 문방구 등 생활용품으로 제작되었으나, 서민들은 옹기를 더 많이 사용하였다.

06 강화도 조약의 성격

강화도 조약은 흥선 대원군이 물러나고 고종이 집권한 이후에 체결되었다. 우리나라가 외국과 맺은 최초의 근대적 조약이자, 영사 재판권과 해안 측량권 등을 인정한 불평등 조약이다.

자료 분석

제1조 조선은 자주국이며, 일본과 대등한 권리를 가진다.
제4조 조선은 부산 외에 두 곳의 항구를 개항하고 일본인이 와서 통상하도록 허가한다.
제7조 조선국 해안을 일본국 항해자가 자유로이 측량하도록 허가한다. – 해안 측량권 허용
제10조 일본국 인민이 조선국 항구에서 죄를 지은 사건은 모두 일본국 관원이 심판한다. – 영사 재판권 허용

07 대한 제국의 광무개혁

밑줄 친 '개혁'은 광무개혁에 해당한다. 고종은 러시아 공사관에서 환궁한 후, 황제로 즉위하여 대한 제국 수립을 선포하였다. 고종은 구본신참의 원칙을 내세우며 광무개혁을 단행하였고, 군사권 강화, 지계 발급 등의 성과를 거두었다.

08 한국 광복군의 활동

중일 전쟁 이후 충칭으로 이동한 대한민국 임시 정부는 더욱 적극적으로 무장 투쟁을 하고자 한국 광복군을 창설하였다(1940). 한국 광복군은 이후 조선 의용대의 일부를 받아들여 전력을 더욱 강화하였다. 한국 광복군은 태평양 전쟁 당시 일본에 선전포고를 하였고, 일제의 패망이 가까워오자 국내 진공 작전을 추진하기도 하였다.

09 제헌 국회와 제헌 헌법

1948년 5·10 총선거로 구성된 국회에서는 헌법, 정부 조직법을 비롯한 여러 법규를 제정하였다. 20여 일 동안 정부 형태를 둘러싸고 격렬한 토론이 전개되었다. 그리고 국회에서는 국호를 대한민국으로 정하고, 7월 17일 제헌 헌법을 공포하였다. 제헌 헌법은 그 전문에서 대한

민국은 3·1 운동으로 건립된 대한민국 임시 정부의 법통을 계승하고 있음을 분명히 하였다. 그리고 헌법 제1조와 제2조에 '대한민국은 민주 공화국'이며, '대한민국의 주권은 국민에게 있고, 모든 권력은 국민에게서 나온다.'라고 명시하였다. 그리고 '근로자는 사기업의 이익을 균점할 권리'가 있으며 '모든 국민에게 생활의 기본적 수요를 충족할 수 있게 하는 사회 정의'를 실현하도록 하고 있다. 즉 국민이 국가를 위해 존재하는 것이 아니라, 국가가 국민을 위해 존재한다는 것을 분명히 하였다.

오답 피하기 ② 5·10 총선거는 제주도 일부 선거구를 제외한 남한 지역에서만 치러졌다.

10 일제의 산미 증식 계획

일제는 산미 증식 계획을 실행하여 쌀 생산량을 늘렸지만, 증산된 양보다 더 많은 양의 쌀을 수탈하였기 때문에 한국의 식량 사정은 더욱 악화되었다.

선택지 바로 보기

① 한국의 식량 사정이 나아졌다. (×) → 일제가 증산량보다 많은 양의 쌀을 수탈하여 한국의 식량 사정은 나빠짐
② 쌀 생산량은 지속적으로 감소하였다. (×)
→ 쌀 생산량은 줄어들기도 하고 늘어나기도 함
③ 일제가 한반도를 병참 기지로 만들었다. (×)
→ 1930년대 이후 일제의 정책이며, 해당 자료로는 파악할 수 없음
④ 조선 총독부의 지세 수입이 크게 늘었다. (×)
→ 토지 조사 사업의 결과에 해당함
⑤ 일제가 증산량보다 많은 양의 쌀을 수탈하였다. (○)

서술형·사고력 **테스트** / 창의·융합·코딩 **테스트** | 50~53쪽

01 호패법 실시 목적

모범 답안 | 호패법. 인구를 파악하고 세금 징수와 군역 부과의 기초 자료를 마련하기 위해서 실시하였다.

핵심 단어 | 호패법, 인구 파악, 세금 징수와 군역 부과의 기초 자료

채점 기준	구분
핵심 단어를 모두 사용하여 호패법 실시의 목적을 바르게 서술한 경우	상
핵심 단어 중 두 가지만 사용하여 호패법 실시의 목적을 바르게 서술한 경우	중
핵심 단어 중 한 가지만 사용하여 호패법 실시의 목적을 바르게 서술한 경우	하

02 붕당 형성의 배경

(1) 이조 전랑

(2) 모범 답안 | 이조 전랑 임명 문제를 두고 사림 간의 대립이 심화되었고 결국 동인과 서인으로 나뉘어 붕당을 형성하였다.

핵심 단어 | 이조 전랑, 동인, 서인

채점 기준	구분
핵심 단어를 모두 사용하여 붕당 형성의 배경을 바르게 서술한 경우	상
핵심 단어 중 두 가지만 사용하여 붕당 형성의 배경을 바르게 서술한 경우	중
핵심 단어 중 한 가지만 사용하여 붕당 형성의 배경을 바르게 서술한 경우	하

03 조선 초기 천문학 발달의 배경

모범 답안 | 조선 시대 사람들은 천문 현상을 왕의 권위, 농업과 밀접한 관련이 있다고 생각하였다. 왕들은 천문과 기상 현상을 밝히고자 노력하였고, 이에 천문학이 발달하였다.

핵심 단어 | 왕의 권위, 농업, 천문과 기상 현상 밝히고자 노력

채점 기준	구분
핵심 단어를 모두 사용하여 조선 초기 천문학 발달의 배경을 바르게 서술한 경우	상
핵심 단어 중 두 가지만 사용하여 조선 초기 천문학 발달의 배경을 바르게 서술한 경우	중
핵심 단어 중 한 가지만 사용하여 조선 초기 천문학 발달의 배경을 바르게 서술한 경우	하

04 병자호란과 북벌론

(1) 병자호란

(2) 모범 답안 | 조선은 오랑캐라고 여겼던 청에 패하자 충격에 빠졌다. 이에 효종은 청을 정벌하여 호란의 치욕을 씻고 명과의 의리를 지키자는 북벌론을 주장하였다.

핵심 단어 | 청 정벌, 명과의 의리, 북벌론

채점 기준	구분
핵심 단어를 모두 사용하여 효종의 북벌론을 바르게 서술한 경우	상
핵심 단어 중 두 가지만 사용하여 효종의 북벌론을 바르게 서술한 경우	중
핵심 단어 중 한 가지만 사용하여 효종의 북벌론을 바르게 서술한 경우	하

05 세도 정치의 폐단

모범 답안 | 세도. 세도 정치 시기에는 세도 가문이 국정을 주도하면서 왕권이 약화되었고, 정치 기강이 문란해져 매관매직이 성행하였으며, 과거 시험에서 부정이 저질러졌다. 이러한 과정에서 관리가 된 이들이 백성을 수탈하면서 삼정이 문란해졌다.

핵심 단어 | 왕권 약화, 정치 기강 문란(매관매직, 과거 시험 부정), 삼정의 문란

채점 기준	구분
핵심 단어를 모두 사용하여 세도 정치의 폐단을 바르게 서술한 경우	상
핵심 단어 중 두 가지만 사용하여 세도 정치의 폐단을 바르게 서술한 경우	중
핵심 단어 중 한 가지만 사용하여 세도 정치의 폐단을 바르게 서술한 경우	하

06 조선 후기 신분제의 변동과 공명첩

모범 답안 | 조선 후기에 경제 활동으로 부유해진 일부 농민이나 상인들이 공명첩을 사들여 양반 신분을 얻었다.

핵심 단어 | 부유해진 농민이나 상인, 공명첩, 양반 신분

채점 기준	구분
핵심 단어를 모두 사용하여 공명첩과 관련된 조선 후기 신분제 변동을 바르게 서술한 경우	상
핵심 단어 중 두 가지만 사용하여 공명첩과 관련된 조선 후기 신분제 변동을 바르게 서술한 경우	중
핵심 단어 중 한 가지만 사용하여 공명첩과 관련된 조선 후기 신분제 변동을 바르게 서술한 경우	하

07 을사늑약의 부당성을 알리기 위한 고종의 활동

모범 답안 | 을사늑약. 을사늑약이 체결되자, 고종은 헤이그에서 열린 만국 평화 회의에 이준, 이상설, 이위종을 특사로 파견하여 국제 사회에 을사늑약의 부당성을 알리고자 하였다.

핵심 단어 | 을사늑약, 헤이그 만국 평화 회의, 특사(이준, 이상설, 이위종) 파견, 을사늑약의 부당성

채점 기준	구분
핵심 단어를 모두 사용하여 을사늑약의 부당성을 알리기 위한 고종의 활동을 바르게 서술한 경우	상
핵심 단어 중 두 가지만 사용하여 을사늑약의 부당성을 알리기 위한 고종의 활동을 바르게 서술한 경우	중
핵심 단어 중 한 가지만 사용하여 을사늑약의 부당성을 알리기 위한 고종의 활동을 바르게 서술한 경우	하

08 국채 보상 운동과 금 모으기 운동의 배경

모범 답안 | ㉠ 국채 보상 운동은 대한 제국 말 일본의 강요로 대규모의 차관을 도입하면서 국가의 채무가 많아지게 되자 이를 갚기 위한 것이었다. ㉡ 금 모으기 운동은 외환 위기로 국가가 국제 통화 기금(IMF)의 구제 금융을 지원받게 되자 이를 극복하기 위한 민간 차원의 운동이었다.

핵심 단어 | 대한 제국, 일본의 강요로 대규모 차관 도입, 외환 위기, 국제 통화 기금의 구제 금융

채점 기준	구분
핵심 단어를 모두 사용하여 국채 보상 운동과 금 모으기 운동의 배경을 바르게 서술한 경우	상
핵심 단어 중 두 가지만 사용하여 국채 보상 운동과 금 모으기 운동의 배경을 바르게 서술한 경우	중
핵심 단어 중 한 가지만 사용하여 국채 보상 운동과 금 모으기 운동의 배경을 바르게 서술한 경우	하

09 ~ 10 가로세로 퍼즐

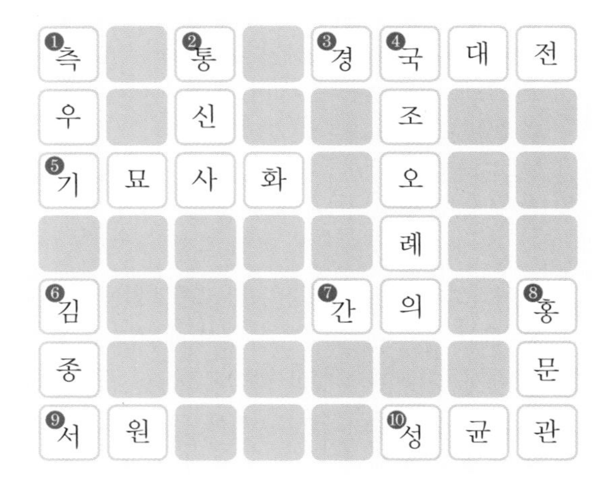

11 흥선 대원군의 정치

(1) 모범 답안 | 호포제를 실시하여 양반에게도 군포를 거두었다. 환곡제를 폐지하고 사창제를 실시하였다.
핵심 단어 | 호포제 실시, 환곡제 폐지, 사창제 실시

채점 기준	구분
핵심 단어를 모두 사용하여 흥선 대원군의 정치를 바르게 서술한 경우	상
핵심 단어 중 두 가지만 사용하여 흥선 대원군의 정치를 바르게 서술한 경우	중
핵심 단어 중 한 가지만 사용하여 흥선 대원군의 정치를 바르게 서술한 경우	하

(2) 경복궁
(3) 모범 답안 | 경복궁 중건 비용을 마련하기 위해 원납전을 강제로 징수하고 당백전을 발행하여 경제 혼란을 불러왔다. 중건 공사에 백성을 동원하였다.
핵심 단어 | 원납전 징수, 당백전 발행, 공사에 백성 동원

채점 기준	구분
핵심 단어를 모두 사용하여 경복궁 중건의 문제점을 바르게 서술한 경우	상
핵심 단어 중 두 가지만 사용하여 경복궁 중건의 문제점을 바르게 서술한 경우	중
핵심 단어 중 한 가지만 사용하여 경복궁 중건의 문제점을 바르게 서술한 경우	하

12 일제의 식민 통치

(1) ㉠ 무단 ㉡ (가), (다), (마) ㉢ 문화 ㉣ (나), (라), (바)
(2) 모범 답안 | 3·1 운동으로 무단 통치의 한계를 깨달은 일제는 기만적인 문화 통치로 통치 방법을 바꾸었다.
핵심 단어 | 3·1 운동, 무단 통치의 한계, 기만적인 문화 통치

채점 기준	구분
핵심 단어를 모두 사용하여 1910년대와 1920년대 일제의 식민 통치가 바뀌게 된 까닭을 바르게 서술한 경우	상
핵심 단어 중 두 가지만 사용하여 1910년대와 1920년대 일제의 식민 통치가 바뀌게 된 까닭을 바르게 서술한 경우	중
핵심 단어 중 한 가지만 사용하여 1910년대와 1920년대 일제의 식민 통치가 바뀌게 된 까닭을 바르게 서술한 경우	하

13 민주주의의 발전

(1) 모범 답안 | 이승만 정권이 독재 정치를 실시하였다.
핵심 단어 | 이승만 정권, 독재 정치

채점 기준	구분
핵심 단어를 모두 사용하여 4·19 혁명의 배경을 바르게 서술한 경우	상
핵심 단어 중 한 가지만 사용하여 4·19 혁명의 배경을 바르게 서술한 경우	하

(2) 5·18 민주화 운동
(3) 대통령 직선제

학교 시험 기본 테스트 1회 | 54~57쪽

01 ③ 02 ③ 03 ② 04 ⑤ 05 ② 06 ③
07 ② 08 ① 09 (가) 군정 (나) 환곡 10 ①
11 ③ 12 ④ 13 ⑤ 14 ② 15 ⑤ 16 ②
17 ③ 18 ⑤ 19 ③ 20 ⑤

01 조선의 기틀을 다진 왕들의 업적

태조(이성계)는 나라의 이름을 조선이라고 정하고 한양으로 도읍을 옮겼다(1394). 태종(이방원)은 왕권을 강

화하고자 공신과 왕자들의 사병을 없앴다. 또한 국가에 필요한 세금을 확보하기 위해 호구 조사로 인구를 파악하고, 호패법을 시행하였다. 태종의 뒤를 이은 세종은 국왕과 신하가 조화를 이루는 유교적 이상 정치를 실현하고자 하였다. 세종은 집현전을 설치하여 학자를 양성하였고, 왕과 신하가 학문을 토론하는 경연에 힘썼다. 또한 재위하는 동안 국방, 경제, 과학 기술, 문화 등 여러 방면에서 국가를 발전시키고자 노력하였다. 세조(수양 대군)는 인구를 다시 조사하여 조세와 군역을 부과하는 기반을 마련하는 한편, 군사 제도를 개편하여 국방력을 강화하였다. 이후 성종은 집현전을 계승한 홍문관을 설치해 경연에 힘썼으며, 세조가 편찬하기 시작한 『경국대전』을 완성하였다. 기본 법전인 『경국대전』이 완성됨으로써 조선은 유교 중심의 국가 통치 질서를 확립하였다.

오답 피하기 ③ 세종은 집현전을 설치하고 학문을 장려하였다. 홍문관은 성종 때 집현전을 계승하여 설치된 기구이다.

02 조선의 중앙 정치 기구

(가)에 해당하는 정치 기구는 의정부이다. 의정부에서는 영의정, 좌의정, 우의정의 3정승이 합의를 통해 국가의 주요 정책을 결정하였다.

03 3사의 구성

3사에는 관리 감찰을 맡은 사헌부, 간쟁을 맡은 사간원, 국왕 자문과 경연을 맡은 홍문관이 있다. 3사는 국왕과 관리를 견제하여 권력의 독점과 부정을 방지하는 역할을 하였다.

04 붕당의 형성

사림은 선조 때부터 중앙 정치의 주도권을 잡았다. 그러나 이 과정에서 사림은 왕실 외척이 정치에 참여했던 문제를 둘러싸고 기성 사림과 신진 사림으로 분열하여 갈등하였다. 사림 내부의 갈등은 이조 전랑을 임명하는 문제를 두고 더욱 심화하였다. 이조 전랑은 중하급 관리와 3사 관리의 인사 추천권이 있었고, 자신의 후임자를 추천할 수 있었기 때문에 사림은 서로 자신과 가까운 인물을 이조 전랑에 임명하고자 하였다. 이로 인해 사림의 갈등은 깊어졌고, 결국 동인과 서인으로 나뉘어 붕당을 형성하였다.

자료 분석

선조 때의 이조 전랑 김효원은 왕실 외척이었던 심의겸의 동생이라는 이유로 심충겸이 자신의 후임자가 되는 것을 반대하였다. 이 사건을 계기로 사림은 김효원을 지지하는 동인과 심의겸을 지지하는 서인으로 분열하였다. 김효원의 집이 한양의 동쪽에 있었고, 심의겸의 집이 한양의 서쪽에 있었기 때문에 김효원을 따르는 세력을 동인, 심의겸을 따르는 세력을 서인이라고 불렀다고 한다.

05 조선 전기의 과학 기술

조선은 백성의 생활을 안정시키고 국력을 강화하고자 과학 기술의 발전에 힘썼다. 특히 하늘의 운행을 관찰하는 천문학은 국왕의 권위와 연결되었고, 농사에도 큰 영향을 미쳤기 때문에 더욱 중시하였다. 그 결과 태조 시기에 천문도인 「천상열차분야지도」를 만들었고, 세종 때는 역법서인 『칠정산』을 제작하였다. 또한 규표, 간의, 혼상 등의 천문 관측기구와 일성정시의, 앙부일구, 자격루 등 시간을 측정하는 기구를 만들었다.

오답 피하기 ② 앙부일구는 해의 그림자를 보며 시간을 측정한 해시계이다. 강우량을 측정하는 기구는 측우기이다.

06 병자호란

남한산성, 삼전도비는 병자호란과 관련된 것들이다. 병자호란은 조선이 청의 군신 관계 요구를 거절하자 청 태종이 조선을 침략하면서 일어났다.

07 영조의 탕평책

영조는 붕당의 폐단을 극복하기 위해 탕평책을 실시하였다. 붕당과 관계없이 인재를 고루 등용하였으며, 자신의 정책을 지지하는 탕평파를 육성하여 이들을 중심으로 정국을 운영하였다.

08 예송의 개념

현종 때 있었던 예송에 대한 설명이다. 현종 때 효종의 왕위 계승에 대한 정통성 문제를 놓고 두 차례의 예송이 일어나면서 서인과 남인 사이에 갈등이 고조되기 시작하였다. 예송은 '의례에 관한 논쟁'이라는 뜻이다.

09 세도 정치기 삼정의 문란

(가)는 군정의 문란, (나)는 환곡의 문란을 표현한 그림이다. 삼정이란, 국가 재정의 기본을 이루는 전세, 군포, 환곡을 거두어들이는 일이며, 삼정의 문란이란 세도 정치 아래에서 뇌물을 주고 관직을 산 관리들이 백성들을 과도하게 수탈한 것을 말한다.

10 대동법의 실시로 등장한 공인

공인은 대동법의 실시로 등장한 관청 물품 조달 상인이다. 공인이 직접 왕실과 관청에 필요한 물품을 대량으로 구입하여 중앙에 조달하면서 상업 활동이 활발해지고 상품 화폐 경제가 더욱 발달하였다.

11 조선 후기 신분제의 변동

조선 후기에는 많은 양반이 중앙 정치에서 밀려나 지위가 약화되었고 그와 함께 경제적으로 몰락하여 잔반이 되기도 하였다.

12 천주교가 정부로부터 탄압받은 이유

17세기경 중국을 왕래하는 연행사 일행에 의해 천주교(서학)가 소개되었다. 처음에는 학문적 탐구 대상이었던 천주교는 18세기 후반에 이르러 남인 계열의 실학자들에 의해 신앙으로 받아들여졌다. 그러나 천주교인이 유교적 제사 의식을 거부한 사건을 계기로, 천주교가 양반 중심의 신분 질서를 부정하는 것으로 간주하여 조선 정부는 이를 탄압하기 시작하였다.

선택지 바로 보기

① 연등회와 팔관회를 개최하였다. (×) → 불교
② 『삼강행실도』 편찬의 배경이 되었다. (×) → 유교
③ 경주 지방의 몰락 양반이 창시하였다. (×) → 동학
④ 유교적 제사 의식을 거부하여 탄압받았다. (○)
⑤ '사람이 곧 하늘이다.'라는 사상을 강조하였다. (×) → 동학

13 농업 중심 개혁론

(가)는 정약용이다. 정약용은 토지 제도의 개혁을 통한 농민 생활의 안정을 강조하였다.

선택지 바로 보기

① 지전설 주장 (×) → 홍대용
② 북학파의 일원 (×)
→ 유수원, 박지원, 박제가 등 상공업 중심 개혁론자에 해당
③ 『발해고』 저술 (×) → 유득공
④ 시헌력 도입 건의 (×) → 김육
⑤ 토지 제도 개혁 주장 (○)

14 조선 후기의 예술 – 진경산수화

그림은 정선의 「인왕제색도」이다. 이 그림은 조선 후기에 그려진 대표적인 진경산수화 작품이다.

15 갑신정변을 주도한 인물들

제시된 인물들은 갑신정변을 주도한 김옥균, 박영효, 서광범, 서재필이다. 이들은 급진 개화파로 일본의 지원을 받아 정변을 일으켜 근대 국가를 수립하고자 하였다.

16 독립 협회의 활동

독립 협회는 서재필 등 개화파 지식인들이 결집하여 창립한 단체이다. 독립 협회는 강연회와 토론회를 자주 개최하고, 만민 공동회를 열어 정부에 의회 설립 등을 요구하였다. 이러한 독립 협회는 서구식 입헌 군주제를 추구했는데, 황제권 강화를 추구한 정부의 탄압으로 해체되었다.

17 우리나라 고유의 영토, 독도

자료는 대한 제국 칙령 제41호의 내용으로, 울릉도를

울도군으로 승격하고 석도(독도)를 관할하도록 하는 내용을 담고 있다. 대한 제국은 이러한 조치를 통해 독도가 자국 영토임을 대외적으로 공식화하였다.

18 1990년대의 경제 – 외환 위기

김영삼 정부 시절 신자유주의 정책을 펼쳤으나 기업 경영과 금융의 부실이 드러나 대외 신뢰도가 떨어지면서 외환 보유고가 급격히 떨어지는 외환 위기가 발생하였다.

19 3·1 운동의 영향

대화의 사건은 3·1 운동이다. 미국의 윌슨 대통령이 제창한 민족 자결주의는 3·1 운동의 배경에 해당한다. 고종 강제 퇴위의 빌미가 된 사건은 헤이그 특사 파견이다.

20 단독 선거 반대 움직임 – 남북 협상

제시된 자료는 남북 협상과 관련된 사진이다. 유엔(UN) 소총회에서 남한만의 단독 선거가 결정되자 김구와 김규식 등은 북한의 김일성 등을 찾아가 남북 지도자 연석회의에 참여하였다(남북 협상).

학교 시험 **기본 테스트** 2회 | 58~61쪽

01 ④	02 ④	03 ②	04 ②	05 ①	06 ⑤
07 ④	08 ①	09 ③	10 ⑤	11 ①	12 ①
13 ①	14 ④	15 ④	16 ③	17 ③	18 ③
19 ④	20 ②				

01 조선 건국과 과전법

이성계와 신진 사대부 세력이 시행한 과전법은 관료의 등급에 따라 경기 일대의 토지를 나누어 준 제도이다. 권문세족의 토지를 신진 사대부에게 나누어 주면서 신진 사대부의 경제적 기반을 마련해 주었다.

02 조선의 정치 기구 – 3사

학생이 생각한 세 정치 기구는 언론 기능을 담당한 3사이다. 3사는 권력의 독점과 부정을 방지하는 역할을 하였다.

선택지 바로 보기

① 중요 정책 결정 (×) → 의정부
② 왕권 강화에 기여 (×) → 승정원, 의금부
③ 결정된 정책 집행 (×) → 6조
④ 권력의 독점 방지 (○)
⑤ 향리의 비리 감찰과 백성 교화 (×) → 유향소

03 조선의 지방 행정 제도

조선 시대 지방 행정은 중앙에서 파견한 수령을 중심으로 하여, 수령의 지시에 따라 행정 실무를 담당한 향리, 수령 보좌와 향리 감찰을 맡은 유향소의 협력을 통해 이루어졌다.

04 조광조의 개혁

중종은 훈구 세력을 견제하고자 조광조를 비롯한 사림을 등용하였다. 조광조는 현량과를 시행하고, 중종이 왕위에 오를 때 부당하게 공신이 된 훈구 대신들의 공훈을 삭제하고(위훈 삭제), 토지와 노비를 몰수할 것을 주장하였다.

05 조선의 실정에 맞는 서적 편찬

『칠정산』은 한양을 기준으로 작성된 역법서, 『농사직설』은 우리나라의 풍토에 맞는 농사법을 정리한 농법서, 『향약집성방』은 우리나라 약재의 효능과 치료법을 담은 의학서이다.

06 임진왜란과 병자호란 사이의 사건들

⑤ 서인이 인조반정을 일으켜 광해군과 북인 정권을 몰아내고 인조를 왕으로 추대하였다.

07 영조가 실시한 균역법

균역법은 군역 부담을 줄여 주기 위해 영조가 실시한 제도로 1년에 2필씩 걷던 군포를 1필로 줄인 것이다. 이에 따라 줄어든 군포 수입을 보충하기 위해 결작미를 별도로 거두게 되었다.

08 세도 정치기 국정 최고 기구

세도 정치는 순조, 헌종, 철종의 3대 60여 년 동안 이어졌다. 안동 김씨, 풍양 조씨 등의 세도 가문은 국정 최고 기구인 비변사와 주요 관직을 차지하고, 여러 군영의 지휘권을 장악하였다.

09 정조 대의 사건들

밑줄 친 '이 국왕'은 정조이다. 정조는 규장각 검서관으로 서얼 출신의 관리를 등용하는 등 서얼에 대한 차별을 줄이기 위해 노력하였다.

10 모내기법의 특징

제시된 그림은 「누숙경직도」의 모내기 모습이다. ⑤ 볍씨를 논에 바로 파종하는 방식은 직파법으로, 모내기법이 도입되기 전에 사용되었다. 모내기법은 볍씨를 모판에서 길러 논에 옮겨 심는 방법으로, 추수가 끝나면 다음 모내기 전까지 가을보리를 심어 기를 수 있었다.

11 조선 후기에 널리 쓰인 상평통보

조선 후기에는 상품 유통이 활성화되면서 장시가 전국적으로 확대되었다. 이 시기 장시는 5일마다 열리는 것이 일반적이었으나, 한성, 평양, 개성 등 대도시에는 상설 시장이 생겨나기도 하였다. 조선 후기의 상업 발달과 조세 제도 개편 등의 영향으로 화폐 유통이 많이 늘어났고, 특히 상평통보는 전국적으로 유통되었다.

선택지 바로 보기

① 장시가 전국적으로 확대되었다. (○)
② 솔빈부의 말이 중국에 수출되었다. (×) → 발해
③ 벽란도가 국제 무역항으로 성장하였다. (×) → 고려
④ 울산항이 국제 무역항으로 번영하였다. (×) → 통일 신라
⑤ 청해진을 설치하여 해상 교역을 주도하였다. (×) → 통일 신라

12 동학의 창시

19세기 중엽 지배층의 수탈로 사회가 불안해지고 천주교가 퍼지는 가운데, 경주 지방의 몰락 양반인 최제우가 동학을 창시하였다(1860). 동학은 천주교와 서양 세력의 침투를 경계하고 사회 모순을 개혁하려는 성격을 지녔다. 동학은 전통적인 민간 신앙과 유교·불교·도교의 교리가 합쳐진 것으로, '사람이 곧 하늘'이라는 인내천 사상을 바탕으로 하였다. 그리고 신분 차별을 비판하고 만인이 평등하다고 주장하여 널리 환영받았다. 조선 정부는 동학이 신분 질서를 부정하고 세상을 어지럽힌다고 하여 최제우를 처형하였다.

오답 피하기 ① 조선 정부는 동학이 신분 질서를 부정하고 세상을 어지럽힌다고 하여 탄압하였다.

13 조선 후기 회화의 새로운 경향 – 민화

이름이 알려지지 않은 화가들이 주로 그린 민화는 해, 달, 나무, 꽃, 동물 등 다양한 소재를 이용하여 건강과 장수 등의 소망을 담아 생활 공간을 장식하는 데 이용되었다.

14 실학의 발달 – 상공업 중심 개혁론

제시된 자료는 청과의 교역 확대와 소비를 통한 생산 증대를 주장하고 있다. 이는 상공업 중심 개혁론에 해당한다. ㄴ은 농업 중심 개혁론을 주장한 실학자들의 주장이다.

15 흥선 대원군의 대외 정책

제시된 인물은 흥선 대원군으로, 당시 서양 열강의 문호 개방 요구에 대해 통상 수교 거부 정책으로 대응하였으며, 그 과정에서 병인양요와 신미양요를 치렀다.

16 동학 농민군의 개혁 추진 기구

동학 농민군은 집강소를 통해 탐관오리의 처벌, 조세 개혁, 신분 차별 철폐 등의 개혁을 추진하였다.

17 1920년대 국외 무장 투쟁

국외에서는 무장 투쟁이 활발하게 전개되었다. 홍범도와 김좌진의 독립군 부대 등은 청산리 일대에서 일본군에 승리를 거두었다(1920). 하지만 일제는 이에 대한 보복으로 간도 지역의 주민들을 무차별 학살하였다(간도 참변). 이후 독립군은 일제의 탄압을 피해 러시아로 넘어갔다가 다시 만주로 돌아와 참의부, 정의부, 신민부 등 세 개의 독립군 정부를 수립하였다. 3부는 독립운동 단체로서, 만주의 한인 사회를 통치하는 자치 정부의 역할도 하였다. 제시문의 러시아에서 돌아온 독립군

정부는 참의부, 정의부, 신민부의 3부를 말한다.

선택지 바로 보기

① 독립 공채를 발행하였다. (×) → 대한민국 임시 정부의 활동
② 조선 건국 준비 위원회로 발전하였다. (×)
→ 1944년 국내에서 조직된 조선 건국 동맹
③ 참의부, 정의부, 신민부로 구성되었다. (○)
④ 국가 수립을 위한 건국 강령을 발표하였다. (×)
→ 대한민국 임시 정부와 조선 건국 동맹의 활동
⑤ 임시 의정원이 입법부의 역할을 담당하였다. (×)
→ 대한민국 임시 정부의 활동

18 김원봉의 조선 의용대

김원봉은 1919년 만주 길림에서 의열단을 조직하여 의열 투쟁을 전개하였으며, 중일 전쟁이 일어난 직후인 1938년에는 독립군 부대인 조선 의용대를 창설하여 항일 무장 투쟁에 나섰다.

19 모스크바 3국 외상 회의의 결정 내용

모스크바 3국 외상 회의의 결정 내용은 한국의 민주주의 임시 정부 수립, 미·소 공동 위원회 구성, 최고 5년간의 신탁 통치 실시 등이다. ㄹ. 제2차 미소 공동 위원회 결렬 이후 국제 연합(UN)에서 결정되었다.

20 대한민국의 경제

대한민국은 광복 이후 현재에 이르기까지 '한강의 기적'이라고 불리는 빠른 경제 성장을 이룩하였다. 문제에서 (가)는 1945~1961년, (나)는 1961~1972년, (다)는 1972~1979년, (라)는 1979~1988년, (마)는 1988~2002년의 시기에 해당한다.

선택지 바로 보기

① (가) – 중화학 공업이 발달하였다. (×) → 제3·4차 경제 개발 5개년 계획이 시행된 1970년대의 일
② (나) – 경공업 위주로 산업을 육성하였다. (○)
③ (다) – 미국의 경제 원조로 식량난을 해결하였다. (×)
→ 6·25 전쟁 직후의 사실
④ (라) – 외환 위기로 IMF에 구제 금융을 요청하였다. (×)
→ 외환 위기는 1997년에 일어난 일임
⑤ (마) – 경부 고속 국도가 개통되는 등 사회 간접 자본이 확충되었다. (×) → 경부 고속 국도는 1970년 개통됨

핵심 용어 풀이

❶ 천도 (옮길 遷, 도읍 都)

❶ [ ]을 옮김

답 ❶ 도읍

예1 태조 이성계는 정도전의 주장에 따라 개경에서 한양으로 천도할 것을 결정하였다.

예2 묘청, 정지상을 중심으로 한 서경 세력은 풍수지리설을 내세워 서경 천도를 추진하였다.

❷ 왕도 정치 (임금 王, 길 道, 정사 政, 다스릴 治)

맹자가 주장한 것으로, 무력이나 강압이 아닌 ❶ [ ]과 의리를 바탕으로 어진 정치를 실시하는 것

답 ❶ 도덕

예1 덕으로 사람을 복종시키면 사람들은 진심으로 따르므로 왕도 정치가 필요하다.

예2 고려 말 조선 초에 성장한 지방 유학자들인 사림 세력은 왕도 정치를 추구하였다.

❸ 성균관 (갖출 成, 고를 均, 객사 館)

조선 시대 최고의 교육 기관으로 명칭은 고려 충선왕 때 ❶ [ ]을 성균관으로 바꾼 데에서 비롯됨

답 ❶ 국학

예1 소과에 합격한 사람은 조선 최고의 교육 기관인 성균관에 입학하여 수준 높은 유학 교육을 받았다.

❹ 붕당 (벗 朋, 무리 黨)

조선 시대 이념과 이해에 따라 이루어진 ❶ [ ]의 집단을 이르는 말. 사림은 붕당을 이루고 서로 비판, 견제하며 정치를 전개함

답 ❶ 사림

예1 초기의 붕당 정치는 서로 인정하는 가운데 견제가 이루어지며 조선의 정치 발전에 이바지했다.

❺ 역법 (연대 曆, 법 法)

시간을 구분하고 날짜의 순서를 매겨 나가는 방법으로 시간 단위를 정할 때 주로 해와 달 같은 천체의 주기적 현상을 기본으로 함. ❶ [　　] 을 기준으로 할 때는 태음력, ❷ [　　] 를 기준으로 할 때는 태양력이라고 함

답 ❶ 달 ❷ 해

예1 『칠정산』은 한양을 기준으로 한 우리나라 최초의 역법서이다.

예2 조선 세종 때 이순지, 김담 등이 왕의 명령으로 『칠정산』이라는 역법서를 펴냈다.

❻ 백자 (흰 白, 사기그릇 瓷)

순백색의 바탕흙 위에 투명한 ❶ [　　] 을 발라 구워 만든 자기. 청자보다 깨끗하고 담백하며 검소한 아름다움이 있어 조선 시대에 유행함

답 ❶ 유약

예1 16세기 이후에는 백자가 널리 사용되었다.

예2 백자는 내면의 수양을 중시한 조선 시대의 사회 분위기를 표현한 자기로, 조선 후기 예술의 발달 모습을 보여 주기도 한다.

❼ 비변사 (갖출 備, 변방 邊, 맡을 司)

16세기 초 여진족과 ❶ [　　] 의 침입에 대비하기 위해 설치한 임시 회의 기구였으나, ❷ [　　] 을 거치면서 그 기능이 강화되어 국가 업무를 총괄하게 됨

답 ❶ 왜구 ❷ 임진왜란

예1 비변사는 의정부를 대신하여 최고 통치 기구의 역할을 하게 되었다.

❽ 훈련도감 (가르칠 訓, 단련할 鍊, 도읍 都, 경계할 監)

5군영 중 하나로, ❶ [　　] 을 방어하고 국왕을 호위하는 것을 주요 임무로 하였으며 급료를 받는 ❷ [　　] 으로 이루어졌음

답 ❶ 서울 ❷ 직업 군인

예1 임진왜란 초기 정부는 훈련도감을 새로 설치하였다.

❾ 균역법 (고를 均, 일할 役, 법 法)

❶ ______ 를 1년에 2필에서 1필로 줄인 법

답 ❶ 군포

예1 영조는 군역 회피자가 증가하고 군포 징수 과정의 폐단이 발생하자 균역법을 실시하여 백성의 군포 부담을 줄여 주었다.

❿ 예송 (예절 禮, 싸울 訟)

효종과 효종비가 죽은 후 자의 대비(인조의 계비이자 효종의 새어머니)가 얼마 동안 상복을 입어야 하는지를 둘러싸고 ❶ ______ 과 남인 사이에 벌어진 두 차례 논쟁

답 ❶ 서인

예1 현종 때 두 차례의 예송을 거치면서 남인과 서인의 대립과 갈등이 치열해져 서로의 존재를 부정하기 시작하였다.

⓫ 탕평 (방탕할 蕩, 고르게 할 平)

임금의 정치가 어느 쪽에도 치우치지 않고 ❶ ______ 한 상태로 이루어지는 것을 말함

답 ❶ 공평

예1 영조와 정조는 붕당 간의 대립을 완화하고 왕권을 강화하기 위해 탕평 정치를 실시하였다.

⓬ 환곡 (돌아올 還, 곡식 穀)

가난한 농민을 구제하기 위해 봄에 관청의 ❶ ______ 을 빌려주었다가, 추수한 후에 약간의 이자를 붙여서 돌려받는 제도

답 ❶ 곡식

예1 환곡은 원래 빈민 구제 제도였으나 환곡의 이자가 관청의 경비로 사용되면서 고리대처럼 운영되었다.

⑬ 공명첩 (빌 空, 이름 名, 문서 帖)

돈이나 곡식 등을 받고 명예 ❶ [ ] 을 주던 임명장

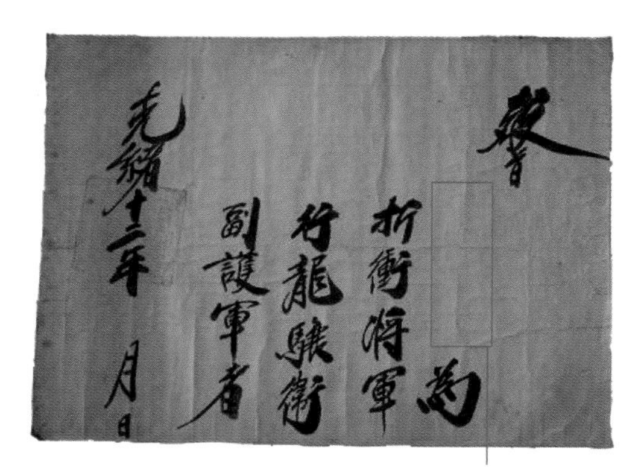

답 ❶ 관직

예1 경제 활동으로 부유해진 농민이나 상인은 공명첩을 사서 양반 신분을 얻었다.

⑭ 대동여지도 (큰 大, 동녘 東, 수레 輿, 땅 地, 그림 圖)

❶ [ ] 가 제작한 것으로, 전체가 22첩으로 된 목판 지도

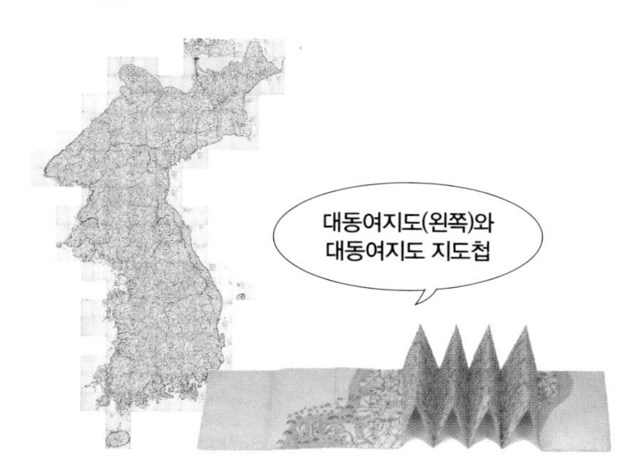

답 ❶ 김정호

예1 김정호는 산맥, 하천, 교통로 등 다양한 정보를 담은 「대동여지도」를 제작하였다.

⑮ 양요 (서양 洋, 시끄러울 擾)

서양 세력이 ❶ [ ] 탄압이나 통상 문제 따위를 빌미로 일으킨 난리

답 ❶ 천주교

예1 1866년 프랑스는 병인박해를 구실로 강화도를 침략하는 병인양요를 일으켰다.

⑯ 척화비 (물리칠 斥, 화할 和, 비석 碑)

흥선 대원군이 서양과의 ❶ [ ] 수교를 거부한다는 뜻을 널리 알리기 위해 세운 비석

답 ❶ 통상

예1 흥선 대원군은 전국 각지에 척화비를 세웠다.

⑰ 문호 (문 門, 집 戶)

외부와 ❶ [   ]하기 위한 통로나 수단을 비유적으로 이르는 말

답 ❶ 교류

예1 1876년 조선은 일본과 강화도 조약을 체결하고 문호를 개방하였다.

⑱ 별기군 (다를 別, 재주 技, 군사 軍)

조선 정부가 창설한 ❶ [   ] 군대로, 신체 건장한 장정을 뽑아 ❷ [   ] 교관에게 근대적인 훈련을 받게 함

답 ❶ 신식 ❷ 일본인

예1 개화파는 개화 정책의 하나로 근대적 신식 군대인 별기군을 창설하였다.

⑲ 군국기무처 (군사 軍, 나라 國, 기틀 機, 힘쓸 務, 곳 處)

❶ [   ] 당시 최고 정책 결정 기구

답 ❶ 갑오개혁

예1 김홍집 내각은 교정청을 폐지하고 군국기무처를 신설하여 근대적 개혁을 단행하였다.

예2 군국기무처는 약 210건의 개혁안을 의결하고, 국왕의 승인을 얻어 공포하였다.

⑳ 독립문 (홀로 獨, 설 立, 문 門)

조선이 ❶ [   ]으로부터 완전히 독립하였음을 기념하고, 이러한 독립을 지켜 내자는 의지를 담아 ❷ [   ]가 세운 기념물

답 ❶ 청 ❷ 독립 협회

예1 독립 협회는 국민의 성금을 모아 독립문을 건립하였다.

예2 우리나라의 영구 독립을 선언하기 위한 독립문은 영은문을 헐고 그 자리에 세워졌다.

㉑ 의병 (옳을 義, 병사 兵)

외적의 침입을 물리치기 위하여 백성들이 자발적으로 조직한 군대 또는 그 군대의 병사

예1 을사조약이 체결되었다는 소식이 전해지자 전국에서 의병이 일어났다.

예2 의병들은 맨 처음 일본 군사들을 막아 냈을 때처럼 절벽 꼭대기에서 바윗돌을 굴렸다.

㉒ 산미 증식 계획 (생산할 産, 쌀 米, 증가할 增, 늘어날 殖, 계획 計, 계획 劃)

1920년~1934년에 걸쳐 일제가 한국에서 ❶ [ ] 생산량을 늘려 일본으로 가져간 경제 ❷ [ ] 정책

답 ❶ 쌀 ❷ 수탈

예1 일제의 산미 증식 계획으로 한국의 식량 사정이 더욱 악화되었다.

예2 산미 증식 계획은 일제가 조선을 식량 공급지로 만들기 위한 식민지 농업 정책이다.

㉓ 의거 (의로울 義, 행동할 擧)

❶ [ ] 를 위해 개인 또는 집단이 의로운 일을 도모함

답 ❶ 정의

예1 의열단은 일제의 식민 통치 기관을 폭파하는 등 의거 활동을 전개하였다.

㉔ 병참 기지 (군사 兵, 쉬어갈 站, 기초 基, 땅 地)

❶ [ ] 작전에 필요한 인원이나 물자 등을 수송·보급·지원하는 기지

답 ❶ 군사

예1 만주 사변 이후 일제는 한반도를 병참 기지로 이용하였다.

㉕ 신탁 통치 (맡길 信, 의탁할 託, 거느릴 痛, 다스릴 治)

국제 연합(UN)의 위임을 받은 강대국이 아직 ❶[ ] 능력이 없는 지역을 일정 기간 동안 통치하는 것

답 ❶ 자치

예1 모스크바 3국 외상 회의는 한반도에서 신탁 통치를 실시할 것을 결정하였다.

㉖ 좌우 합작 (왼쪽 左, 오른쪽 右, 합할 合, 만들 作)

좌익 세력과 우익 세력이 서로 ❶[ ]함

답 ❶ 협력

예1 좌우 대립이 심해지자 중도 세력이 좌우 합작 운동을 전개하였다.

㉗ 직선제 (직접 直, 선거할 選, 제도 制)

국민이 직접 ❶[ ]를 통해 대표를 선출하는 제도

답 ❶ 선거

예1 1952년의 개헌을 통해 대통령 직선제로 헌법이 개정되었다.

예2 6·29 민주화 선언의 주요 내용 중 하나가 대통령 직선제 개헌이다.

㉘ 비상계엄 (아닐 非, 일정할 常, 경계할 戒, 엄격할 嚴)

전쟁, 반란, 또는 이에 준하는 국가 비상사태의 발생 시 일정 지역의 행정권과 사법권을 ❶[ ]이 맡아 다스리도록 하는 것

답 ❶ 군

예1 민주화를 요구하는 시위가 벌어지자 신군부는 비상계엄을 전국으로 확대하였다.

예2 박정희 정부는 비상계엄을 선포하고 군대를 동원하여 시위대를 진압하였다.

핵심 정리 01 조선 국가 기틀 마련

1. **태종** : 사병 혁파, 6조 중심의 국정 운영, ❶ [　　　] 실시
2. **세종** : 집현전 설치, 경연 실시, ❷ [　　　] 창제
3. **성종** : 홍문관 설치, 『경국대전』 완성

▲ 호패

답 ❶ 호패법 ❷ 훈민정음

핵심 정리 02 중앙 정치 제도

1. **조선의 중앙 정치 제도** : 조선은 유교 이념을 바탕으로 중앙 정치 제도를 정비, 의정부와 ❶ [　　　]를 중심으로 정치 운영, 각 기구의 실무 담당자들은 주로 과거를 통해 선발

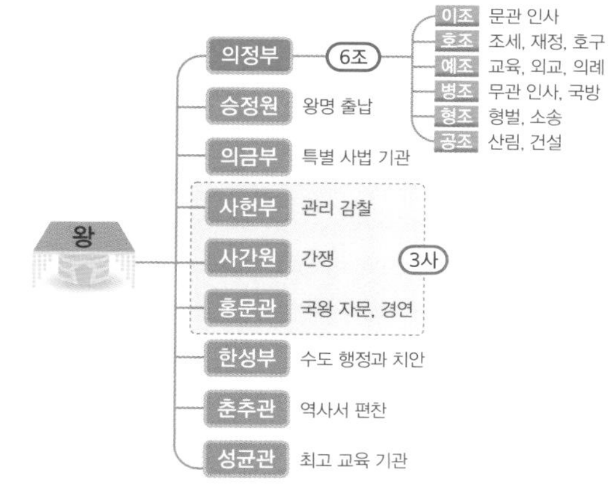

▲ 조선의 중앙 정치 기구

답 ❶ 6조

핵심 정리 03 사림 세력의 성장

1. **정계 진출** : ❶ [　　　]이 훈구 세력을 견제하기 위해 사림 세력 등용
2. **훈구와 사림의 대립** : 연산군 때 무오사화, 갑자사화, 중종 때 ❷ [　　　], 명종 때 을사사화 발생
3. **서원과 향약** : 사림 세력의 성장 기반이 됨

▲ 병산 서원

답 ❶ 성종 ❷ 기묘사화

핵심 정리 04 조선 전기 과학 기술의 발달

1. **천문, 역법** : 「천상열차분야지도」(천문도), 혼천의와 간의(천체 관측), 앙부일구와 자격루(시간 측정), 측우기(강수량 측정), 『❶ [　　　]』(역법서)
2. **기타** : 『향약집성방』(의학), 『농사직설』(농업)

▲ 앙부일구

▲ 자격루

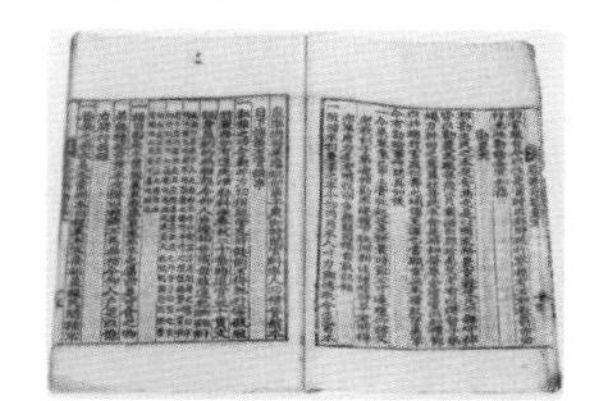

▲ 『농사직설』

▲ 측우기

답 ❶ 칠정산

절취선에 따라 카드를 잘라서 활용하세요.

핵심 정리 01

[예제] 조선의 왕들과 그 업적을 연결한 것으로 옳지 않은 것은?

① 태조 – 조선을 건국하고 한양으로 도읍을 옮겼다.

② 태종 – 왕권을 강화하고자 공신과 왕자들의 사병을 없앴다.

③ 세종 – 집현전을 설치하여 학자를 양성하였다.

④ 세조 – 국가 재정 확충을 위해 인구 조사를 하고 호패법을 처음 시행하였다.

⑤ 성종 – 홍문관을 설치하여 경연에 힘썼다.

답 ④

기억해요!

호패법 시행은 ❶ ☐ 의 업적이다. ❷ ☐ 는 인구를 다시 조사하고 군사 제도를 개편하여 국방력을 강화하였다. 『경국대전』 편찬을 시작한 것도 세조이다.

답 ❶ 태종 ❷ 세조

핵심 정리 02

[예제] 다음 학습 활동의 내용으로 적절하지 않은 것은?

> [학습 활동] 조선 시대 중앙 정치 기구의 역할을 한 컷 만화로 표현한다.

① 홍문관 관리에게 자문을 구하는 왕

② 의정부에서 결정된 정책을 집행하는 6조

③ 반역을 저지른 죄인을 심문하고 있는 한성부

④ 왕의 명령을 신하들에게 전달하는 승정원 관리

⑤ 영의정, 좌의정, 우의정이 모여 정책을 의논하고 있는 모습

답 ③

기억해요!

반역 등 나라의 큰 죄인을 다스리던 기구는 ❶ ☐ 이다. 한성부는 한양의 행정과 치안을 담당하였다.

답 ❶ 의금부

핵심 정리 03

[예제] 선생님의 질문에 대한 학생의 대답으로 옳은 것을 〈보기〉에서 고른 것은?

여러 차례의 사화로 큰 화를 입은 사림 세력이 꾸준히 성장할 수 있었던 기반에는 어떤 것이 있었나요?

보기

ㄱ. 서원을 통해 제자를 양성하였습니다.
ㄴ. 사병을 길러 군사적 기반을 마련하였습니다.
ㄷ. 향촌 자치 규약인 향약을 널리 보급하였습니다.
ㄹ. 단종을 몰아내고 세조의 왕위 즉위를 도왔습니다.

① ㄱ, ㄴ ② ㄱ, ㄷ ③ ㄴ, ㄷ
④ ㄴ, ㄹ ⑤ ㄷ, ㄹ

답 ②

기억해요!

사림 세력의 성장 기반은 ❶ ☐ 과 ❷ ☐ 이었다.

답 ❶ 서원 ❷ 향약

핵심 정리 04

[예제] 다음 신문 기사에 들어갈 자료로 적절한 것을 〈보기〉에서 고른 것은?

> 제○○○호 △△신문 ○○○○년 ○○월 ○○일
>
> 조선 전기 천문학, 눈부시게 발전하다!

보기

ㄱ. 『칠정산』 ㄴ. 앙부일구
ㄷ. 분청사기 ㄹ. 『훈민정음』

① ㄱ, ㄴ ② ㄱ, ㄷ ③ ㄴ, ㄷ
④ ㄴ, ㄹ ⑤ ㄷ, ㄹ

답 ①

기억해요!

❶ ☐ 때 역법서인 『칠정산』이 편찬되었으며, ❷ ☐, 자격루 등의 시간 측정 기구가 만들어졌다.

답 ❶ 세종 ❷ 앙부일구

핵심 정리 05 광해군의 중립 외교와 인조반정

1. **광해군의 중립 외교** : 후금이 명 위협 → 명이 조선에 군사 지원 요청 → 광해군이 명에 군대 파견, 상황에 따라 대처하도록 지시 → 서인의 반발 → ❶ [   ] → 서인 집권
2. **호란** : 서인의 친명배금 정책 → 후금의 침략(정묘호란) → 후금이 국호를 청으로 바꾸고 침략(병자호란) → 청과 군신 관계 체결

답 ❶ 인조 반정

핵심 정리 06 조선 후기 통치 체제의 변화

1. **비변사의 기능 강화** : 최고 정치 기구가 됨 → 의정부와 6조의 기능 축소
2. **조세 제도 개편**

영정법(전세)	풍흉에 관계없이 토지 1결당 4두 징수
❶ [ ] **(공납)**	기존에 집집마다 토산물 징수 → 토지를 기준으로 쌀, 옷감, 동전 징수
균역법(군역)	기존에 1년에 군포 2필 → 1년에 군포 1필 납부

답 ❶ 대동법

핵심 정리 07 탕평 정치의 실시

1. **영조** : 서원 정리, 이조 전랑의 권한 축소, ❶ [   ] 건립, 균역법 실시, 『속대전』 편찬
2. **정조** : 노론뿐만 아니라 소론과 남인까지 등용, ❷ [   ] 개편, 초계문신제 실시, 장용영 설치, 수원 화성 건립, 『대전통편』 편찬

▲ 탕평비

답 ❶ 탕평비 ❷ 규장각

핵심 정리 08 조선 후기 경제와 사회 변동

1. **모내기법의 전국 확대** : 농업 생산량 증가, 일부 농민은 부농층으로 성장
2. **신분제의 변동** : ❶ [   ] 구입, 납속, 족보 위조 등으로 양반으로 신분 상승 → 양반의 수 증가

▲ 공명첩

답 ❶ 공명첩

핵심 정리 06

[예제] **다음 ㉠, ㉡에 해당하는 기구는?**

> **조선 후기 통치 체제의 변화**
>
> 1. 정치 구조의 변화 : [㉠]이/가 국정을 총괄함
> 의정부와 6조의 기능이 위축됨
> 2. 군사 제도의 변화
> ① 중앙군 : [㉡]을/를 시작으로 어영청, 총융청, 수어청, 금위영이 설치되며 5군영 체제가 성립됨
> ② 지방군 : 속오군이 편성되어 평상시에는 생업에 종사하다가 유사시 동원되었음

㉠ : (   ) ㉡ : (   )

답 ㉠ : 비변사 ㉡ : 훈련도감

기억해요!

❶ [   ]는 원래 국방 문제를 다루는 임시 회의 기구였으나 양 난을 거치며 국정을 총괄하게 되었다.

답 ❶ 비변사

핵심 정리 05

[예제] (가) ~ (라)를 일어난 순서대로 바르게 나열한 것은?

> (가) 북벌 운동이 추진되었다.
> (나) 서인이 인조반정을 일으켰다.
> (다) 삼전도에서 청과 굴욕적인 화의를 맺었다.
> (라) 후금이 조선과 형제 관계를 맺고 물러났다.

① (가) - (나) - (다) - (라)
② (나) - (가) - (라) - (다)
③ (나) - (라) - (다) - (가)
④ (다) - (가) - (나) - (라)
⑤ (다) - (나) - (가) - (라)

답 ③

기억해요!

인조반정 이후 ❶ [   ]의 친명배금 정책으로 후금이 침략하였고, 후금은 조선과 형제 관계를 맺고 물러났다.

답 ❶ 서인

핵심 정리 08

[예제] **조선 후기 신분제의 변동에 대한 설명으로 옳은 것을 <보기>에서 모두 고른 것은?**

> 보기
> ㄱ. 사화로 많은 양반이 관직을 잃었다.
> ㄴ. 서얼들이 주요 관직에 진출하기도 하였다.
> ㄷ. 경제 활동으로 부유해진 일부 상민들이 양반 신분을 얻기도 하였다.
> ㄹ. 주인에게서 도망가는 노비가 많아져서 수가 갈수록 감소하였다.

① ㄱ, ㄴ ② ㄴ, ㄷ ③ ㄱ, ㄴ, ㄷ
④ ㄴ, ㄷ, ㄹ ⑤ ㄱ, ㄴ, ㄷ, ㄹ

답 ④

기억해요!

조선 후기에는 상당수의 양반들이 중앙 정치에서 밀려나 ❶ [   ]이나 ❷ [   ]으로 전락하였다.

답 ❶ 향반 ❷ 잔반

핵심 정리 07

[예제] **(가), (나) 문화유산과 관계있는 인물의 활동이 바르게 짝지어진 것은?**

(가)

(나)

① (가) – 장용영을 설치하였다.
② (가) – 홍경래의 난을 진압하였다.
③ (가) – 『대전통편』을 편찬하였다.
④ (나) – 규장각을 개편하였다.
⑤ (나) – 신문고를 다시 설치하였다.

답 ④

기억해요!

탕평비를 세운 것은 ❶ [   ]이고 수원 화성을 건설한 것은 ❷ [   ]이다.

답 ❶ 영조 ❷ 정조

핵심 정리 09 실학의 발달

1. **농업 중심 개혁론** : 토지 제도 개혁 주장, 유형원(균전론), 이익(한전론), ❶ ______ (여전론)
2. **상공업 중심 개혁론** : 청과의 교류 통한 선진 문물 도입 주장, 박지원(수레, 선박, 화폐의 사용 강조), ❷ ______ (『북학의』 저술, 소비를 통한 생산 증대 주장)

▲ 다산 초당

▲ 정약용

답 ❶ 정약용 ❷ 박제가

핵심 정리 10 갑신정변, 동학 농민 운동

1. **갑신정변** : ❶ ______ 을 중심으로 한 급진 개화파가 정변을 일으킴. 개혁 정강(인민 평등, 근대적 정치 제도) 발표 → 청군 개입으로 실패
2. **동학 농민 운동** : 고부 농민 봉기 → 전주성 점령, ❷ ______ 설치(폐정개혁안 추진) → 농민군 재봉기 → 우금치 전투 패배, 전봉준 체포

▲ 갑신정변의 주역들

답 ❶ 김옥균 ❷ 집강소

핵심 정리 11 항일 의병 운동

1. **을미의병** : ❶ ______ 과 단발령 시행에 반발 → 양반 유생층 중심 투쟁
2. **을사의병** : 을사늑약 체결에 반발 → 신돌석 등 평민 의병장 활약
3. **정미의병** : 고종의 강제 퇴위, ❷ ______ 에 반발 → 다양한 계층 참여

▲ 정미의병의 모습

답 ❶ 을미사변 ❷ 군대 해산

핵심 정리 12 3·1 운동

1. **배경** : 윌슨의 민족 자결주의, 2·8 독립 선언
2. **영향** : 대한민국 임시 정부 수립, 일제의 식민 통치 방식 변화(기만적인 '❶ ______ '), 중국의 ❷ ______ 등 다른 나라의 독립운동에 영향

▲ 임시 정부의 통합

답 ❶ 문화 통치 ❷ 5·4 운동

핵심 정리 10

[예제] **동학 농민 운동에 대한 옳은 설명을 〈보기〉에서 고른 것은?**

보기

ㄱ. 김옥균 등이 주도하였다.
ㄴ. 근대적 정치 체제를 수립하고자 하였다.
ㄷ. 집강소를 통한 폐정 개혁을 추진하였다.
ㄹ. 반봉건적 · 반외세적 성격의 민족 운동이다.

① ㄱ, ㄴ　② ㄱ, ㄷ　③ ㄴ, ㄷ
④ ㄴ, ㄹ　⑤ ㄷ, ㄹ

답 ⑤

기억해요!

김옥균, 박영효 등은 우정총국 개국 축하연을 이용해 ❶ ______ 을 일으켰다. 이들은 근대적인 정치 체제를 수립하고자 하였다.

답 ❶ 갑신정변

핵심 정리 09

[예제] **조선 후기 실학의 발달과 관련된 설명으로 옳은 것은?**

① 연행사 일행에 의해 소개되었다.
② 중인, 상민, 천민, 여성 사이에서 빠르게 퍼졌다.
③ 홍대용, 박지원, 박제가는 상공업 발전과 기술 혁신에 관심을 가졌다.
④ 유형원, 이익, 정약용은 청과의 교류를 통한 문물 수용을 강조하여 북학파라고 불렸다.
⑤ 사람이 곧 하늘이라는 사상을 바탕으로 신분 차별을 비판하고 만인 평등을 주장하였다.

답 ③

기억해요!

유형원, 이익, 정약용은 ❶ ______ 를 개혁하고 자영농을 육성하여 농민 생활을 안정시켜야 한다고 주장하여 ❷ ______ 중심 개혁론자로 불린다.

답 ❶ 토지 제도 ❷ 농업

핵심 정리 12

[예제] **선생님이 설명하는 사건이 발생한 배경으로 옳은 것은?**

① 일제가 문화 통치를 실시하였다.
② 대한 제국의 군대가 해산되었다.
③ 대한민국 임시 정부가 수립되었다.
④ 을사늑약이 불법적으로 체결되었다.
⑤ 윌슨이 민족 자결주의를 제창하였다.

답 ⑤

기억해요!

3 · 1 운동은 미국의 윌슨 대통령이 제창한 ❶ ______ 와 일본 유학생들의 ❷ ______ 에 영향을 받아 일어났다.

답 ❶ 민족 자결주의 ❷ 2 · 8 독립 선언

핵심 정리 11

[예제] **(가), (나) 의병에 대한 설명으로 옳은 것은?**

(가) 을사늑약 체결에 반발하여 봉기하였다.
(나) 대한 제국의 군대가 해산된 후 일어났다.

① (가) - 평민 의병장의 활약이 두드러졌다.
② (가) - 군인의 합류로 전투력이 강화되었다.
③ (나) - 입헌 군주제를 수립하고자 하였다.
④ (나) - 양반 유생 출신 의병장으로만 구성되었다.
⑤ (가), (나) - 애국 계몽 운동을 주도하였다.

답 ①

기억해요!

을사늑약 체결에 반발하여 ❶ ______ 이 일어났고 대한 제국 군대 해산 이후 군인의 합류로 전투력이 강화된 것은 ❷ ______ 이다.

답 ❶ 을사의병 ❷ 정미의병

핵심 정리 13 민족 운동의 전개

1. 1920년대 민족 운동

국내	• 실력 양성 운동: 물산 장려 운동, 민립 대학 설립 운동 • 학생 운동: 6·10 만세 운동, 광주 학생 항일 운동 • ❶ ☐: 비타협적 민족주의 계열과 사회주의 계열의 민족 협동 전선
국외	• 의열단: 김원봉이 조직, 김익상·김상옥·나석주 의거 • 봉오동 전투(홍범도)와 청산리 대첩(김좌진, 홍범도)의 승리 → 3부(참의부·정의부·신민부, 자치 정부 성격) 성립

2. 1930년대 이후 국외 무장 독립 투쟁

한인 애국단	❷ ☐가 조직, 이봉창·윤봉길 의거
만주 지역	한국 독립군(지청천), 조선 혁명군(양세봉)
중국 관내	조선 의용대(김원봉), 한국 광복군(대한민국 임시 정부)

답 ❶ 신간회 ❷ 김구

핵심 정리 14 대한민국 정부 수립

1. **통일 정부 수립 노력** : 모스크바 3국 외상 회의 → 우익과 좌익의 대립 심화 → ❶ ☐ 결렬 → 좌우 합작 운동 실패 → 유엔(UN)에서 남한만의 선거 실시 결정(반대 움직임: 남북 협상, 제주 4·3 사건)
2. **대한민국 정부 수립** : 5·10 총선거 → 제헌 국회 구성 → 헌법 공포 → 대한민국 정부 수립(1948)

▲ 38도선을 넘는 김구

답 ❶ 미소 공동 위원회

핵심 정리 15 일제의 식민지 경제 정책

1. **1910년대** : ❶ ☐ → 조선 총독부의 지세 수입 증가, 많은 소작농이 경작권 상실
2. **1920년대** : 산미 증식 계획 → 증산량보다 많은 쌀을 일본으로 반출
3. **1930년대 이후** : 한반도의 병참 기지화, 인적·물적 수탈(국가 총동원법 제정)

▲ 토지 조사 사업 당시 토지를 측량하는 모습

답 ❶ 토지 조사 사업

핵심 정리 16 민주주의의 발전

1. **4·19 혁명(1960)** : 이승만 정부의 독재 정치, ❶ ☐ → 부정 선거 규탄 시위(김주열 학생 사망) → 전국 대규모 시위 → 이승만 물러남
2. **6월 민주 항쟁(1987)** : 대통령 직선제 요구, 박종철 고문치사 사건 → 4·13 호헌 조치 발표에 대규모 시위 전개 → 6·29 민주화 선언(대통령 ❷ ☐ 수용)

▲ 4·19 혁명 당시 시위 모습

답 ❶ 3·15 부정 선거 ❷ 직선제

핵심 정리 14

[예제] **다음 역사적 사실을 시간 순서에 맞게 나열한 것은?**

ㄱ. 좌우 합작 운동이 전개되었다.
ㄴ. 남북 지도자 연석회의가 열렸다.
ㄷ. 모스크바 3국 외상 회의가 개최되었다.
ㄹ. 신탁 통치를 둘러싸고 좌 · 우익 대립이 심화되었다.

① ㄱ - ㄴ - ㄷ - ㄹ ② ㄱ - ㄷ - ㄹ - ㄴ
③ ㄴ - ㄷ - ㄱ - ㄹ ④ ㄴ - ㄷ - ㄹ - ㄱ
⑤ ㄷ - ㄹ - ㄱ - ㄴ

답 ⑤

기억해요!

모스크바 3국 외상 회의의 결정 사항을 두고 좌익과 우익의 대립이 심화되고 미소 공동 위원회도 결렬되자 여운형과 김규식은 ❶ ☐ 을 전개하였으나 실패하였다.

답 ❶ 좌우 합작 운동

핵심 정리 13

[예제] **다음 강령을 발표한 단체에 대한 설명으로 옳은 것은?**

- 우리는 정치적 · 경제적 각성을 촉구한다.
- 우리는 단결을 공고히 한다.
- 우리는 기회주의를 일체 부인한다.

– 「동아일보」 1927. 1. 20. –

① 중국 상하이에서 조직되었다.
② 3 · 1 운동의 확산을 주도하였다.
③ 만주에 독립운동 기지를 건설하였다.
④ 대성학교, 오산학교 등을 설립하였다.
⑤ 민족주의자와 사회주의자의 연합으로 결성되었다.

답 ⑤

기억해요!

❶ ☐ 는 1927년에 비타협적 민족주의 계열과 사회주의 계열이 연합한 민족 협동 전선으로 결성되었다.

답 ❶ 신간회

핵심 정리 16

[예제] **밑줄 친 '이 선거'에 대한 설명으로 옳은 것은?**

사진은 1960년 이 선거 당시의 투표 용지로, 약 40%가 사전에 투표되는 등 선거 부정이 일어났다.

① 제헌 국회 의원을 선출하였다.
② 6월 민주 항쟁 이후 실시되었다.
③ 간접 선거로 대통령을 선출하였다.
④ 4 · 19 혁명이 일어나는 원인이 되었다.
⑤ 우리 역사상 최초의 보통 선거로 진행되었다.

답 ④

기억해요!

4 · 19 혁명 : 3 · 15 부정 선거 규탄 시위 → 김주열 학생 사망 → 4월 19일 전국 대규모 시위 → ❶ ☐ 대통령 하야

답 ❶ 이승만

핵심 정리 15

[예제] **(가)에 들어갈 내용으로 옳지 않은 것은?**

일제는 경제 공황을 극복하고 전쟁 수행을 위한 기반을 마련하기 위해 (가)

① 국가 총동원법을 시행하였다.
② 식민지 공업화 정책을 추진하였다.
③ 쌀과 금속에 대해 공출을 시행하였다.
④ 계엄령을 선포하여 반공 체제를 구축하였다.
⑤ 지원병제, 징병제 등으로 청년들을 전쟁에 동원하였다.

답 ④

기억해요!

1930년대 이후 ❶ ☐ 의 일제는 ❷ ☐ 을 시행하는 등 한반도를 병참 기지로 만들었다.

답 ❶ 민족 말살 통치기 ❷ 국가 총동원법

book.chunjae.co.kr

교재 내용 문의 ………… 교재 홈페이지 ▸ 중등 ▸ 교재상담
교재 내용 외 문의 ………… 교재 홈페이지 ▸ 고객센터 ▸ 1:1문의
발간 후 발견되는 오류 ………… 교재 홈페이지 ▸ 중등 ▸ 학습지원 ▸ 학습자료실